旅ごころはリュートに乗って

歌がみちびく中世巡礼

星野博美

平凡社

旅ごころはリュートに乗って＊目次

カバー画：《カンティガ・デ・サンタ・マリア》
（一二八〇年頃）
装幀：ミルキィ・イソベ

まえがき

私はリュートという古楽器を習っている。習い始めてはや四年だが、残念ながらさほど上達はしていない。

リュートは洋梨を縦に割ったような、丸っこい形をした複弦の撥弦《はつげん》楽器で、弦の張力を増すために棹がほぼ九〇度に折れ曲がっている。先祖はアラブやペルシャ世界でいまなお活躍する撥弦楽器ウードで、それがヨーロッパに渡ってリュートになり、東へ向かった子は琵琶になった。ではウードはどこで生まれたのかというと、メソポタミアが発祥だとか。ざっくりした言い方だが、古代文明のゆりかご地域で誕生し、東へ西へ拡がったというイメージを共有していただければ幸いだ。

リュートは、ルネサンス期には「楽器の女王」と呼ばれるほど、ヨーロッパ各地で愛好された。しかし複雑化を極める西洋音楽の需要に対応しきれず、十八世紀半ばに一度、表舞台から消えた。

私が初めてその音色《ねいろ》に触れたのは、三十年ほど前に大学で受けた金澤正剛教授の「西洋音楽史」の授業だった。リュート曲の名作を数多く残した、シェイクスピアと同時代に生きたジョン・ダウランドの曲を聴いたのが初めてで、たちまち魅了された。

霧がおりた灰色の空の下に田園風景が広がり、その向こうから漂ってくるような、たおやかな音色。柔らかな産毛《うぶげ》に包まれ、ほんの少し指が当たっただけで傷ついてしまう、舌の上でとろける桃のような繊細さ。穏やかであるため、金属系の楽器——鍵盤楽器もその一つ——と競合すると負けてしまう。リュートの音を殺さずに最も共存できるのは、人間の声だと思う。

魅了はされたものの、一九八〇年代、リュートの音源は日本では絶望的なほど少なく、日常的に耳にする機会にはあまり恵まれなかった。リュートに対する関心は薄れていき、そのまま四半世紀が経過した。

その熱が再発したのは二〇一二年のことだ。当時私はキリシタンについて何か書けないかと模索している最中で、手当たり次第に関連本を読み漁っていた（のちに『みんな彗星を見ていた——私的キリシタン探訪記』として上梓）。そして、天正遣欧使節がリュートを弾いた、という記述に触れたのである。

天正遣欧使節は、東方布教の成果をヨーロッパに喧伝するため、イエズス会の東インド巡察師ヴァリニャーノが企画立案した使節で、正使は伊東マンショ、千々石《ちぢわ》ミゲル、副使は原マルチノと中浦ジュリアンである。一五八二年に長崎を出発し、九〇年に日本に戻った。秀吉による「伴天連《バテレン》追放令」が出たあとだったため——ポルトガルとの交易にはイエズス会士の仲介を必要としたので、宣教師を追放することは実質なかったが——、大手を振って帰国するわけにはいかず、苦肉の策としてヴァリニャーノがインド副王使節という立場になり、四人はその随行員として「訪日」したのだった。

時は彼らがローマから帰国して約一年後の一五九一年。四人は秀吉の御前で演奏を披露した。

「関白はまた四名の公子に音楽を奏でて聞かせてもらいたいから、自分の前に出るようにと命令した。そしてそのために用意されていた楽器がただちに届けられていた。四名の公子はクラヴォ、アルパ、ラウデ、ラヴェキーニャの楽器を演奏し始め、それに歌を合わせた。彼らはイタリアとポルトガルでそれを十分習っていたので、立派な態度で実に品よく軽やかに奏でた。」（ルイス・フロイス『完訳フロイス日本史』12、松田毅一・川崎桃太訳、中公文庫、二〇〇〇年）

この「ラウデ」がリュートである。

彼らはリュートを弾くことができたのか！　その記述に胸が躍った。

どんなに本を読んでも、四百年前をリアルに感じることができない。あの時代と自分をつなぐ、何か接着剤のようなものを探していた時に、この記述を見つけた。リュートなら時空を超えた旅の伴になってくれるかもしれない、という予感がした。

リュートに乗って、旅に出よう。

どこへたどり着くかはわからないが、お伴をして頂けたら幸いだ。

第1話　グリーンスリーヴス（イングランド民謡）

現代に生きる私たちは、文字情報や音楽、絵画、あるいは映画やドラマといった様々な情報にまみれている。あまりに大量の情報が行きかうので、何にどんな影響を受けたのかをいちいち省みる余裕もなく、日々を過ごす。そしてある時ふと立ち止まり、「これの影響だったのか」と驚くことがある。

たとえば私が最初にキリシタンの存在を知ったのは、十歳くらいの時に新聞で天正遣欧使節の絵を見た時だった。その二年後、さらに大きい波が来た。

一九七八年に放送された、NHK大河ドラマ「黄金の日日」である。

同世代の編集者や文筆業者と飲むと、「黄金の日日」ファン・ミーティングのような様相を呈することがある。それほど私たち世代の一部には影響力の大きかったドラマだ。舞台は商人による自治が行われていた堺。フィリピン・ロケが多く、随所にキリシタンのエピソードが登場した。

このドラマの主題は、オープニング画面にはっきりと現れている。

「この町はベネチア（ベニス市）の如く執政官により治められる。

堺と称するこの町は甚だ大きく且富み、守り堅固にして諸国に戦乱あるも、この地に来れば相敵する者も友人の如く談話往来し、この地に於いて戦うを得ず。

この故に堺は、未だ破壊せらるることなく、黄金の中に日日を過ごせり。

ポルトガル宣教師　ガスパル・ビレラの書簡より」


時代設定こそ日本の視聴者が大好きな戦国時代であるが、主役は市民だった。

主人公は日本とマニラを行き来する商人、納屋《なや》助左衛門（市川染五郎。現在の松本白鸚）。盗賊、石川五右衛門（根津甚八）。坊主あがりの火縄銃の名手、善住坊《ぜんじゅぼう》（川谷拓三）。五右衛門に惹かれて翻弄されていくキリシタン、モニカ（夏目雅子）。天正遣欧使節にイエズス会のポルトガル人宣教師、ルイス・フロイス（自身もイエズス会士だったアロイジオ・カンガス）。奴隷として売られ、日本に舞い戻った灯台守のお仙（李礼仙）。信仰心に一点の曇りもないキリシタン大名の高山右近（鹿賀丈史）。伊勢・長島の戦いの生き残りで、善住坊から火縄銃の手ほどきを受けた桔梗《ききょう》（竹下景子）。極悪非道の交易商人、原田喜右衛門（唐十郎）……。

登場人物の面子《めんつ》を挙げるだけでも、このドラマがいかに画期的だったかがわかる。秀吉による天下統一と国家権力による引き締めが着々と進むなか、それに抗いながら生きる市民に焦点を当てた、従来の時代劇の本流から外れた、斬新なドラマだった。

リュートを習い始めた頃に知り合った、日本リュート協会理事の阿矢谷《あやたに》さんという友人がいる。リュート教室の打ち上げで席が隣になり、「黄金の日日」がいかに素晴らしかったかですっかり意気投合し、親しくなった。私より五歳年長なので、それを見た時点では十七歳だった。

彼は興奮したおももちで言った。当時は趣味でギターを弾いていたが、あのドラマで初めてリュートという楽器を目にし、たちまち虜《とりこ》になった。そして翌年、大学入学を機に上京し、リュートを習い始めたのだという。

「『黄金の日日』は、当方を悪に導いた、実に罪深い存在ですよ」

「あのドラマにリュートが?」

思わず問い返した。あの大河ドラマにリュートが登場したことは、私の記憶からはまったく抜け落ちていたのだ。

「原マルチノが弾くシーンがあったじゃないですか。秀吉の御前演奏のシーンもありましたし」

驚愕した。まったくそんな記憶がない。

あまりに驚き、「黄金の日日」のDVDを借りて全編見なおした。

確かにリュートが登場した。リュートだけではない。サン・フェリペ号遭難事件や二十六聖人の殉教、宣教師の大追放など、現在自分が関心を寄せるテーマが続々と出てきたのである。

自分が気づかなかっただけで、キリシタンとリュートの因子は静かに降り積もっていた。それがまるで花粉症のように、ようやくいまになって発症した。一度発症したら、もう止まらない。そんなイメージが浮かんだ。

それにしても、自分がリュートとの出会いを記憶していないことが興味深かった。天正遣欧使節の登場は記憶にあるのだから、当時はよほど楽器や音楽に関心がなかったものと見える。

時期も関係しているだろう。この番組が放送された一九七八年の四月、私はミッション系の中学に入り、これまで縁のなかったキリスト教や裕福な子女たちという異文化のなかで苦労していた。そこにちょうど反抗期が始まり、何もかもを破壊したいという願望が芽生え始めていた。リュートや南蛮音楽に反応するような琴線も感性も、まったく持ち合わせてはいなかったのだ。

いつ、何にどんな影響を受けたのか、自分が気づいていないことがある。それをたどったら、何かを探し当てられるかもしれない。

描かれたリュート

リュートの話に戻ろう。

音色が美しいリュートだが、形もまた愛らしい。もったりした流線形のフォルム。不器用に折れ曲がった棹。いかにも衝撃に弱そうな華奢《きゃしゃ》なボディ。背が流線形なので、平らな所に置く際は弦を張った側を下にして伏せなければならないが、伏せたリュートはカブトガニのように見える。そんな話をリュート愛好家にすると大抵は気味悪がられるのだが、私は一九九〇年代に福建省の島で生きたカブトガニを山ほど見てすっかり気に入ったので、断言する。本当にそっくりなのだ。何台かのリュートが伏せてあると、いまにも動き出しやしないかと凝視してしまう。動物みたいな感じがする。

リュートの音色を聴いたことがなくても、その姿はどこかで見たことのある人が多いかもしれない。形も美しいリュートは、ヨーロッパの絵師たちにモチーフとして大変好まれた。

英国リュート協会発行『リュートの歴史』に、リュートの特徴が簡潔に記されている。

「リュートは最も魅力的で繊細なルネサンス期の楽器の一つである。構造の軽さと丸い背、折れ曲がった糸蔵が特徴である。リュートの幾何学的完璧さと科学的精度、対称性は、完璧な自然の象徴とされた。他のどの楽器よりもルネサンスを象徴する楽器といえよう。」

その造形物としての美しさに最大級の賛辞を惜しまない。

「磨かれた背と構造の繊細さは十六〜十七世紀の画家たちを魅了し、肖像画の背景としてよく描かれた。リュートとリュート奏者はしばしば、五感を構成する『聴覚』の暗喩として描かれた。」

リュートを聴くだけの段階では、絵にはまったく興味がなかったのに、弾くようになったら興味を持つようになった。

楽器に惹かれただけで、これまで敷居が高くて苦手だった西洋絵画が見たくなる。まったくのリュート効果である。

きっと、体感が関係しているのだろう。

この曲は、いつどこで、どんな人が弾いたのか？　どんな衣服を着た、どんな社会的立場の人物？　そこはどんな空間？　室内、それとも路地裏？　温度は？　湿度は？　運ぶ時はどんな入れ物に入れた？　馬車で運ぶ時に振動で楽器が壊れなかったのだろうか？　どんな音色が出た？　どんな社会階層の人々がこの音色を耳にしたのだろうか？　彼らにとって音楽はどんな存在だった？

……

いくらでも疑問が湧いてくる。身体的体験の威力をまざまざと感じる。リュートが描かれた絵画で有名なものを挙げると、ティツィアーノ（一四八八／九〇～一五七六）の《ヴィーナスとリュート奏者》。カラヴァッジオ（一五七一～一六一〇）の、その名もずばり《リュート弾き》と《合奏》。いずれも極めてエロチックで、人体のなまめかしい美しさに花を添える形でリュートが使われている印象だ。意外だが、カラヴァッジオは天正遣欧使節の四人とほぼ同世代である。

カラヴァッジオ《リュート弾き》1595年、エルミタージュ美術館。手元に描かれているのはイタリア式タブラチュア

クレタ島からヴェネツィアへ渡ってティツィアーノのもとで研鑽を積み、その後はスペインで活躍した、その名も「ギリシア人」エル・グレコ（一五四一～一六一四）の作品にもリュートは登場する。代表作《無原罪のお宿り》と《福音書記者聖ヨハネと無原罪のお宿り》、そしてビルバオ美術館所蔵の《受胎告知「托身《たくしん》」》などで、聖母マリアを囲んで天使がリュートを弾いている。

私の印象では、リュートの音色には脳天からそのまま天に昇っていくような垂直性がある。聖母マリアとともに被昇天する天使が奏でるには、まさに最適な楽器だ。「天使が弾く系」リュートと命名しておきたい。

一方、先祖であるウードの音色は、腹にずしんと来て、そのまま地面を伝って遠くまで響いていくような水平性がある。この水平性も私は好きだ。

とりあえずリュートの絵が見たくてお腹がすいている人は、ファミリーレストランのサイゼリヤに駆けこもう。フィオレンティーノの《リュートを奏でる天使》が見られる。

グレコがトレドで画業に打ちこんでいた一五八四年、天正遣欧使節はこの街に立ち寄っている。彼らはスペイン国王フェリペ二世に謁見《えっけん》するため、マドリードに向かう途中でこの街に立ち寄ったのだが、トレド滞在は予定より長引いて三週間にも及んだ。千々石ミゲルが天然痘にかかったからだ。治療にはトレドの名医二名があたり、幸い一命をとりとめた。その年トレドでは、天然痘で三千人もの子どもが亡くなったという。

天正遣欧使節もまた、リュートのように、絵画に描かれた。

二〇一六年五月、《伊東マンショの肖像》が初来日を果たした。

これは二〇一四年にイタリア北部で発見されたもので、調査にあたったトリヴルツィオ財団によると、一五八五年に使節がヴェネツィア共和国を訪れた際、共和国元老院がヤコポ・ティントレット（一五一八〜九四）に発注して集団肖像画として制作を開始、その没後に息子ドメニコが切り詰め、一人の肖像画として完成させたものだという。四人が見たヨーロッパは、グレコやティントレットが普通に活躍していた時期だったのである。

上野の東京国立博物館で実物を目にした時、私はしばらく絵の前から離れることができなかった。

「未開」の東アジアから四人のキリスト教徒の少年がやってきたというニュースは、当時ヨーロッパで大きな話題となり、四人の画像はたくさん描かれた。しかしそれは情報を伝えるだけの「図像」に近く、坊主刈りに平板な顔つき、東洋風衣服にヒラヒラした襟という、紋切り型の記号が満載だった。

《伊東マンショの肖像》はそれとはまったくの別物で、本気の絵画である。

マンショが、まさにそこにいる。東方から来た使節ではなく、キリシタンの初穂でもない、うっすら髭の生えた十六歳の青年、マンショ。彼らの肖像画をいくつも見てきたが、これほど人間的に表現された肖像を、私は見たことがない。

イエズス会の東方布教キャンペーンに利用され、いつの間にか大友宗麟《そうりん》の名代とされてしまった不安を抱えながら、正使としての重圧に耐え、優等生として振る舞わざるをえなかった彼の揺れる心の内が、どことなく不安そうな表情と微妙に焦点の定まらない左右の瞳に現れているようだ。これまで、あまりに品行方正なところがあまり好きになれなかったマンショを、私はたまらなく愛おしいと思った。

この一枚との出会いで、彼に対する印象は大きく変わったのである。もとは集団肖像画だったといわれるので、残る三人の肖像画も発見されることを期待したい。

聴覚の暗喩

リュートは「聴覚」の暗喩として、様々な静物画や肖像画の背景にも描かれた。その代表としては、イングランド王ヘンリー八世の宮廷画家となったハンス・ホルバイン（一四九七／九八〜一五四三）の《大使たち》（一五三三年）を挙げたい。これは斜めから見ると歪んだ髑髏《どくろ》が浮かび上がることで知られた肖像画で、二人の人物がもたれる棚に、音楽の暗喩としてリュートが描かれている。丸い背をしたこの楽器の美しさが際立つ。もっとも、この置き方をしたらリュート奏者に怒られるだろう。リュートは、弦が張られた平面を下にして伏せる、カブトガニ置きが鉄則である。

少し変わり種としては、ドイツ・ルネサンスの巨匠アルブレヒト・デューラー（一四七一〜一五二八）の木版画《リュートを描く男》がある。デューラーは他にも、「天使が弾く糸」リュートをいくつか描いているが、私は特にこの絵に惹かれる。リュートの形状に画家が魅了されていることが、一目瞭然だからだ。机にはリュートが丸い背を下にして乗せられ（しつこいようだが、現代のリュート奏者が見たら目をひんむいて怒るだろう！）、一人の男が先に重りのついた長い糸を楽器から延ばし、もう一人の男は机に垂直に立てた窓からリュートを覗きこみ、スケッチしている。遠近法を駆使して流線形のリュートを描く、その舞台裏を描いているのだ。リュートという美しい造形物を前に、「正確に描いてやる！」という熱意が感じられて面白い。それほど当時、リュートがしばしば絵に描かれたことの証拠であろうし、その流行を揶揄《やゆ》した、一種の諷刺画の可能性もある。

ホルバインを宮廷に呼び、自身の肖像画を描かせながらも、晩年はうとんじたのがヘンリー八世（一四九一〜一五四七）だ。生涯に六度も結婚し、離婚問題でローマ教皇と決裂して英国国教会を作り、妻を処刑台に送ったイングランド王。その性格の激しさと、イングランドを強国にのしあげた実績が大衆を惹きつけるのか、時代劇で繰り返し取り上げられるあたり、日本でいえば織田信長のような存在なのかもしれない。意外なことにリュートを大変好み、音楽的素養の高かった人物だ。

一五一八年頃には、二十の歌と十三の器楽曲で構成された『ヘンリー八世曲集』を書いている。「グリーンスリーヴス」というイングランド民謡がある。リュートを習い始めた人は、運指がある程度自由になった段階で、誰もがこの曲を習うといっていい。私にも弾ける、シンプルな美しい曲である。

若い世代は知らないだろうけれど、かつて人様の家や会社の固定電話に電話をかけて保留になると、よくこの曲が流れたものだったのだ。私の場合、これは小学校で夕方五時になると下校時刻を知らせるために流れた曲だった。初めて保留音でグリーンスリーヴスを聞いた時には、「下校の音楽じゃん」と思ったものだ。

イングランド民謡といわれるこの曲だが、実はヘンリー八世作という根強い説がある。後に妻となって斬首刑に処されるアン・ブーリンへの求愛を表現した曲だとか。この曲をリュートでつまびきながら、アンへの思いを歌ったのか……？　真偽のほどは定かではないが、この曲を弾くたびにチューダー王朝の愛憎劇に思いを馳せるのも悪くない。

十六世紀にイングランド王が愛人への愛を歌ったリュート曲から、日本の区立小学校の下校の音楽、そして固定電話の保留音へ――。変遷があまりにすさまじい名曲である。

毀誉褒貶《きよほうへん》激しいヘンリー八世ではあるが、個人的には奇妙な思い入れがある。高校一年生の世界史の授業の時、ヘンリー八世が離婚したいために英国国教会を作り、ローマ教皇クレメンス七世から破門された、と教わった。それほど当時のローマ教皇の力は絶大で、その傘下に居続けたら自由な動きができなかったこと、宿敵スペインとの関係もからんだ政治問題だったことがいまでは理解できるのだが、十代の自分には驚きだった。

「離婚したくて英国国教会は作られたんですか?」と先生に質問した。

「そうですよ。うちの学校の原点です」

腰が抜けるほど驚いた。聖公会系のミッション・スクールであるとは知っていたが、ヘンリー八世なくして、この学校は存在しなかったのか……。そのインパクトが強すぎて、わが母校を思い出す時、ホルバインの描いた彼の顔が思い浮かんでしまうのだ。

さて、ヘンリー八世とアン・ブーリンの娘、エリザベス一世も、父親譲りでリュートが好きだったようだ。彼女がリュートをかまえた肖像画《リュートを弾くエリザベス一世》(ニコラス・ヒリアード、一五八〇年)は、リュート曲のCDや演奏会のチラシによく使われている。私が初めてリュートの音色を聴いた(と当時は思っていた)ダウランド(一五六三〜一六二六)は、エリザベス一世時代に活躍した作曲家。宮廷お抱えの音楽家になることを切望しながら叶わず、失意の日々を送った。失意の日々カトリックだったため、ローマから送られたカトリック教会のスパイと疑われたのだ。失意の日々をデンマーク宮廷で送り、ようやくイングランド宮廷から呼ばれたのは彼の最晩年、しかもエリザベス一世の死後だった。

ヨーロッパじゅうを旅し、しかも権力者に容易に接触できる音楽家は、見方を変えればスパイとして使うには恰好の職業だった。ダウランドがそのような嫌疑を受けた裏には、逆バージョンでエリザベス一世からプロテスタントのスパイとして雇われていた可能性の高い、フェッラボスコというイタリア人音楽家の存在があった。彼は、宮廷音楽家としては考えられないほどの財を築いたことから、スパイ報酬が主な収入源だったのではないか、というのが最近では定説となっている。フェッラボスコのリュート曲も私は練習しているが、素人目にも、音楽的にはダウランドに軍配があがる。生前に築いた社会的地位や財と、後世の評価はまったく異なるという一つの例である。

オランダで描かれたリュート

リュートが違った形で描かれているのがオランダだ。スペイン、およびカトリック教会と袂《たもと》を分かち、交易で黄金時代を築いたオランダでは、風俗画や風景画、静物画が特に発展した。日本で大人気のフェルメール（一六三二～七五）にもリュートを描いた作品がある。《リュートを調弦する女》だ。寡作で知られるフェルメールだが、これ以外にも、ヴァージナルやシターン、ヴィオラ・ダ・ガンバ、バロックギターなど、楽器を好んで描いている。それは肖像画に添える聴覚の暗喩のように見えるし、栄華を極めたオランダの裕福な市民の日常にこれらの楽器が存在したようにも見える。フェルメール作品に登場する楽器は、聴覚の暗喩と日常描写の両義を持っているようで、実に興味深い。

彼以外にも、オランダの作品にはリュートがよく登場する。風俗画にリュートが登場する頻度が最も高いのは、十七世紀のオランダかもしれない。ディルク・ファン・バビューレン（一五九四～一六二四）の《リュート奏者》に《合奏》。《取り持ち女》は、胸元の大きく開いた服を着た豊満な女性がリュートをかまえ、二人の男が指で数字を示し、何やら交渉している様子を描いたもの。売買春の値段交渉であろう。この絵はフェルメールの義母マリアが所有していたため、フェルメールの《ヴァージナルの前に立つ女》と《合奏》(一九九〇年にボストンで盗難され、いまだ見つかっていない)の背景に登場する。いわば入れ子状態で、リュートが登場しているわけだ。

フェルメールとは対照的に、八百もの作品を残した多作画家、ヤン・ステーン(一六二六~七九)も忘れるわけにはいかない。居酒屋を経営していたとかで、庶民が酔っぱらって乱痴気騒《らんちきさわ》ぎをする絵が多いのだが、居酒屋の壁にはよくリュートがぶらさがっている(このぶらさげ方なら、現代のリュート奏者も文句は言うまい)。偉大なフェルメールの影に隠れてあまり評価は高くないが、絵からは匂いや猥雑さが湧きたつようで、人間のずるさや計算高さがあますところなく表現され、私はこの画家がなんとも言えず好きだ。

注目したいのは《用をたす女(Woman at her toilet)》。胸のはだけた豊満な女性がおまるに用を足したあと、ベッドに腰かけてストッキングを履く様子だが、なぜだか敷居にリュート(カブトガニ置き)と楽譜と髑髏が描かれている。これって……どう考えても一仕事終えたばかりの娼婦に見える。

極めつきは《リュート奏者に扮した自画像》。ステーンはきどった表情の通常の自画像も残しているが、こちらでは豪快に足を組み、舌なめずりをするような下卑《げび》た表情でリュートをかまえている。まるでリュートが女体で、一戦を交えようとしているかのようだ。

リュートには何か別の意味があるのだろうか。

気になって調べてみたところ、オランダ絵画のコレクションを多数保有する英ケンブリッジ大学のフィッツウィリアム美術館のウェブサイトに、こう書かれていた。

十七世紀のオランダ絵画で、リュートは性的暗喩として用いられた。フラマン語の「リュート」(luit) には、女性のヴァギナの意味があるというのだ！　この楽器をかまえることは、しばしば女娼、あるいは男娼を意味するという。

何ということだ……。

天使から宮廷、そして売買春まで！　リュートの守備範囲は誠に広い。

ルターとリュート

最後に変わり種として、グスタフ・シュパンゲンベルク（一八二八～九一）の《家族で音楽を楽しむルター》を挙げておこう。他にも同じ構図の絵がいくつも存在するが、マルティン・ルターがリュートを弾き、四人の子どもが歌い、幼子を抱いた妻がそれを見つめるという家族の肖像である。

宗教改革がテーマである本の中でこの絵を見つけた時はたまげたものだった。リュートはヨーロッパ各地の宮廷で愛された楽器だという固定観念に縛られていたので、カトリック教会の腐敗を弾《だん》劾《がい》し、ローマ教皇に反旗を翻したルターとまったく結びつかなかったからだ。

ルターは自らリコーダーとリュートを奏で、賛美歌を多数作曲したという。カトリック教会は典礼音楽から複雑極まりない多声音楽を発展させ、それが西洋音楽の飛躍的発展の原動力となっていった。しかしそれは当時の民衆が日常的に耳にできる類《たぐい》の音楽ではなかった。ルターが起こした宗教改革の肝《きも》の一つが、聖職者や特権階級の専有物だったラテン語からの解放だったことを思えば、会衆が日常的に使用する言語によるシンプルで美しい賛美歌を推奨し、それを自らリュートを片手に作曲したというのは、実は驚くべきことでも何でもない。

ルターは「神はわがやぐら」（賛美歌二六七番）や「深き悩みの淵より」（賛美歌二五八番）などを作曲した。YouTubeで検索してみた。

「神はわがやぐら　わが強き盾《たて》　苦しめる時の近き助けぞ
おのが力　おのが知恵を　頼みとせる
陰府《よみ》の長《おさ》も　など恐るべき」

この歌は知っている。というか、歌えてしまった。中学・高校でさんざん歌わされた聖歌だったのだ（私が通ったミッション・スクールは聖公会系だったので、賛美歌ではなく聖歌と呼んだ）。慌てて当時の聖歌集を引っ張り出してみた。聖歌三八九番。「力強く　荘重に」。確かに作曲者はマルティン・ルターと書いてあった！

この歌をルターが、しかもリュートで作曲したのか……。

リュートよ。

君が何者なのか、私にはいよいよわからなくなってしまったぞ。

第2話　ピーヴァ（ヨアン・アンブロージオ・ダルツァ）

クラシックとは何か

リュートの音色をまだ聴いたことがない友人と話していた時のことだ。

「それって、クラシックの一種なの？」

彼女にそう尋ねられ、返答に窮したことがある。リュート界の人々は失笑するかもしれないが、私は実に的を射た質問だと思った。

「クラシック」とは実に厄介な言葉である。

日本で「クラシック」に対する一般的な認識は、こんなものに近いのではないだろうか。

昭和の時代、趣味の欄に「クラシック鑑賞」と書くと、少しインテリ風に見られるような、カラヤンや小澤征爾が大ホールで指揮し、交響楽団が大勢で演奏するような、そして演奏中に咳をコンコンすると周囲の客から白い目で見られるような、そんな気位の高いイメージ。

時代としては、ルネサンスは含まれず、バロックはせいぜい「四季」で知られるヴィヴァルディくらい。バッハから始まって十九世紀末に至るまでの、古典主義、ロマン派などをひっくるめた、漠然とした西洋の（その「西洋」の定義ですらはなはだ曖昧であるが）、伝統的な音楽。

要は、学校の音楽室の壁の高い所に掲げられた、不思議なカツラをかぶった西洋風の人たちが作っていた音楽、といったところだろう。

圧倒的な西洋崇拝。日本の義務教育レベルの音楽教育で、どこの誰があのようなことを始めたのか、興味がある。あの刷りこみは大変強固だ。

高い所から我々生徒を見下ろす彼らの顔は、いまでも覚えている。バッハに始まり、ハイドン、ヘンデル、ベートーヴェン、シューベルト、シューマン、ヨハン・シュトラウス、ショパン、リスト、そしてワーグナー。ドイツとオーストリア強しである。フランスは近代に入って登場するドビュッシーくらいで、イタリアはロッシーニのみ。イギリスは誰もいない。楽譜上では「ピアニッシモ」とか「ポコ・ア・ポコ」といったイタリア語を連発するのに、イタリア人作曲家が一人では、イタリア人が知ったら納得がいかないだろう。そして最後にはアメリカのフォスターとロシアのチャイコフスキーが、申し訳程度に付け加えられていて、いかにも日本が敗戦した連合国の二人を足すことでバランスを取ったように見える。

中学に入ってから反西洋志向が強まってしまった私にとって、音楽室はあまり近寄りたくない場所だった。なぜ何百年も前の、へんなカツラをかぶった作曲家に見下ろされなければならないのか。音楽室に対する反感が、私をクラシックから遠ざけた。いまでもその気持ちは、基本的に変わっていない。

そして美術室へ行けば、イタリア・ルネサンスの巨匠、ミケランジェロのダヴィデ像のレプリカが私たちを待っていた。そこにはドイツやオーストリアの影はない。一体全体、どんな西洋観を我々に植えつけたかったのか。

その後遺症はいまだに日本を呪縛していると言ってもいい。クラシックのコンサートといえばドイツものが多いし、元日の定番といえば、NHKで放送される、ウィーン・フィルハーモニー管弦楽団のジルヴェスター・コンサート。そして美術展で人気なのはイタリア・ルネサンスとフランスの印象派。そろそろいい加減、根拠のない呪縛から解き放たれたいものである。

日本の音楽教育で刷りこまれたクラシック観を基準にしたら、リュートはクラシックには入らない。リュートの繊細で小さな音色《ねいろ》は、金管楽器や鍵盤楽器には太刀打ちできず、楽器の熾烈《しれつ》な生存競争から脱落した。バッハと、同時代に生きたヴァイスを最後に、作曲家たちはリュート曲を作らなくなったといわれる。ヴァイスとバッハの死んだ十八世紀半ばを境に凋落《ちょうらく》の一途をたどり、二世紀以上の深い眠りについた。リュートは絶滅した、といわれがちな所以《ゆえん》である。

過激な表現をするならば、リュートは、いわゆる「クラシック」に殺されたともいえる。

しかしながらCDショップに行けば、リュートはクラシックコーナーの片隅の「古楽」や「アーリーミュージック」に分類されている。自分を殺した相手と一緒にされ、さぞ居心地が悪かろう。

リュート界や古楽界の人々の、クラシックとの距離感はどうなのだろう。私から見ると、やはりクラシック畑出身の人が多く、純粋にこの楽器に魅了された、クラシックをやっていたが何らかの理由で飽き足らなくなった、あるいはラッシュアワーを避けて通勤する人のように、すいた電車に乗り換えた、という人が多いように見受けられる。

友人から投げかけられた質問に戻ると、「クラシックであるかもしれないし、そうとは言えないかもしれない」と答える以外になさそうだ。

そして私はといえば、クラシックも五線譜も嫌いなのにリュートは好き、というねじれた状況になっている。このねじれは実は大変厄介で、リュート愛好家との交流を阻害する要因になりかねない。いまはまだ皆さん優しく接してくださっているが、いずれ異端者としてリュートの園から追放される日がくるかもしれない。本当にそんな予感がする。

調弦の迷宮

よく晴れた日の朝、早く支度をして外に出なければならないのに、ソファに腰かけ、ついついリュートを弾き始めてしまうことがある。

つま弾き始めた瞬間、音程が狂っていることに気づき、調弦にとりかかる。

薄い木と羊の腸でできたガット（羊の腸が高価なので、現在ではカーボンやナイロンが多い）という自然素材で作られたリュートは、自然環境の変化を受けやすく、音程はすこぶる狂いやすい。天気の良し悪し、湿度、気温によって、くるくる機嫌が変わる。カラッとよく晴れた日に弾くと、なんだか急に上達したような軽やかな音色が出るが、反面、音が走りすぎて弾き方が乱暴になりがちだ。ジメッとした寒い日に弾くと必要以上に下手になったように感じられる。始終、調弦をしなければならない。

楽器を使いこなしているわけでも優れた音感を持ち合わせているわけでもないため、調弦には時間がかかる。自分の楽器を手に入れたばかりの頃、弦を張る力の入れ方がわからず、キリキリと力の限り強く張っていきなりぶち切った経験があるので、木ネジにかける手の力は臆病になる。フェルメールの描いた《リュートを調弦する女》のようにサクッとは、実際はいかないのだ。この弦もあの弦も、みんな示し合わせたかのように狂っている。ある弦を直すと、今度はさっき合わせた弦と合わなくなり、またやり直し。次第に狂った音の迷宮にはまりこみ、何が正しい音なのか、わからなくなってしまう。あっという間に時間は過ぎていき、本当にそろそろ出かけなければならない時間がくる。

今日も実際に弾く前に、調弦で時間切れになってしまったぞ。

そして翌日になれば、また天気や湿度の変化によって音程が狂うので、昨日の調弦はまったく無駄となり、一からやり直し。手間取る。また時間切れ。

いつになったら弾かせてくれるのか？　お願いだから弾かせてくれ！　しょっちゅうそんな悪態をついている。

とあるリュートの演奏会に出かけた時、後ろの客がこんな話をしていて、くすくす笑ったことがある。ある演奏会で、奏者がステージでずっと調弦をしていて、七分もかかった。そしていざ曲を弾き始めると三分で終わった。

「俺は調弦を聴きに行ったのか？」

そうぼやきたくなる気持ちは、痛いほどわかる。環境の変化に弱く、すぐに機嫌をそこねる、取り扱いの難しい楽器だ。だからこそ余計に愛おしい。持つというより、飼う感覚に近い。

同時にこうも思う。王や貴族の前で弾かなければならなかったリュート奏者は、音程の調整に神経質になったかもしれない。しかしリュートを背負って町から町へと旅した辻音楽師や吟遊詩人は、これほど調弦に固執したのだろうか。天候の変化に直撃される辻裏や広場では、弾いている最中から音程は狂いまくっただろう。そのつど演奏をやめ、直したりしていたら、客を逃したのではないか。

一にも二にも音程に執着するのは、音楽、特に西洋由来の音楽を過度に芸術視する、現代病という気がするのだ。

こういうことを言うと、またリュート界から総攻撃を受けそうだが。

タブラチュアのこと

リュートの演奏に使われるのは、楽譜ではなく、奏譜である。タブラチュアと呼ばれ、音符ではなく、どの弦のどの場所（フレット）を押さえるかを数字やアルファベットで示した、大変直感的かつ機能的な代物だ。楽譜が読めなくても弾くことができる。タブラチュアの解読に音楽的素養が必要ない点は、五線譜嫌いの自分がモチベーションを維持するのに大いに役立っている。

タブラチュアには、フランス式、イタリア式、ドイツ式、そしてスペインのルイス・デ・ミランが考案したフランスとイタリアの折衷形、いわゆるミラン式がある。順に特徴を見ていこう。
私が最初に習ったのはフランス式だ。この方式は最上段が高音弦で下が低音弦、フレットはアルファベットで示す。弦の表記方法は身体感覚に近くて好ましいが、東洋出身の私にはアルファベット表記がどうしても慣れない。見てなんとか指が動くようになるまで軽く一年はかかった。e、fあたりまではいいが、g以降が途端に心許《こころもと》なくなり、i、j、kはお手上げだ。対処法は、h以降の文字が頻発する曲は選ばないこと！

イタリア式はその点、数字を使用するので好ましい。ところがフランス式とは天地が逆で、最上段が低音弦、下が高音弦となる。私個人の身体感覚では、さかさま感が強く、強烈な違和感がある。

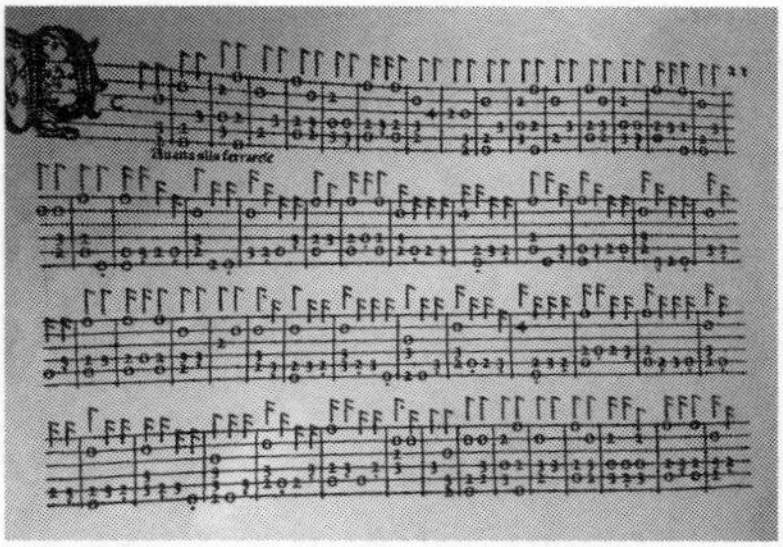
目下練習中のダルツァのタブラチュア（イタリア式）。『インタボラチュラ・デ・ラウト IV』（1508年）より、「パヴァーナ・アラ・フェラレーゼ」

フランス式とイタリア式のいいとこどりをしたのがミラン式で、フランスの天地とイタリアの数字を採用している。「天才ミラン！」と喝采を送りたくなるほど、読みやすい。しかし最大の弱点は、ミラン以外にあまり広まらなかったことだ。なぜこれほど合理的な表記方法が普及しなかったのか、理解に苦しむ。結局、リュートのタブラチュアとしては浸透せず、これを踏襲したのが後世のギターのタブ譜である。

ドイツ式は、弦を表す線を使わないことが最大の特徴だ。指で押さえるか押さえないかにかかわらず、すべての音に違う数字とアルファベットが割り当てられ、暗号表のような趣《おもむき》がある。この暗号さえ暗記できれば読めるようにはなるだろうが、h、i、jあたりでギブアップする私にはかなり敷居が高い。

複雑怪奇に見えるドイツ式だが、最大の優位点はスペースを節約できることだろう。線が不要なため、一枚の紙に大量の情報を詰めこむことができる。グーテンベルクが活版印刷を発明したドイツ。カトリック教会の豪華絢爛《けんらん》と腐敗に異議を唱え、ルターが宗教改革を始めたドイツ。高価な紙とインクのことを考えれば、紙上の空間節約は切実なニーズだったのだろう。同じことを表現するのに、各地で発想と表記方法が異なるのが実に興味深い。

タブラチュアに思いを馳せる時、私はコンピューターのOSを思い浮かべる。

少なくとも日本で利用者が多いのはフランス式で、いわばウィンドウズ。シェアではフランス式に及ばないものの、そのシステムをこよなく愛する信奉者は決してよそに移ろうとしないイタリア式は、マックといったところ。一社しか採用していないが熱烈なファンを持つベンチャー企業の開発したOSがミラン。

私が最初にフランス式で教わったのも、まさに汎用性の高さが理由だった。日本のリュート愛好者に圧倒的人気を誇るジョン・ダウランド（イングランド）の曲はフランス式で書かれている。イタリア式は「フランス式に書き直したものを探せばよい」、ドイツ式は「マイナーだから考えなくてよい」と教えられたものだった。

あくまでも私の印象だが、どのタブラチュアを選ぶかは、いつの時代のどの地域の音楽を好むかによって、各自が好きに決めればよいと思う。

レッスンに行き、先生からフランス式タブラチュアを渡され、練習する。それで二年くらいは何の不便も疑問も感じなかった。

疑問を抱き始めたのは、音楽に対する自我がほんの少し芽生え始めてからだ。

出版の都、ヴェネツィア

幼い頃から私は食べ物を始め、好きだと思えないものを受け付けられない厄介な性格だ。レッスンで与えられた曲があまり好みでないと、まったく練習する気が起こらない。「この曲、好きじゃありません」と、つい口に出してしまう。教える側から見たら、この上なく生意気で腹立たしく、扱いにくい生徒であろう。少し反省する。

習いごとには順序というものがあり、反復練習を重ねて基礎をしっかり体にたたきこみ、段階を経て難しいものへチャレンジしていかなければならない。それは重々承知している。が、どうしても好き嫌いが邪魔をする。

ほんの少しだけ自己弁護をさせてもらうと、デッサンの基礎もできないうちから「ピカソのような抽象画を描きたい！」とか、そういう類《たぐい》の分不相応なわがままを主張しているわけではないのだ。先生は「洋梨は美しいから、デッサンしろ」と言う。しかし私が美しいと感じ、描きたいのは、日本のみかんなのだ。そんな違い。やはり、わがままだろうか？

自分だけのみかん、もとい、好きな曲のタブラチュアを探そう！　ひそかにそう決心した。

ヨアン・アンブロージオ・ダルツァという、ルネサンス期イタリアのリュート奏者がいる。軽快でダンサブルなリュート曲を数多く残した人物だ。私は大好きなダルツァの曲が弾きたいと思った。

話は再び印刷に戻る。グーテンベルクがマインツで活版印刷を始めたあと、印刷・出版業が隆盛を極めたのはヴェネツィアだった。出版業が隆盛するためには、知識層の集中、豊富な資本、そして高い商業力が必須条件となる。加えて多種多様な人間が集う、文明の十字路のような立地。異なる言語が飛びかい、異なる宗教を実践する人が行きかう場所では、翻訳や解説に対する欲求が大きな需要を生み出すからだ。

楽譜の活版印刷技術を確立したのは、のちに「音楽界のグーテンベルク」と称されるオッタヴィアーノ・ペトルッチ（一四六六～一五三九）という人物だ。彼は一四九八年、ヴェネツィア議会に音楽出版の特認権を申請し、三年の歳月をかけて、ポリフォニー〈多声音楽〉に必要な音符や記号を製作し、五線譜の上にずれないよう正しく配置する技術を確立した。そして一五〇一年、西洋音楽史上最も美しい楽譜集と呼ばれる『ハルモニケ・ムシケス・オデカトン』（百歌選集。通称オデカトン）を出版した。ジョスカン・デ・プレやヨハネス・オケゲムなど、当時ヨーロッパで最先端だったフランドル楽派の多声楽曲九十六曲を収めた、五線譜の曲集である。

ペトルッチは続いて一五〇七年、ヴェネツィアの名リュート奏者、フランチェスコ・スピナチーノのリュート曲集『インタボラチュラ・デ・ラウト　I』を出版。これが史上初めて活版印刷されたリュートのタブラチュア集である。続いて同年に同じくスピナチーノの『インタボラチュラ・デ・ラウト　II』、翌一五〇八年には、ジョヴァンニ・マリア・アレマーニの『同　III』、ヨアン・アンブロージオ・ダルツァの『同　IV』を相次いで出版した。彼が出版したタブラチュアはこの四冊である。ちなみにアレマーニの曲集『Ⅲ』は現存していない。

つまりダルツァの曲が弾きたければ、史上四番目（現存するものでは三番目）に古いタブラチュア集を見ればよいわけだ。さらっと言っているが、実にすごいことではないか。五百年前のリュート奏者と譜面を通して交流できるのだから。興奮して早速探し始めた。

お目当てのものはネット上ですぐに見つかった。しかも見つけたのは、楽譜を提供するサイト、その名も「ペトルッチ・ドット・コム」だ。五百年前の技術革新でリュート奏者たちの曲は印刷物の形で後世に残され、いまは二十一世紀の技術革新で、東洋の片隅にいながら見ることが可能になった。昔もいまも、ペトルッチよ、ありがとう、という感謝の気持ちでいっぱいだ。

はやる気持ちを抑えながら、画面をクリックしていく。

あっ！　案の定、というか、当然ながらというか、イタリア式だった。

読めないではないか……。撃沈。ダウンロードだけして、しばらく放っておいたのだった。

この感覚もまた、コンピューターと似ていた。宇宙人が書いたような文字化けしたメールを受け取った時の、あの感じ。先方がソフトを持っているかどうかを確かめずに文書を添付してしまい、「開けません」と電話がかかってくる時の、残念な感じ。互いに理解できる言語でコミュニケーションをとろうとしているのに、同じOS、あるいはソフトを使わないと情報が共有できない。違う形式で書かれたタブラチュアもそれと同じだと思った。

イタリア式が読めなければ、当時残された本物の譜面（ファクシミリと呼ぶ）は諦めなければならない。そして先生かリュートに詳しい誰かに頼んでフランス式に書き直してもらうか（そんなことは到底頼めやしないこともわかっている）、世界のどこかにいる親切な誰かが書き直してネットにアップしたものを探すことになる。

それは可能だろうし、曲という情報としては同じかもしれない。しかし感覚としてはまったく別ものになる。ペトルッチに感謝したり、ダルツァの暮らした当時のヴェネツィアに思いを馳せたりしながら弾くことはできないだろう。本当はそれがしたいのに。

イタリア式を頭にインストールして、文字化けを解消するしかない。できるだろうか？　フランス式もやっとだというのに？

リュート友達の阿矢谷さんに相談したところ、「ぜひともお勧めします」と開口一番言われた。フランス式で事足りるとはナンセンス、リュートの一大拠点であり、かつ本家本元のイタリアをはなから捨てることになる、と力説された。

「世界がぐっと広がりますよ。要は慣れの問題だけ。絶対できます」

その励ましに気を好くし、二〇一六年のゴールデンウィークをすべて、イタリア式の脳へのインストールに費やした。天地逆、数字方式を、来る日も来る日も指に叩きこんだ。

その際参考にしたのは、車の運転だ。オートマティック車はギアをDからRに切り換えることで、前進から後退に変化する。イタリア式タブラチュアを前にする時、架空のギアチェンジをして、天地逆モードにする感覚を体に植えつけた。そのおかげで、ゴールデンウィークが終わる頃には、なんとかイタリア式で指が動くようになった。

いまでも、フランス式のほうが解読速度は若干速い。が、閉じられていたイタリアの扉が開かれたことは何ごとにも代えがたい喜びだ。

それもこれも、たまたまダルツァが好きだったおかげである。

ヴェネツィアに吹く風

イタリア式タブラチュアを見ながらリュートを練習していると、どうしてもスピナチーノやダルツァが闊歩した十五世紀末から十六世紀初頭のヴェネツィアに思いを馳せざるをえない。五世紀前のあの街を想像してみる。一四五三年にコンスタンティノープルが陥落して、正教を信仰し、ギリシア語話者であるビザンツ帝国（東ローマ帝国）の難民が多く暮らしていたことだろう。

ヴェネツィアはビザンツと縁、というより因縁が深い。さらに千年遡った五世紀、この街はビザンツの一部だった。共和制を敷いてヴェネツィア共和国となったあとはアドリア海沿岸の交易を牛《ぎゅう》耳《じ》り、沿岸各地に支配地域を拡大したヴェネツィアのほうが、ビザンツ帝国の命運を握るような逆転現象が起きた。極めつきは一二〇二〜〇四年の第四次十字軍である。ヴェネツィア軍はエルサレムに向かう途中で進路を変えてコンスタンティノープルを襲い、六十年近くここを支配した。ヴェネツィアの守護聖人、聖マルコをまつるサン・マルコ寺院はこの街の象徴であるが、ここに所蔵された数々の宝物はコンスタンティノープルから略奪されたものだ。特に有名なのは、寺院の正面のテラスを飾る「四頭の青銅の馬」（現在はレプリカ）で、もともとはコンスタンティノープルのヒッポドローム〈馬車競技場〉にあったものである。

ジェノヴァ共和国とともにビザンツの経済を握り続け、オスマン帝国と対峙することになったヴエネツィアは、ビザンツ難民には責務があったといえよう。ビザンツ最後の皇帝コンスタンティヌス十一世の宰相を務め、スルタン・メフメト二世に処刑されたルーカス・ノタラスの遺児たちは、ヴェネツィアに居を定め、ギリシア人コミュニティーの中心人物となった。

オスマン帝国の快進撃はとどまるところを知らず、バルカン半島はほぼオスマン傘下に入る。そして一四九二年にはスペインのカトリック両王によるレコンキスタが完成し、イベリア半島を追われたユダヤ人がヴェネツィアに逃げてきた。彼らの中にはビザンツ難民とは逆に、オスマン帝国へと移っていく者も少なくなかった。

アレッサンドロ・マルツォ・マーニョ著『そのとき、本が生まれた』(清水由貴子訳、柏書房、二〇一三年)に、ヴェネツィアで史上初めて活版印刷された、様々な言語の書籍リストがある。それらのラインナップを見れば、この街の多様性が一目瞭然だ。

まずはギリシア語の詩集『蛙鼠合戦《あそ》』(一四八六年)。前述したルーカス・ノタラスの娘アンナは、ヴェネツィア共和国初のギリシア語印刷所に対して出資を惜しまなかった。

クロアチアのグラゴール文字による聖務日課書(一四九三年)。諸国を旅するアルメニア商人必携の、祈りや呪文を集めた雑文集『金曜日の本』(一五一二年前後)。ボスニア語のキリル文字による『聖母マリアの祈り』(一五一二年)。セルビア人用スラヴ語の祈禱書(一五一九年)。

ヘブライ語によるものには、ラビ聖書(一五一七年)、バビロニア・タルムード十二巻(一五二〇~二三年)、そしてエルサレム・タルムード四巻(一五二二~二三年)がある。これらのタルムードはローマやスペイン、ドイツ、ギリシア、果てはシリアのアレッポまで、離散した数々のユダヤ人共同体から注文を受けたという。バビロニア・タルムードの購入者にはなんと、イングランド王ヘンリー八世もいた。

そして一五三八年頃には、アラビア語によるコーランも出版された。これはあまりに誤植が多くて商業的には大失敗に終わるが――そもそもコーランを誤植してはダメだろう――、オスマン帝国の領土に売りさばくことをもくろんでいたという。海洋都市国家ヴェネツィアは、オスマン帝国の台頭によって数々の領土を失い、アドリア海と地中海での権益を失った。オスマンに対しては相当恨みつらみもあったはずだが、それでもタダでは転ばないのである。

ルネサンス期のイタリアというと――そもそもこの時代の彼らに「イタリア」という帰属意識すらなかっただろう――、とかく私たちは「ビバ！　西洋」という視線で眺めがちだ。しかし、少なくともヴェネツィアはこのように、だいぶ東方の風にさらされていたことは覚えておきたいものである。

ダルツァの舞曲

そんな時代のヴェネツィアに、リュート奏者のスピナチーノとダルツァは暮らしていた。

調べてみると、二人の生涯についてはわからないことだらけだった。二人とも肖像画は残されておらず、生年も死亡年もわからない。スピナチーノは、出版人のペトルッチと同じフォッソンブローネという町の出身だった。ペトルッチが同郷者のよしみで、スピナチーノ作品を最初に選んだことは十分考えられる。ダルツァはミラノ出身だった。

彼らの曲集の出版から十余年下った一五二〇年、これまた稀に見る美しいリュート曲集が出版された。カピロラのリュート曲集である。譜面の周囲にウサギや猿、キリン、ライオンなどの動物が描かれた、彩色のイタリア式タブラチュア。前書きに「所有者が音楽に関心を持つだけでなく、絵画としてコレクションできるように」と書かれている通り、見とれて運指《うんし》がおろそかになってしまいそうな、ほとんど芸術作品である。相当、値段も張ったに違いない。

やはりヴェネツィアで活躍したこのヴィンチェンツォ・カピロラについては、ある程度の情報がある。一四七四年、ブレッシア生まれの貴族で、肖像画も残されている。そして一五一五年頃にはイングランド王ヘンリー八世の宮廷に呼ばれている。もっともヘンリー八世側の記録には「ブレッシア出身の有名なリュート奏者」と書かれているのみで、そのことからカピロラと推測されるという。この一件が箔をつけたのか、一五二〇年、かの美しい曲集を出版。ヘンリー八世も購入してくれたかもしれない。そして一五四八年以降に死亡。

カピロラの生涯の華やかさと比べると、生没年はわからず、肖像も残されていないスピナチーノとダルツァが哀れに思える。しかし一方ではこうも思う。二人の生涯がわからないのは、何でもかんでも記録に残す諸国の王や教皇と頻繁に行きかうような行動形態でなかった証拠のように見えるのだ。

ルネサンス期のヴェネツィアで一世を風靡しながら、リュートの絶滅とともに歴史に埋もれていった二人。しかしタブラチュアが残されたことで、彼らの音楽は永遠に生き続ける。そして肖像画がないからこそ彼らは、音楽室で日本の児童を見下ろしたりもしない。

さて、スピナチーノとダルツァをこれまで並列に書いてきたが、一年をおいて相次いで出版された二人の曲集は、趣というか、コンセプトがまったく異なっている。

スピナチーノの曲集は、ジョスカン・デ・プレやオケゲムらフランドル楽派を重視し、彼らが作曲した世俗歌やミサ用モテットをリュート用に編曲したものが主だ。その多くが、一五〇一年出版の『ハルモニケ・ムシケス・オデカトン』に収められている曲。出版人も同じだし、ある意味、抱き合わせ商法だったのかもしれない。宮廷や貴族の間で好まれそうな曲集だ。

一方ダルツァは、舞曲に積極的に取り組み、民俗伝統を色濃く残したオリジナルの舞曲が中心。同時代のスピナチーノやカピロラと比べてみても、曲の構造が格段にシンプルで、弾きやすい。ダルツァはこの曲集の前書きに「さらに複雑な曲集を追って出す」と書いているが、それが出版されたかどうかは、現時点では不明である。

音楽的に高度で複雑な曲ではなく、当時の民に愛されたであろう、シンプルな曲。私がダルツァを好きなのは、まさにそのシンプルさなのだ。

私が好んで弾く「ピーヴァ」は、農民のダンスから派生したもので、もとはバグパイプで伴奏することが多かったという。「サルタレッロ」はイタリアで発祥し、中世ヨーロッパの宮廷で流行した、跳躍を基本にしたダンス。特にナポリの宮廷で流行ったらしい。

弾いている自分が踊りたくなるような軽快さと明るさ。さほど無理ではない運指。踊るための曲だから速いのが難点といえば難点だが、これらの曲なら、一音や二音弾きそこねても誰も気にしやしないだろう。

「ピーヴァ」を弾く時、気持ちは十六世紀のヴェネツィアに飛ぶ。街の広場に老若男女が集い、リュートや笛の音色に乗って楽しそうに踊る様子を思い浮かべる。貴人たちも踊ったかもしれないが、もとは農民のダンスだったのだから、市民も踊っただろう。そんな場でリュート奏者が「いや、調弦が」などと言い出したら、ブーイングの嵐だろう。咳をしたって平気。洟《はな》をかんだって平気。ぬかるみに足をとられ、転んだってかまわない。放し飼いにしているニワトリや、代官を乗せて通りかかった馬も一緒に踊りだす。

この街には多様な出自を持ち、生まれ育った場所から追われた人たちが行きかっていた。戦《いくさ》や疫《えき》病《びょう》や飢《き》饉《きん》で命を失うことの多かった時代に、貴重な楽しみを与えてくれた曲や踊り。私が弾きたいのは、そんな曲だ。

それほどいい曲を残したダルツァだが、日本のリュート演奏会では、あまり聴く機会がない。初級者にも弾けるような曲では演奏者の面子《めんつ》が保てない、という理由だとしたら、ちょっぴり残念である。

第3話　千々の悲しみ（ルイス・デ・ナルバエス）

八コースのリュート

私のリュートは、ルネサンスの曲を弾くのに適した六コースではなく、八コースである。山梨でリュート工房を営む山下暁彦さんに製作していただいた。リュートは複弦なので、二本の弦が一コースを形成する。八コースは通常、十七世紀以降の曲——それこそたとえばダウランドの曲——を弾くのに適している。弦の数が多いほど複雑な曲を弾けるわけでは必ずしもないが、少なくとも表現できる音の数は増える。

六コースでは、七、八コースが頻出する曲が弾けない。しかし八コースにしておけば、六コースの曲は弾ける。大は小を兼ねる。そう単純に考えての選択だった。

いまでは、少し後悔している。三五ミリの広角レンズでスナップショットをパシャパシャ撮りたいのに、カメラには三五ミリから四〇〇ミリまでをカバーする重いズームレンズがついている、あるいは、細い路地に囲まれた地域に住んでいるのに、バカでかいアメリカ車を買ってしまった、そんな感じだ。大は小を兼ねないのである。

いまでは興味の対象が、どんどん時代を遡ってしまい、私には六コースあれば十分なのだった。リュートと付き合い始めてかれこれ四年以上がたつが、この間に古楽との距離はずいぶんと変化した。この急激な変化には、自分でも驚いている。

最初にリュートの音色に触れてから、ずっと古楽を追いかけてきたわけではないにせよ、その醸し出す世界観には魅せられてきた。ところが実際に弾き始めてしばらくすると、西洋音楽の調和性、特にハーモニーの美しさに漠然とした抵抗を感じるようになった。これは聴いていただけの時には感じなかったことだ。受動的行為としての聴覚と、弾くという能動的行為を伴う聴覚とでは、動かす脳の部分が違うのかもしれない。クラシック嫌いの悪い癖がこういう時に出るのだった。

神を賛美する教会音楽を出発点として、進化を極めた西洋音楽。そしてあまりの高みに到達したあげく、その時代に生きた庶民の手には届かない、まるで「ブルジョワジーの密かな愉しみ」のような存在となった。「楽器の女王」と呼ばれたリュートは、まさにその道のりを象徴するような楽器だ。「女王」という称号が示唆する通り、リュートはヨーロッパ各地の宮廷で好まれた。リュートの寿命はここで運命づけられたといってもいい。閉ざされた扉の向こうでひそかに楽しまれたからこそ、死期が早まったといえる。

西洋古楽と関わる限り、ヨーロッパの世俗権力やキリスト教と無縁ではいられない。本気でそれらと距離を置きたければ、古楽やリュートを楽しむことなど不可能だ。その世界に対する崇拝が必ずしも必要なわけではないが、少なくとも目がハートになる程度の好意や愛着がなければ、楽しむことも熱意を持つこともできない。その点、漠然とした「西」への不信感が根強い私には、動機の維持が思いのほか難しいのだった。

天正遣欧使節が弾いた曲

私が西洋音楽に対して抱く違和感を、形を変えて端的に表現している文章がある。天正遣欧使節をプロデュースし、秀吉の御前演奏をセッティングした、イエズス会の東インド巡察師（イエズス会の海外布教地を統括するトップの役職。ローマにいる総長に次ぐ権力を持っていた）ヴァリニャーノが書いた文章だ。

ヴァリニャーノは、使節がヨーロッパをあとにして日本へ帰還する途上の一五九〇年、『教皇庁への日本使節記』というラテン語教本を、ゴアとマカオで相次ぎ出版した。これはキリシタン大名、大村純忠の甥にして、有馬晴信のいとこでもある使節の正使、千々石ミゲルが友人のリノ（大村純忠の次男）とレオ（有馬晴信の弟）にヨーロッパの素晴らしさを伝える、という対話形式を採っている。ヴァリニャーノが企画発案した使節の意義を強調するため、「日本人がヨーロッパの素晴らしさに感銘を受けている」とヨーロッパに向けて宣伝することを目的とした、いうなればプロパガンダ本である。実際、ミゲルがこのように感じたかどうかは不明だ。この中に音楽談義が登場する。

リノ　そうそう、いつぞやの晩にあなた方が楽器を奏しておられるのを聞いて、われわれは大変よい気持ちになって疲れを忘れたことがある。しかしあなたがいわれるほどの甘美さは、どうも汲み取れなかったが。

ミゲル　（中略）何分あなた方はまだヨーロッパの歌唱や和音《わおん》に馴れておられないので、そのまことの快さや甘美さがおわかりにならないのだ。ところがわれわれは耳がすでに馴れているものだから、聞いてこれほど愉快なものはないと思っている。しかしわれわれがここで一応、習慣の問題から心を転じて、事柄自体の本質を考える気になるとすれば、われわれはきっとヨーロッパの歌唱が一定のすばらしい技術をもってつくられていることに気がつくであろうと思う。なぜなら、それにはわが国のもののように、すべて声は同じ調子でたえず一様に保たれるというようなことはなく、ある調子は高くあるものは低く、ほかはその中間であって、それらが同時に巧みな節調をもって発せられて、そこに一種のえもいわれぬ和音・諧調を生ずる。これらになお、いわゆるかりの小声 falsa vocula［うら声］と、また並の調子を越えて、ごく高く発せられるものとが加わることを知っていただきたい。（『デ・サンデ天正遣欧使節記』泉井久之助ほか訳、雄松堂出版、一九七九年）

大変回りくどい表現だが、一本調子な日本の声楽曲を引き合いにして、ヨーロッパのポリフォニーの完成度の高さを賞賛している。

興味深いのは、西洋へ行ったことがないキリシタンの代表リノに「あなたがいわれるほどの甘美さは、どうも汲み取れなかったが」と語らせている点だ。

私はここに、日本文化に敬意を払い、自分たちのほうこそ「適応」すべきだと提唱したヴァリニャーノの、精一杯の良心を感じる。西洋音楽の美しさを理解しない日本人を、彼は見下すこともできただろう。しかしそうはせず、代わりに「和音に馴れておられない」という表現を使った。簡単なようでいて、なかなかできることではない。

十六世紀末に生きた日本の民は、現代に生きる私たちのように、情報の洪水にさらされてはいない。彼らのイメージする「南蛮」は、せいぜい天竺《てんじく》（インド）の向こうあたり。そこからはるばるやってきたパードレ〈神父〉たちといきなり出会ったばかりで、彼らのもたらしたキリスト教や文化を無条件に崇拝するようには、脳はプログラムされていない。崇拝も差別も、依拠するのは情報である。十六世紀の日本の民が西洋に憧れてキリシタンが増えた、と考えるのは、現代人の陥りやすい、おおいなる勘違いだ。

おもしろいことに、日本で長らく布教活動に携わり、二十六聖人の殉教を見届けて記録した直後に命が尽きた、同じくイエズス会宣教師のルイス・フロイスも、日本人が西洋の音楽を喜ばなかったと書いている。彼が著した『ヨーロッパ文化と日本文化』（岡田章雄訳注、岩波文庫、一九九一年）から引用する。

「われわれはオルガンに合わせて歌う時の協和音と調和を重んずる。日本人はそれを姦しcaxi maxiと考え、一向に楽しまない。」

日本人が、西洋の多声音楽を美しいと思わないどころか、かしましいとさえ感じていたというのである。

「われわれはクラヴォ、ヴィオラ、フルート、オルガン、ドセイン［葦笛］等のメロディによって愉快になる。日本人にとっては、われわれのすべての楽器は、不愉快と嫌悪を生じる。」

うるさいを通り越して、「不愉快と嫌悪」ときた。

日本人がパードレに遠慮しながらも、眉間に皺を寄せ、「一体、これのどこがいいのか？」という困惑の表情を見せた様子が思い浮かぶ。こういう記述を目にすると私は、昔の人のほうが現代の我々よりよほどガッツがあると感心する。耳に慣れないものは嫌いじゃ！　それは初めて異文化に接した時の当然の反応であろう。

しかしフロイスも負けてはいない。

「われわれの間の種々の音響の音楽は音色がよく快感を与える。日本のは単調な響で喧《やかま》しく鳴りひびき、ただ戦慄を与えるばかりである。」

南蛮人と日本人の音に対する感覚は、それほど異なっていた。そんな様子を想像すると、ローマの総長に次ぐ地位にあったヴァリニャーノが、必死に回りくどい表現を用いて西洋音楽の完成度の高さを力説したくなった気持ちも理解できる。日本人にその素晴らしさが伝わらなくて、さぞ悔しかったことだろう。

ヴァリニャーノが憑依《ひょうい》したミゲルは、さらに続ける。

ミゲル　われわれ日本人の間に行なわれる音楽では、その歌に何も調子の分化がなく、発声の仕方はいつも同じ一本調子で変らないから、今までのところ音楽の技芸もなければ訓練もまったく存在せず、こういう技芸や訓練のないところでは和声《わせい》の規律もまた学びえないことになる。これに反してヨーロッパには音の複雑な変化の心得があり、巧妙な製法による楽器があり、また音楽の書物も多く、楽譜の種類も驚くばかり多数にあることによって、この技芸を非常に輝かしいものとしてきたのである。

ここでミゲル、もとい、ヴァリニャーノは大切なことをほのめかしている。和声を基本とする輝かしいヨーロッパの音楽には、技芸や訓練が必要だと指摘しているのだ。音「楽」ではなく、音「学」だとでもいうように。

まさにこれなのだ、私が西洋音楽に対して抱く違和感は。

音には惹かれる。しかしその背後に見え隠れする輝かしさの押しつけがましさとは、できるだけ距離を置きたい。

ええい、かしましい音は嫌いなんじゃ！

そう態度で示した四百年前の日本の民の率直さが、私にはまぶしく見える。

そして秀吉は？

さて、そんなことを考えていくと、一五九一年の御前演奏の場面までもが私にはあやしく思え始めた。

秀吉の前で演奏された曲が何であったかは、記録に残されていない。ジョスカン・デ・プレ作曲の「千々の悲しみ」を、ルイス・デ・ナルバエスがビウエラ用に編曲した曲である、という説を提唱したのは西洋音楽史家の皆川達夫氏であり、いまではそれが通説となっている。この曲は、「太陽の沈まない国」といわれた、黄金期のスペイン国王カルロス一世（神聖ローマ皇帝カール五世）がこよなく愛したため、「皇帝の歌」という別名でも呼ばれるようになった。大変美しく物悲しい曲である。

ちなみに、私はこの説に疑問を持っている。以前は漠然とした疑問符だったが、リュートを弾くようになったいまでは、「違う」と、ほとんど確信するようになった。

そう考える理由はいくつかある。

イエズス会はポルトガル王室からポルトガル領域での布教を託され、日本での布教を独占しようとしていた。ところが一五八〇年にポルトガルの王位継承者が絶え、姻戚関係にあるスペイン国王フェリペ二世（カルロス一世の息子）がポルトガル王位を兼務することとなった。要は併合状態に置かれたのだ。そして何が起きたか。これまでポルトガルの領域だからと参入を控えてきたスペイン傘下の托鉢修道会が、フィリピンから日本に渡り始めたのだ。

ザビエルの来日から三十余年、多大な犠牲を払い、まさに荒れ地を素手で開墾するような苦労を重ねて、ようやく収穫の時期を迎えたぶどう畑に、スペイン系の修道会が鍬《くわ》を担いで入ってくる。イエズス会は当然、おもしろくない。

イエズス会の日本布教独占をローマ教皇に確約させることも、天正遣欧使節の重要なミッションだったのである。そんな時代背景を考えると、イエズス会が使節に、スペイン国王を象徴する曲を演奏させるわけがない、と私には思える。イエズス会としてはむしろ、スペイン賛美につながる要素は積極的に排除するのが筋ではなかったろうか。

時期の問題もある。秀吉は伴天連追放令（一五八七年）を出したあとである。さらに、朝鮮半島の侵略をもくろみ、スペイン副王領フィリピンへ触手を伸ばそうとする向きすらあった。そんな絶頂期にある秀吉の前でスペイン国王ゆかりの曲を演奏するなど、喧嘩を売るようなものだ。バランス感覚に優れたイタリア人のヴァリニャーノがそんな危険を冒すとは、到底思えない。

さらに、この曲の運指の難しさがある。つっかえつっかえでよいのなら、私にでもなんとか弾ける。しかし聴いた人が美しいと感じるには、かなりの技術を必要とする曲だ。

繰り返すが、秀吉は伴天連追放令を出したあとである。何がきっかけで機嫌を損ねるか、先の読みにくい人物だ。運指を間違えただけで首がはねられるかもしれない。イエズス会の布教に取り返しのつかない影響を及ぼす可能性もある。そんな重大な場面で演奏しなければならなかった四人の緊張はどれほどのものだったかを想像すると、胸が痛む。無難に、もっと構成のシンプルな曲を選んだのではないか、というのが私の見立てだ。

しかも、この曲は合奏にはまったく向かない。どちらかというと、熟練したリュート奏者がソロで思いきり感情をこめ、ドヤ顔で弾くのが似合う曲だ。異教徒の独裁者・秀吉の御前でそんなことができるか？

しかし一度確立してしまった固定観念は手強《てごわ》く、いまではこの曲には「秀吉が聴いた曲」という枕詞《まくらことば》がつくようになった。美しい曲なので、私もさほど目くじらを立てるつもりはないのだが……。

それはさておき、私が疑わしく思い始めたのは、その時の秀吉の反応である。

フロイスの『日本史』でこの場面を読んだ時、秀吉は演奏をいたく喜び、アンコールを要求した、と単純に理解した。何も疑わなかった。が、果たして本当にそうだったのだろうか？　これが信長だったなら、本当に喜んだかもしれない。しかし秀吉は「耳に慣れないものは嫌いじゃ！」と言い出しそうなタイプの人物に思える。

この場面の記述を引用する。

「関白はこれらの音楽を非常に注意深く、かつ珍しそうに聞き、彼らをしてもっと歌を歌わせた。というのは、公子らは、関白への敬意から、彼を煩《わずら》わせてはいけないと思い、少しく楽器を奏でた後は弾奏を中止したからであった。彼は同じ楽器で三度、演奏し歌うことを命じた。」(『完訳フロイス日本史』12)

あらためて読んでみると、かなり微妙な言い回しであることに気づく。「注意深く」「珍しそうに」聞いたとは、喜んだことの描写としてはあまりに慎重だ。彼らは、秀吉を煩わせることを恐れてすぐに弾奏を中止した。つまり秀吉の表情は、あまり喜んではいないことを示していたのではないだろうか。不愉快とは言わないまでも、彼らに弾奏中止を決意させるほど、不可解な表情を見せた可能性は考えられる。そこは彼らの顔を立てて演奏を継続させ、三度演奏するよう命じた。喜んでアンコールを要求したわけではなかったのかもしれない。

秀吉はコンプレックスの強かった人物といわれるから、西洋音楽を理解していないようには振舞いたくなかった。しかしそれほど喜びもしなかった。そのあたりが落としどころではないかと、私には思える。

リュートを弾く前と弾いたあとでは、同じ記述を読んでも違って受け止められるのだった。

第4話　死に向かって急ごう（『モンセラートの朱い本』）

庶民が楽しんだと思われる曲を弾きたい。それは弾く曲を選ぶ時、私が最も重視する一点だ。しかも、できるだけ西洋っぽくないものが好ましい。

「西洋っぽくない」という感覚は、あくまで個人的なものだ。一応説明を試みると、何の情報もなしにその曲を聴いた時、自分がイメージする「西洋！」と感じるか、「ん？」と一拍あるかどうかの違いでしかない。この「ん？」は、音階だったりリズム、拍子、ビート、あるいは声の出し方だったりする。

そして出会ったのが『モンセラートの朱《あか》い本』という写本だった。

この曲集の存在を知ったのは意外に早く、リュートの体験レッスンに行き、習おうと決めた数日後のこと。二〇一二年秋だった。

モンセラートとの出会い

体験レッスンを終え、リュート教室の棚に置かれた様々な古楽関係のチラシを眺めていた時、「ラウデージ」というコンサートのチラシが目に留まった。その頃は古楽に対する知識や情報はほとんど持ち合わせず、あまり深いことは考えていなかった。直近に都内で開催される古楽のコンサートが、それだったのだ。とりあえず古楽に触れたいし、行ってみるか、という軽い気持ちで、会場だった千駄木の教会へ足を運んだのである。

このコンサートを主催した杉本ゆりさんは、キリスト教民衆霊性の観点から音楽を研究しておられる方だ。そのコンサートもただの古楽の演奏会ではなく、中世ヨーロッパの民衆が歌った霊的な歌を再現しようという試みだった。

中世のスペインで巡礼者たちが賑やかに歌い、踊った10曲が収録された写本『モンセラートの朱い本』より

その中で『モンセラートの朱い本』から何曲かが演奏された。深く印象に刻まれたのが、締めくくりに歌われた“Ad Mortem Festinamus”である。

まずは鉦《かね》と打楽器が勇ましく鳴り、リコーダーが軽やかなメロディーを奏で始める。そして男組と女組の合唱が、交互にかけあいを重ね、連環しながら最高潮に達していく。非常にダンサブルで、踊りながら歌ったことが想像できる曲だった。指揮をする杉本さんも思わずステップを踏んでいる。なぜか、幕末期の日本で突然発生したという「ええじゃないか」のイメージが重なった。

王が眠りにつく時に枕元で弾かれるような、あるいは会場で咳一つしたら周囲の客から睨まれるような、そんな古楽のイメージとはまったく異なる、賑やかさと猥雑《わいざつ》さ。これは静かな場所で背筋を伸ばし、ありがたがって聴く曲ではない。明らかに、参加する類《たぐい》の曲だと感じた。

会場で配られたリーフレットを慌てて取り出した。そしてこの曲が『モンセラートの朱い本』の中の一曲であること、そしてラテン語の曲名の意味が「死に向かって急ごう」であることを知らされた。

この明るい曲が、死について歌われたものだったとは！

出会いとは不思議なものだ。リュートを習おうと決心し、レッスンが始まる前にこの曲と出会ってしまったことは、その後の私の方向性に大きく影響することになった。

この曲が、中世への扉を開いたのだった。

中世における巡礼

これまで私は、中世ヨーロッパにはあまり近寄りたくなかった。戦《いくさ》に次ぐ戦に十字軍、黒死病の蔓延《まんえん》、魔女狩り、キリスト教会の権力のあまりの強大さ……。とにかく血なまぐさくて暴力的な、暗黒のイメージしか持っていなかった。

ところが音楽を媒介すると、臓腑にずしんとくるビートに、ちょっとへんな拍子、素朴な構成と、中世がなぜか肌に合う。

中世のスペインは、私がイメージしてきた「西洋」とはまったく違う。これが第一印象だった。『モンセラートの朱い本』は、スペイン・カタルーニャ地方のモンセラート修道院に伝わる、十三〜十四世紀の写本だ。後世に赤い革表紙で製本されたことで、この名前で呼ばれるようになった。写本は一三九九年頃に完成したが、曲はもっと前の時代のものと見られている。収録された曲は十曲。作曲者はわかっていない。歌詞に使われた言葉はラテン語、カタルーニャ語、フランス南部で主に話されたオック語（ラングドック）である。

モンセラート修道院の大聖堂には「黒いマリア」の名で知られる、幼子イエスを抱く、黒い肌をしたマリア像があり、中世スペインで巡礼者に非常に人気があった。いまも人気のある観光地だ。スペインの巡礼地としては、イエスの使徒である聖ヤコブの墓が見つかったことで聖地となったサンティアゴ・デ・コンポステラがあまりにも有名だが、モンセラートは「黒いマリア」を有することで、聖母信仰の聖地と目された。

余談だが、イエズス会を創設したイグナチオ・デ・ロヨラは、パンプローナの戦い（一五二一年）で足を負傷して九死に一生を得たあと、モンセラート（のこぎり山）を聖地巡礼に訪れた。その帰りにマンレサ（カタルーニャ）の洞窟で瞑想して、かの有名な『霊操《れいそう》』を書いたといわれる。それだけでも、当時の人々がモンセラートに向けた視線が想像できるというものだ。

さて、私はここで「巡礼」という言葉を簡単に使うが、中世の人々にとってそれはどんな存在だったのだろう？

戦乱に次ぐ戦乱や飢饉、疫病で、庶民の命など軽いものだったろう。現世はつらいばかり。聖地を訪れれば、現世で犯した罪の多くが赦《ゆる》される。巡礼は天国との距離を近づける。生きるのが困難な時ほど天国の存在感は増す。

このあたりは、たまたま日本の戦国時代にキリスト教が伝えられたことで、短期間に改宗者を増やしたことと通じるものがある。戦の少ない時期だったら、あれほど民の心をとらえたかどうかわからない。

『モンセラートの朱い本』に書かれた前ふりの文言を見てみよう。

「巡礼者たちはモンセラートの大聖堂で、昼夜かまわず歌って踊ることを望む。しかし教会では聖なる敬虔《けいけん》な歌でなければ歌ってはならない。この理由からこの本は書かれた。これらの歌は穏やかに歌われるべきであり、祈りや瞑想を妨げるようなことがないよう、気をつけなければならない。」（ラテン語の英訳より訳出）

実におもしろい。これが書かれた背景を想像してみたくなる。

中世の巡礼は、命がけだ。巡礼者は多かれ少なかれ、なけなしの財産を身に着けている。巡礼道には追いはぎが出没し、身ぐるみ剝がされた屍《しかばね》が街道脇に転がっていたという。無事に巡礼地へたどり着いた者たちは、安堵と解放感と天国に最も近い場所に到達した喜びとで、一種のトランス状態に陥ったかもしれない。

彼らは修道院の周りに野営し、太鼓を叩いて笛を吹き、歌えや踊れや、喜びを爆発させる。「昼夜かまわず歌って踊る」とあるから、現代でいうキャンプファイヤー、あるいはロックの野外コンサートのような賑やかさだったとしても不思議はない。

しかし修道院には、俗世を捨てて神に生涯を捧げた修道士たちがいて、静かに祈ることを望んでいる。特に夜は、自分と向き合い、神と対峙《たいじ》する貴重な時間だ。また聖ロヨラのように、神との邂逅《かいこう》を求めてここへやってくる巡礼者もいる。

「院長さま、外で民らが騒いでおり、大変うるそうございます」

「そなたの気持ちはわかるが、民の喜びもわからないではないぞ。これもまた修行の一つではないか」

「お言葉ではございますが、中には口にするのも憚《はばか》られる内容の世俗歌を歌う輩《やから》もおり、祈りの妨げになりまする」

「そうであったか」

修道院長が聞きに行ってみると、確かに修道士が訴えた通りの賑やかさだった。このまま放置したら修道院の品が下がりそうである。

「そのほうらが喜ぶ気持ちはわかるが、ここは神聖な場所であるぞ。せめて、神を讃える敬虔な歌を歌うのだ。くれぐれも、行儀よく歌うのだぞ」

このような会話があったかどうかはわからないが、そんな事情でこの写本は書かれたのではないかと想像する。

そして書かれたのが「死に向かって急ごう」だ。

「我ら、死に向かって急ごう　罪を断ち切ろう
偽りの言葉に満ちた現世を軽蔑するため、ここに提案しよう
深い居眠りから目覚める時はきた
死に向かって急ごう　罪を断ち切ろう
人生は短く　終わりはすぐそこまで近づいている
死は一瞬のうちにやってくる　誰も逃れることはできない
死はすべてを破壊する　誰も容赦はしない
心を入れ替え　子どものようにならないのなら
良き行いをしようとしないのなら
神の国には入れない
けたたましいラッパが鳴り　最後の審判の日がやってくる
選ばれし善き者は永遠の国にいざなわれ
邪悪な者は地獄へ落とされる
死に向かって急ごう　罪を断ち切ろう……」（ラテン語のスペイン語訳より訳出）

輪になって踊りながら、かけあいを重ねていく。携帯に便利な太鼓や鉦が鳴らされ、小ぶりの弦楽器が伴奏をする。途中でメンバーが加わったり入れ替わったりして、歌はエンドレスに続いてい

く。これは盛り上がりそうだ。

私が弾きたいのは、こういう曲だった。そこでリュートが使われていたかどうかは、もはやどうでもいい。リュートが弾きたいのではなく、リュートで弾きたいのだ。

リュートに乗って始まった旅は、早くも枠外へ飛び出してしまった。

第5話　天にあまねく　我らが女王よ（『モンセラートの朱い本』）

譜を起こす

スペインのバルセロナ近郊にあるモンセラート修道院に残された写本『モンセラートの朱い本』（十三〜十四世紀）に収録されたのは、判明している限り十曲で、鋭意練習中である。もちろん、リュートで。

モンセラートをリュートで弾く、これはリュート界の王道から完全に逸脱していると思う。リュート奏者の中には弾く人もいるが、彼らは他のあらゆる類《たぐい》の曲を弾くことができ、その上でモンセラート「も」弾く。自分の場合は、ロクに弾けないうちからモンセラートと、それ以前の曲ばかりを弾きたがる。異端視されても仕方がない。

この写本との出会いは、私のリュート習得計画を根底から変えることになった。

この写本には、ネウマ譜〈もとは聖歌の旋律的朗読の記憶補助のために考案された記譜法。ポリフォニーの発展とともに使用されなくなっていく〉はあるが、タブラチュアはない。それも当然だ、史上初めてリュートのイタリア式タブラチュアが活版印刷されたのが一五〇七年で、この写本はそれより二世紀近くも古いのだから。伴奏でリュートが使われたとすれば、小ぶりな中世リュートだろう。

私はそれらの曲を、リュートで弾きたい。レッスンでたびたびそう訴え、そのつど「弾きたい曲があったら、タブラチュアを持って来てください」と断られた。だから、タブラチュアが存在しない時代なんですってば……。

厚かましい要望であることは承知している。中世の曲は、主旋律がシンプルだ。伴奏をするとなると、即興の要素が強くなる。タブラチュアが存在しないからこそ、中世の曲を弾く奏者は、譜に頼らずとも世界観を表現できる、高度な音楽的素養が必要になる。どう考えても自分には、百年早いのである。

しかしどうしても中世が諦めきれない。主旋律だけでもいいから、リュートで弾けるようになりたい。とある飲み会の席で、知り合ったばかりのリュート奏者、久野幹史さんに破れかぶれで相談してみた。弾きたい曲があるのに、譜がない！　譜がないと、教えてもらえない！

「音楽の基本は耳コピ。自分で一つずつ音を拾って、譜に書けばいいんですよ」

「でも楽譜が読めないから、無理です」

「楽譜は関係ない。タブラチュアを書けばいいんです。きっとできますよ」

目から鱗が落ちるとはこういうことか、と思った。解読に知識が必要な楽譜を敬遠しながら、それに呪縛されていたことを痛感した。

考えてみたら、楽譜というのはあくまでも、情報伝達の一手段である。モンセラートの時代には、技術がそこまで進んでいなかったから、手書きの写本が残された。そこに技術革新が起きて活版印刷が生まれた。印刷物として残されたことで、楽譜やタブラチュアは数百年後に生きる東洋の私たちにまで情報を伝達してくれた。

しかし楽譜が唯一無二の伝達手段というわけではない。

私はモンセラートの曲を知っていて、それを好んでいる。最も重要な情報は、すでに入手しているのだ。あとは自分にどういう手段で伝達し、それを再現するか、という問題でしかない。

繰り返し、何度も弾くための譜がほしい。そこにはト音記号や長調、短調などは必要ない。自分に情報が伝わりさえすれば、それでいい。

自分専用の譜を書けばいいのだ。

久野さんの励ましに気を好くし、早速、譜起こしに取り組み始めた。

繰り返し曲を聴き、音を拾ってタブラチュアに記していく。イタリア式が読めるようになったとはいえ、より慣れているフランス式で。

簡単そうに聞こえるだろうが、音階の構造がよくわかっていない私には、一つの音を探すのにも一苦労である。ただ助かるのは、中世の曲は短い主題の繰り返しが多いため、メロディーがさほど複雑ではないことだった。使われる音の数は少なく、無理な運指もあまり登場しない。

長い時間はかかったが、そうやって初めて譜に起こした中世の曲が、『モンセラートの朱い本』の“Polorum Regina”「天にあまねく　我らが女王よ」だった。

部屋で自分だけのために書いた譜を見ながら、初めて通しでこの曲を弾いた時の感動は、いまでも忘れられない。教室で与えられる、ただ自分の演奏レベルに合わせて選ばれた曲を弾くのとは、まったく心持ちが違う。

心はその時代のモンセラート修道院に飛んでいき、苦難の末にここへたどり着いた巡礼者に囲まれているような気がしてくる。何度も何度も繰り返されるシンプルな主旋律には、中毒性がある。輪になって旋回しながら歌い続けたら、否が応でも感極まりそうだ。

これだ、自分のやりたかったことは。好きな曲を弾くという、極めて単純なこと。けれど、何よりも大切なこと。気づくまでに三年半もかかってしまった。が、諦めずに我を通してよかったと思っている。

低音を探す

主旋律が拾えたら、次に向かうべきは、それに合うドローンの低音を探すことだった。"Polorum Regina"で挑戦してみる。これでもない、あれでもない……と一つずつ音を鳴らしていくうちに合う音が見つかり、譜に記す。そして上の音と一緒に鳴らしてみる。

なんだか響きがとても中世っぽくて、嬉しくなる。

「そこに一種のえもいわれぬ和音・諧調を生ずる」という、ヴァリニャーノが十六世紀に書いた言葉の意味を実感する。

次に曲を替えて挑戦してみる。低音を探せたはよいが、運指が難しくなる場合もある。そんな時は、付近の弦に候補となる音がないかを探す。

不自然な運指が多数登場して弾きにくい場合は、別の弦で旋律を探してみる。すると驚くほど弾きやすくなったりする。カラオケでよく使う、「キーを変える」という手だ。

もしかしてこれは、音楽用語で言うところの「転調」ではないか。

自然な欲求から、知らず知らずのうちにいろいろなことを学習していた。曲を一度バラバラに壊し、一から積みなおしていく。この破壊と再構築の感じには、パズルを解くような高揚感がある。これは楽しい……。

そうしていったん解体してみると、音楽は、むやみに恐れていたほど難しくはないことがわかった。

いくら時代が変わっても、あるいは地域が変わったとしても、そこに好きな曲がある限り、自分のレベルの範囲で弾くことは可能なはずだ。視界がパッと開け、はるか遠くまで見渡せるような気がした。

それは喩えるなら、頼りない造りではあるが、音楽という大海に漕ぎだすための、自分だけの小舟を手に入れたような気分だった。船頭が行き先を決める乗り合い舟ではなく、自分で操縦して海に出ていく。奏法の上達という観点からすれば、ものすごく遠回りだろう。上達など、一生しないかもしれない。しかし少なくとも、行き先は自分で決めることができる。どこへたどり着くかはわからない。途中で座礁する可能性もある。しかしどこかおもしろい島にたどり着くかもしれない。

そのほうが私には、よほど楽しい。

おかしなもので、今後いくらでも好きな曲に挑戦できると思ったら、心が落ち着いた。
自分用のタブラチュアをもとに曲を弾いていると、つい歌を口ずさみたくなる。"Polorum Regina"だけではない。"Mariam, Matrem, Virginem"「聖母マリアを讃えよ」も、"Stella Splendens"「輝く星よ」も。めちゃくちゃな発音で歌う。下手くそだが構いはしない。

「天にあまねく　我らが女王よ」

「天にあまねく　我らが女王よ　暁の星よ
我らの罪を消したまえ
神によって受胎された処女《おとめ》
子を産む前も　清らかなまま
天にあまねく　我らが女王よ　暁の星よ
我らの罪を消したまえ
神によってみごもられ
子を産む間も　清らかなまま
天にあまねく　我らが女王よ　暁の星よ
我らの罪を消したまえ
子を産んだあとも　清らかなる　処女なる母よ」（ラテン語のスペイン語訳より訳出）

何なのだろう、この、自然と歌いだしたくなる気分の醸成は。しかし実は不思議でも何でもないのかもしれない。これらの曲には、演奏者や歌い手と聴衆、舞台と客席の区別がない。歌いたい人が歌い、弾ける人が弾き、踊りたい人が踊る。巡礼者の面子《めんつ》も、日々、微妙に替わっただろうから、同じ演奏や合唱は一度もない。日々生まれ変わり、命を吹きこまれる歌なのだ。

第6話　死の舞踏（ハンス・ホルバイン）

前々章で紹介した「死に向かって急ごう」に話を戻したい。
太鼓や鉦《かね》が軽快に鳴らされ、かけあいを重ねながら、同じ主題が連環していく曲であることはすでに述べた。歌詞の内容を知らなければ、祝祭の場で歌われるものだと勘違いしそうな、奇妙な明るさを帯びた曲だ。実際私も、千駄木の教会で最初にこれを聴いた時は、そう勘違いした。YouTubeで検索するといくらでも様々なバージョンが登場するので、興味のある方は聴いていただきたい。

私が一寸興味深く感じたのは、この曲を検索すると、必ずといっていいほど、Totentanz や Danse Macabre や La Danza de la Muerte といったタイトルの曲や画像が芋づる式に登場することだった。いずれも日本語に訳すと「死の舞踏」である。

「死の舞踏」

「死の舞踏」は、人の命ははかなく、現世での身分や財産も死の前では一様に無力で、いかなる人間──王、教皇、枢機卿《すうききよう》、貴族、若く美しい淑女であれ──にも死は平等に訪れる、という死生観である。十四世紀半ばにヨーロッパ全土でペスト（黒死病）が猛威を振るい、人口の三割が命を落とした衝撃が起源だといわれる。音楽より美術方面が有名かもしれない。骸骨が墓場で踊ったり楽器を奏でたり、生きた人間を連れ去ろうとしたりする図柄は、どこかで目にしたことがある人も多いのではないだろうか。

有名なところでは、ハンス・ホルバインの木版画の連作《死の舞踏》がある。おや、懐かしい名前である。彼の名前は「グリーンスリーヴス」の章に登場した。代表作《大使たち》でリュートを描いた画家だ。ヘンリー八世の宮廷に呼ばれて数多くの肖像画を残したものの、晩年は不興を買って宮廷から追放された。皮肉にも、彼の死因はペストだったという。

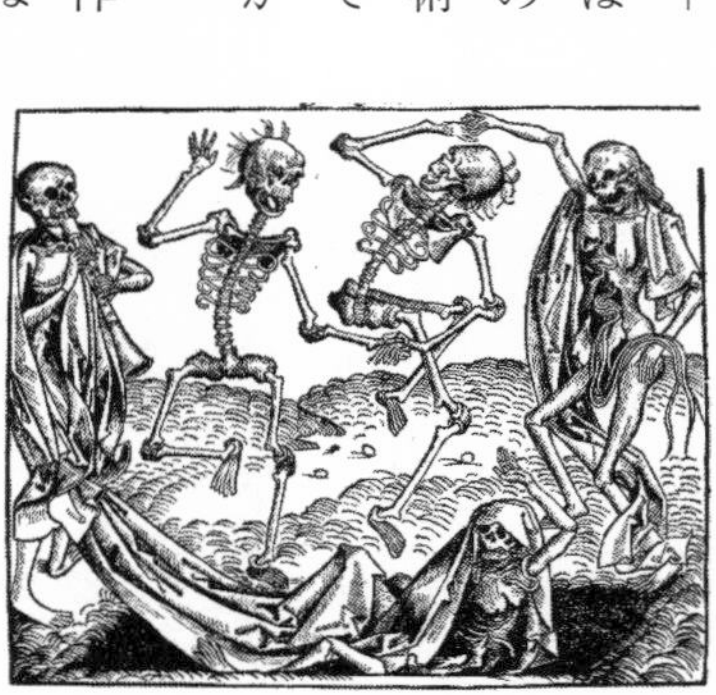

ハンス・ホルバイン《死の舞踏》16世紀

「死の舞踏」の表象に不可欠な骸骨、髑髏《どくろ》、十字架といった記号は、いまでも様々な形で映画や音楽（特にヘヴィーメタル）、舞踏、ゲームなどで繰り返し使われ、コスプレでも大人気だ。

それらのイメージを手当たり次第に見ていた時、奇妙なことに私が思い出したのは、一九七〇年代に日本で突如花開いたアングラ文化だった。スキンヘッドに白塗り、そして不気味な体の動き。寺山修司率いる天井桟敷や、暗黒舞踏の代表格である山海塾の世界観は、日本よりむしろ、遠征先のヨーロッパの観衆に熱狂的に受け入れられた。私は常々、彼らがなぜそれほどヨーロッパで受けたのかが不思議でならなかったのだが、いま思えば「死の舞踏」を想起させる。ヨーロッパの観衆は勝手に「死の舞踏」のイメージを重ね合わせていたのかもしれない、と思う。
こうして様々なイメージに寄り道すると、「死に向かって急ごう」の歌詞をもう少し詳しく知りたくなる。後半を見てみよう。

「幸いなるかな、天国でキリストと顔を合わせる者は
そして叫ぶのだ　聖なるかな、わが主なる神！　と
我ら、死に向かって急ごう　罪を断ち切ろう
憐れなるかな　煉獄《れんごく》の火に焼かれる囚《とら》われ人
その懲役《ちょうえき》は終わることもなく　死ぬこともできない
ああ、惨めなる者たち　その苦しみは永遠に続く
この世の王も　権力者も　聖職者も
子どものように無垢《むく》になり　虚栄を捨てるのだ
親愛なる兄弟たちよ　主のご受難を思い　涙を流し　叫ぶのだ
さすれば主は　とどまってくださるだろう
我らが罪を犯さぬように
処女《おとめ》のなかの処女　天国で戴冠された方
あなたの息子にとりなしてください

我らをお迎えください
死に向かって急ごう　罪を断ち切ろう……」（ラテン語のスペイン語訳より訳出）

人の命ははかなく、現世での身分や財産も死の前では一様に無力で、いかなる人間にも死は平等に訪れる、という「死の舞踏」の死生観そのものであることに気づく。時代も適合している。言葉は不思議な力を持っている。これまではなんとなく聴いて楽しんでいただけだったが、四苦八苦しながら訳し、おおかた意味が見えてくると、さらに一歩、当時の人たちに対する親近感が湧き始めた。

この歌には、別掲の最終パートがある。棺《ひつぎ》の中に骸骨が横たわる絵に添えられた文章がもとで、この部分は歌われたり歌われなかったりする。

「おお、死よ
そなたの記憶はなんと苦いことか
いずれは無価値な死体になるのに
いつまで罪を犯し続けるのか」

そして歌詞が続く。

「いずれは無価値な死体になるのに　なぜ罪を犯し続けるのか
無価値な死体になるのに　どこまで驕《おご》るつもりだ？
無価値な死体になるのに　なぜ金を欲しがる？
無価値な死体になるのに　なぜ着飾る？
無価値な死体になるのに　なぜ名誉を欲しがる？
無価値な死体になるのに　なぜ告解をせぬ？
いずれは無価値な死体になるのに　隣人を笑うな」

この最終パートにさしかかると、打楽器と鉦のテンポが速度を増し、かけあいにも感情がこもり始める。輪舞しながら歌ったら、ステップが激しくなり、否が応でも盛り上がっただろう。

詞の内容も、通常パートとはかなり趣が異なる。なんというか、本音っぽいのである。

訳しながらこの部分は、「差し替え可能なリフレイン」のように感じた。修道院内部で歌う際は、神妙に、書かれた通りに歌ったかもしれない。しかし野外や宿や、あるいは修道院とは別の場所で歌う際は、その日集結した巡礼者の顔ぶれによって、歌詞の内容を替えたりしたかもしれない。人数がとりわけ多い日はさらにフレーズを追加して延長したり、巡礼者のウィットの効いた野次を即興で取り入れたりと、柔軟な対応ができそうだ。

「いずれは無価値な死体になるのに」という呼びかけに対して、巡礼者たちから上がる即興を想像してみる。

「なぜ姦淫《かんいん》する？」

「人を妬《ねた》むな」

「なぜ盗む？」

「なぜパンのことばかり考える？」

「なぜ貧者を辱《はずかし》める？」

「なぜ女の尻ばかり追いかけ回す？」

「いつまで怠惰《たいだ》にしている？」

「いつまで見ないふりをするつもりだ？」

おそらくその内容は、七つの大罪（高慢、強欲、嫉妬、憤怒、色欲、貪食、怠惰）が中心になるのだろうけれど。

そんなことを思いめぐらせながら、歌った人たちのことを想像する。たった一つの曲が、その時代へ招待してくれる。

「死に向かって急ごう」は「死の舞踏」の系譜だった……。そう思うと感慨深いものがあった。私はスペインをまだ一度しか訪れたことがないにもかかわらず、図らずも意外な場所で、「死の舞踏」の壁画に出会ったことがあるのだ。二〇一四年九月のことだ。

要塞のような城

一週間にもわたるお祭りの真っ最中で、日常機能がほぼ停止したナバラ地方のサングエサという町から車に乗り、十分ほどたつと、小麦畑が広がる風景の中に、要塞のような城が唐突に出現した。

この城は、日本と深い関わりがあり、のちに聖人となった、ある人物の生家である。

それにしても、風が強く、天気の変わりやすい土地だった。到着してとりあえずホテルにチェックインした時には、青い空にくっきりした雲がいくつも浮かぶ晴天だった。部屋で朝食の残りのサンドイッチを大急ぎで食べ、ホテルを出た時には、急に雲ゆきがあやしくなって空は灰色に染まり、冷たい風が吹き始めていた。

城の周囲には民家がない。彼の先祖代々の墓がある教区教会とホテルが二軒、彼が属した修道会の建物が立っているだけで、民家は本当に一軒もないのだ。それが一層、城の存在感を際立たせている。

地元の人々が暮らす村は、城から徒歩で三十分ほどのところにある。とても静かな村で、家々は比較的新しいように見受けられ、城の古さと家の新しさがなんともいえない不思議なアンバランスさを醸しだしていた。

道端に古い写真が添えられたモニュメントがあり、「一九六四－二〇一四　五十周年」と書かれていた。それを眺めるうち、ようやく事情を理解した。

もとは城の周囲に集落があったが、この城を訪れる巡礼者たちのために、住民たち自らその村へ引っ越したというのだ。いやはや、驚いた。聖人のために、村人が全員引っ越したとは！

城壁のてっぺんに掲げられた家紋の入った旗が、強風にあおられ、はたはたと踊り狂っていた。

城は、彼の生誕五百周年にあたる二〇〇六年に大改修が終わり、現在は博物館として一般公開されている。展示物は主に、海外布教に明け暮れた彼の生涯を称賛するもので、彼が列聖（ローマ教皇から聖人と認定されること）されたあとに描かれた油絵や彫像が多い。なかには日本から送られたと見られる怪しげな掛け軸や、日本と中国とインドが混同された絵もあったが、それらを失笑する気にはなれなかった。四〜五世紀前の西洋に対する私たちの印象とて、同じような誤解に満ち溢れているからだ。

展示物よりも圧倒されたのは、この城が放つ、長い時間を経たがゆえの迫力である。

城全体がほとんど要塞だった。城の中央にそびえ建つ監視塔「サン・ミゲル塔」が最も古く、建設されたのは十世紀である。これはこの地域に現存する最古の軍事用監視塔であり、しかもイスラームの影響が色濃く残っている。その下に位置する第一砦は十一世紀の建造。西側に位置する「キリスト塔」は十二世紀で、中央に位置する第二砦は十三〜十四世紀の建造。そして最も新しい「新宮殿」は彼の両親が家族のために建築したもので、十五世紀末に造られた。が、一八九六年には取り壊され、いまはその跡に壮麗な礼拝堂が建っている。

固い防御《ぼうぎょ》そのものが、周囲を常に強敵に囲まれ、たびたび脅威に晒《さら》されたこの土地の歴史を物語っているようだ。

この城は、聖ヤコブの墓があるサンティアゴ・デ・コンポステラへ向かう巡礼路「フランス人の道」の一つ、「トゥールーズの道」（アルル〜トゥールーズ〜パンプローナ〜サンティアゴ・デ・コンポステラ）の、ほぼ途上に位置する。巡礼者がヨーロッパ各地からこの地を訪れ、農業や印刷技術、建築方法に関する新しい知識をもたらしたそうだ。

サンティアゴ巡礼者のみならず、ここを目指してやって来る巡礼者もいた。城の解説書には、ここへの巡礼は少なくとも一六一四年にはあったと記されている。

「様々な国からこの城、特に神父の生まれた場所を訪れる人があとを絶たず、彼らは床と壁に口づけをし、時には煉瓦や扉の木の破片を持ち帰った」

その持ち帰り行為は、聖人が放つ聖なる力「ウィルトゥス」を求める、聖遺物崇敬であろう。彼の列福《れっぷく》（聖人の前段階である福者に認定されること）は一六一九年（教皇パウルス五世による）で、列聖は一六二二年（教皇グレゴリウス十五世による）なので、福者・聖人となる前から崇敬を集める存在だったことがわかる。そしてここを訪れる巡礼者のため、一七三〇年にはホスピスが設けられた。死を間近にした者が、ここへ死にに来たということである。

ここが巡礼地として有名になったのは、一八八五年にナバラ地方を襲ったコレラの感染拡大だった。

家族のための礼拝室

その人物は一五〇六年四月七日、貴族であるこの城の城主の末息子として誕生した。

しかし平穏な日々は長くは続かなかった。彼が九歳になった一五一五年、独立した王国だったこの地域がカスティーリャ王フェルナンド五世に征服され、父親が失意のうちに死去。一族は没落したのである。

この城で私が最も感銘を受けたのが、城内の一角にある、家族のための礼拝室だった。

日本でいえば三畳ほどしかない細長いスペースの奥に、十字架に磔《はりつけ》にされたキリストの等身大像が掲げられた、とても小さな礼拝室である。

以前は自由に入ることができたらしいが、ここを訪れる巡礼者がキリスト像に触れたがるため、劣化を防ぐ目的でいまは柵によって仕切られている。中の様子は、柵のこちら側から見ることができる。

くるみの木で彫られたキリスト像は十五世紀末に造られたものだという。五人きょうだいの末息子である彼が生まれたのが一五〇六年だから、彼が実際に祈りを捧げていた頃は、このキリスト像も真新しかっただろう。しかし数百年もの間、巡礼者に触られ、口づけされ、いまは黒光りし、丸みを帯びている。とはいえ、浮き出したあばら骨や、体の重みに引っ張られて歪む両腕の筋肉のリアルさは損なわれてはいない。ところがキリストは口元にうっすらと微笑みを浮かべ、柵のこちらからでも、その甘美な表情が見てとれる。その慈しみに満ち溢れた表情から、いつしか「微笑みのキリスト」と呼ばれるようになった。

この礼拝室は、キリストが広げた両腕の幅しかなく、磔刑像の真下に祭壇が置かれ、そこで祈りを捧げる構造になっている。まるで本当に、キリストの足元で祈るかのよう。つまり家族の礼拝室といっても、そこで祈りを捧げる時は、一人で、等身大のキリストと対峙する仕組みなのだった。

そしてキリストを取り巻くように、左右の壁一面に描かれていたのが、八体の踊る骸骨だった。「死の舞踏」、あるいは「死の勝利」である。この「死の舞踏」の壁画は、ゴシック期に描かれたものとしてはスペイン唯一であり、大変貴重なものだという。

「日々ここで家族とともに祈りを捧げた小さな彼の心を征服したのは、このキリストの表情だったに違いない」と城の解説書は書く。

私はスペイン滞在中に訪れたどの教会よりも、この小さな礼拝室に惹かれた。

強風が吹きすさぶ土地の、要塞のような城の中で暮らす、小さな男の子。父を亡くし、国が併合された挙句に長兄が投獄され、一族がこの先どんな末路をたどるかもわからない、そんな混乱した状況で多感な時期を過ごした少年。家の中で日々、骸骨の絵に囲まれ、等身大のキリストと向き合う少年。

「微笑みのキリスト」を取り巻くように描かれた「死の舞踏」（ザビエル城にて筆者撮影）

彼の信仰の原点が、ここにある。

彼は祈りのあと、時折、この歌を口ずさんだだろうか？

「我ら、死に向かって急ごう　罪を断ち切ろう
深い居眠りから目覚める時はきた
死に向かって急ごう　罪を断ち切ろう
人生は短く　終わりはすぐそこまで近づいている
死は一瞬のうちにやってくる　誰も逃れることはできない
死はすべてを破壊する　誰も容赦はしない
さあ、死に向かって急ごう　罪を断ち切ろう」

その後、彼が全力で世界を駆けめぐった短い生涯を思い浮かべると、どうしてもこの歌と重ね合わせてみたくなるのだった。

彼は十九歳でこの城を出て以来、二度と故郷の地を踏むことはなかった。そして生涯を閉じたのは、中国の小さな島の掘っ立て小屋の中だった。

その人物は、聖フランシスコ・ザビエルである。

第7話　聖母マリアの七つの喜び（カンティガ一番）

聖母マリアのカンティガ

『モンセラートの朱い本』の洗礼を受けた古楽好き、特にスペイン好きの人間が次に惹かれるものは、“Cantigas de Santa Maria”『聖母マリアのカンティガ（頌歌集《しょうかしゅう》）』と相場が決まっている（以降、カンティガと略する）。私も順当にその道のりをたどった。

カンティガは、カスティーリャ＝レオンの「賢王（El Sabio）」アルフォンソ十世（一二二一～八四、在位一二五二～八四）が編纂した四百二十七曲の写本である。編纂されたのは、おおむね一二七〇～八二年頃といわれる。『モンセラートの朱い本』より、さらにちょうど一世紀ほど遡った時代だ。

その名の通り、聖母マリアを賛美する歌集だ。歌詞、ネウマ譜、歌に歌われた場面の絵が描かれた、美しい彩色写本である。現存する写本は四冊で、一冊はこの歌集が編纂されたトレド、一冊はフィレンツェ、そして二冊がマドリードのエスコリアル宮にある。歌詞に使われた言語は、現在のポルトガル語の源流といえるガリシア・ポルトガル語（あるいは古ポルトガル語）。

一応念押ししておくと、アルフォンソ十世の時代に「スペイン」という統一国家は存在しない。私たちが現在スペイン語と認識するカスティリャーノもまだ、主要言語の地位を確立してはいない。ガリシア・ポルトガル語は中世イベリア半島のキリスト教国で、文学的役割を与えられた言語だった。

もちろん、私はそれらをリュートで弾く。最近ではもう、「タブラチュアがない！」とか言って、いちいち騒ぎはしない。タブラチュアなどあるわけがない。曲を聴き、淡々と自分用の譜に書き起こす。

カンティガは歌なので、「弾く」と言っても、歌詞に何が書かれているかがとても気になる。歌詞を無視したら、カンティガの心性に近づくことはできない。

そんな時間があったら、一曲でも多く、リュートやビウエラのために書かれた曲を弾くほうが演奏技術の向上につながるのだろうが、練習はそっちのけで訳詞にとりかかる。

私はガリシア・ポルトガル語を理解しない。が、カンティガはスペインが誇る貴重な中世の文化遺産なので、幸い録音されたCDが少なくなく、研究者によるデータベースや英訳、スペイン語訳も数多くある。それらの力を借りながら和訳をするのが、いまでは日課のようになった。

そんな作業に取り組んでいると、中学二年生の頃を思い出す。

一九七九年、ロックと出会って心を奪われた私は、買い食いも無駄遣いもせず、小遣いのすべてをレコードにつぎこんだ。当時、洋楽の日本版ＬＰレコードの値段は一枚二千五百円が相場で、私の小遣いは月二千円だった（中学一年生は千円、二年生は二千円、三年生は三千円というのが、わが家の小遣いの額だった）。日本版だと月に一枚も買えなかった。

そんなある日、学校帰りに渋谷を徘徊していた時、西武百貨店の地下に輸入盤売り場を見つけた。そして知る。レコードには輸入盤というものがあり、LPが千五百〜二千円程度で買えることを。その値段なら、月に一枚は買えるのだ。

少しでも安く買いたい、という思いで、輸入盤を次々に買い始めた。しかし思わぬ落とし穴があった。直輸入の外国製品なので、当たり前だが歌詞の日本語訳がないのだ。内容が知りたければ、自分で訳すほかない。

カンティガに掲載されているリュート奏者

まだ関係代名詞を習っていない中二の英語力で訳せることなど、たかが知れていると、いまなら思う。しかし当時は、関係代名詞の存在すら知らなかったので、臆することなく訳を進めた。

キッスやクラッシュ、ポリスなどは、さほど難しくなかった。比喩表現が満載で難しかったのは、クイーン。まさに性行為を歌った卑《ひ》猥《わい》な歌"Get down make love"を「倒れろ　そして愛を作れ」と訳して純愛の歌と勘違いし、君に出会って心臓が止まりそうだぜ、という気分を歌った"Sheer Heart Attack"は「まったくの心臓発作」と訳し、病気の歌だと思っていた。デヴィッド・ボウイとなると、歌詞の内容が抽象的すぎて、ほとんど理解不可能だった。

言葉遣いが易しくて（優しくはないが）嬉しかったのは、英国パンクの先駆け、セックス・ピストルズだ。彼らの言語表現は、極東の中学二年生にも理解できた。労働者階級をターゲットにした彼らの語彙《ごい》や語法のヴァリエーションが、それほどシンプルで限定的だったということだろう。自分にも理解できる言葉で歌ってくれる――それは、当時彼らを熱狂的に支持したイギリスの労働者階級の若者にも共通する思いではなかっただろうか。

そんなことを懐かしく思い出しながらカンティガを訳していると、くすくす笑ってしまう。中二の頃、「俺は反キリストだ。俺はアナーキストだ」と訳して悦に入っていた自分がいま、聖母マリアを賛美する中世の歌を訳しているのだから。

十三世紀のイベリア半島に暮らした人たちは、その八百年後、彼らはその存在さえまだ知らない東洋の果ての民が、これらの歌を訳していることなど、想像できただろうか。

「七つの喜び」

まずは順当に一番から見ていきたい。どんな曲集でも、最初に登場する曲には、それが表現したい世界の特色が示されることが多いからだ。一番は“Des oge mais quer, eu trobar”。カンティガの各曲には、実はタイトルがない。歌い出しの一句をタイトルとみなすと、内容がよくわからないことを、ここに断っておきたい。

この一番は、正直言うと、好きな曲を見つけたくて手当たり次第に聴きあさっていた時点ではスルーしていた曲だ。第一印象は、あまりよくなかった。訴えたい内容が先にあり、それに旋律をつけた「宣言歌」というイメージがある。リュートを弾くことが目的だったら、多分立ち止まらなかった。私個人の聴覚的快楽という観点からすれば、あまりおもしろい曲とは言えない。ところが歌詞の内容を知り、印象が一変した。まずは中身を見てみることにしよう。

「(前書き) これは聖母マリアを讃える最初の曲である。聖母が御子から授けられた七つの喜びを挙げようぞ。

(以下、歌) 今日から、尊い淑女のためだけに歌おう。神は、あのお方の祝福された聖なる肉体をお選びになった。我らが死の苦しみから逃れ、永遠の生を授けられる、神の国へとお導きくださるために。

まずは大天使ガブリエルが現れ、あのお方に告げたところから始めよう。

『ああ、祝福された処女。神に愛されしお方。そなたはいま、救い主となられる御子をみごもられた。

長く子のなかったそなたの親戚、エリザベトも懐胎《かいたい》しておられようぞ』

次にベツレヘムに着いた時の話である。疲れ果て、町の入り口の小屋でお休みになられたあのお方は、ほどなくイエス・キリストをお産みになられた。貧しく憐れな女がそうするように、飼い葉桶《おけ》にみどりごを入れ、野の獣《けもの》の間で寝かしつけられたのだ。

天使が現れ、『地に平安あれかし』と讃える歌を歌ったことも忘れるわけにはいかない。すると星が道を照らし、東方の三人の王がはるばるとお祝いにやってきた。貴重で珍しい贈り物を携えて。

もう一つ、マグダラのマリアがあのお方に伝えた出来事についても触れずにはおられぬ。彼女が墓へ行くと、墓を塞いでいた石が転がり、天使によって守られていた。そして天使は言った。

『憐れな女よ、慰められよ。そなたが探しに来たイエスは、今朝、甦られた』

次に、まばゆいばかりの雲に乗って天に昇ってゆかれる御子を見た時の、あのお方の言いようもない喜びについて述べようぞ。そうして天に昇られると、何ごとかと集まった人々の前に天使が現れ、こう告げた。

『裁きの日に戻ってこられる。そのことはすでに証された』

神があのお方に賜《たまわ》られた恩寵《おんちょう》についても、伝え忘れるわけにはいかぬ。神によって集められた使徒たちはおおいに慰められ、教化され、聖霊に満たされた。そしてただちに布教へと向かった。

そして神の御名において、あのお方がどのように戴冠されたかについて、述べずにはおられぬ。あのお方がこの世を去られた時、御子は天国で再会し、ご自身の隣に座らせるため、聖母を天国へ昇らせたまった。そして女王、娘、母、僕《しもべ》という呼び名をお与えになった。

ですから、聖母さま、どうか我らをお助けください。

おとりなしください」（英語訳より訳出）

聖母マリアの生涯をたどりながら、その途上で起きた「七つの喜び」に思いを馳せる歌だったのだ。カンティガの一番に、まさにふさわしい内容である。「おもしろくない」などといった短絡的な感想を抱いたことを深く反省する。

この歌に登場する場面を時系列に整理すると、以下のようになる。

一、受胎告知
二、聖母のエリザベト訪問
三、キリスト降誕
四、東方の三博士による崇拝
五、マグダラのマリアの墓訪問
六、キリスト復活、そして使徒による布教の開始
七、聖母の被昇天と戴冠

いずれも、宗教美術でよく描かれる重要な場面だ。いまエル・グレコの画集を広げながらこの原稿を書いているが、グレコの《受胎告知》（一六〇〇年頃、ティッセン＝ボルネミッサ美術館所蔵）にはリュートを奏でる天使が登場するので、リュート好きとしてはさらに嬉しい。

この歌が歌われた時代に思いを飛ばしてみる。

現代の日本に生きる非キリスト教徒の私は、歌詞の内容を照らしあわせたいと思えば、すぐさま本棚に手を伸ばし、「中一C　星野博美」と自筆で署名された、中学生時代の聖書（日本聖書協会発行、一九七七年版）を開くことができる。ふだんは読みもしないのに。

しかし十三世紀のイベリア半島で、聖書は民が直接読める存在ではなかった。教会へ行き、説教を聴き、三次元造形物（彫像）に触れたり二次元画像（絵画）を見たり、あるいは歌を聴いたりして、キリスト教の世界観に触れたはずだ。まさに体じゅうの感覚を駆使して、宗教を体感していただろう。

そんなことを想像すると、ただの歌のようでいて、ただの歌ではない重みをひしひしと感じるのだった。

聖母の被昇天

次に歌から離れ、「七」という数字にこだわってみたい。

「聖母」と「七つ」といえば、「聖母の七つの悲しみ」が思い浮かぶ。悲しみの聖母、嘆きの聖母などの総称〝Stabat Mater〟なら、なじみ深く感じる人が多いかもしれない。こちらもまた、宗教音楽や宗教美術で頻出する人気のテーマ。アトリビュート〈属性〉は心臓に突き刺さる七本の矢だ。

二〇一六年に小石川で発掘された人骨が、DNA鑑定によってイタリア人宣教師シドッチのものであることが判明したことは記憶に新しい。彼が日本に持ちこんだ絵は、カルロ・ドルチ作による、悲しみの聖母系列の《親指のマリア》だった。「悲しみの聖母」を描いた画家は、ティツィアーノ、エル・グレコ、ムリーリョ等々、そうそうたる面々が連なる。

「聖母の七つの悲しみ」は、聖母マリアが人生の節々で遭遇した、最も悲しみ深い、以下の七つの場面を指す。

一、老シメオンの預言（イエス受難の預言）
二、エジプトへの逃避（ヘロデ王の迫害）
三、エルサレムの神殿で少年イエスを見失う
四、十字架の道行きでイエスと出会う
五、カルワリオの丘でイエス　磔にされる
六、イエス　十字架から降ろされる
七、イエスの埋葬

こうしてみると、「七つの喜び」が「七つの悲しみ」と対をなしていることがわかる。喜びのあとには必ず悲しみがあり、それを交互に繰り返した末、最後に最大の栄光に包まれる、という構造だ。

聖母マリアに対する崇敬が、カトリック教会で強いことは周知の通りだ。

しかし聖母の取り扱いは、実は非常に難しいものがあると、非信者の私から見て思う。神とキリ

ストに対するような崇拝を行うわけにはいかない。かといって、地上の一女性と同列にも扱えない。扱いを間違えると、下手したら異端とされる。異端が死を招いた時代である。

とはいえ、聖母を他の諸聖人と同列に扱うのも、心情的にどうもしっくりこない。聖母に対しては、特別な崇敬をするというのが、穏当な立ち位置であるように見える。崇拝と崇敬の間の、「特別な崇敬」だ。

今回、「七つの喜び」の該当箇所を確認しようとして、久しぶりに新約聖書を開いたのだが、いくら探しても、七番目の「聖母の被昇天と戴冠」の記述が見当たらない。これまでまったく知らなかったのだが、そもそもこの場面は、聖書に書かれていないのである！ あれほど画家たちに好まれて描かれた重要な場面（それこそエル・グレコのお気に入りのテーマだ）が、聖書に書かれていなかったとは……。近年、一番の驚きと言ってもいい。

日本のカトリック中央協議会のホームページによれば、マリアが霊魂も肉体もともに天に上げられたとする「処女聖マリアの被昇天の教義」が、ローマ教皇（ピウス十二世）によって全世界に向けて交付されたのは、比較的最近のことで、なんと一九五〇年だという。逆に言えば、それまでカトリック教会では、聖母の扱いに決着がついていなかったということだ。この教義を公式に認めてほしいという多くの請願が寄せられたこと、また一九二一年から一九三七年にかけて「被昇天の定義促進運動」が盛んになったことも背景にあるらしい。請願！ 促進！ いやはや、驚くことばかりである。

裏を返せば、聖書に書かれていないからこそ、聖母マリアは繰り返し描かれ、歌われた、ということなのかもしれない。

聖母マリアへの信心業

死の存在がいまよりはるかに身近であった時代、慈悲深い聖母マリアに神へのとりなしを願いたい、という思いが、人々の間に強かったことは容易に想像がつく。そんな声に応えてか、カトリック教会では多様な形で「聖母マリアへの信心業」が発展した。

なかでもポピュラーなものに、ドミニコ会の創設者、カスティーリャ生まれのドミニコ・グスマン（一一七〇～一二二一）が広めたとされる「ロザリオの祈り」がある（ロザリオはもともと、「薔薇の冠」の意。聖母マリアに祈りを捧げる際、数を数えるために用いる数珠《じゅず》で、典礼には使用しない）。カタリ派の異端を回心させるために向かった南フランスで、祈るドミニコの前に聖母が現れ、ロザリオを用いて祈る「マリアの詩篇の祈り」を啓示した、という伝承が残る。

そして、「七つの喜び」を軸にした信心業「聖母の七つの喜びへの信心」を行う修道会があることも、今回初めて知った。フランシスコ会である。

その起源とされるエピソードも、なかなか興味深い。

一四二〇年頃、イタリアに、聖母マリアを深く崇敬し、アッシジの聖フランシスコに倣《なら》いて生きる青年がいた。彼はフランシスコ会に入る前、花で冠を作り、マリア像に捧げることを日課としていた。やがて青年はフランシスコ会に入会し、修練期間に入る。しかしそのために、花の冠を捧げる習慣を続けられなくなってしまった。彼はそのことを嘆き、苦悩した末、修道院を去ることを決意した。

するとと慈しみ深い聖母マリアが彼の前に現れ、優しく語りかけた。


「花の冠よりも、もっと私を喜ばせてくれる方法を教えましょう」

そして聖母が地上で生きた七十二年間で経験した、「七つの喜び」を思いながら唱えるお祈りの仕方を啓示した。この「聖母マリアの七つの喜びへのロザリオ」は、またたく間に全フランシスコ会へと広がったという（catholictruth.netより抄訳）。


いずれも、聖母マリアが現れ、直接祈り方を啓示した点が共通している。

余談だが、私がついつい、ドミニコ会とフランシスコ会に過剰反応するのには理由がある。いずれも、キリシタンの時代に日本へ布教に来た修道会だからだ。

日本にキリスト教を伝えた人たちといえばイエズス会があまりにも有名だが、スペイン系のドミニコ会、フランシスコ会、そしてアウグスチノ会という三つの托鉢修道会も来ていたことが軽視されているのが実情だ。

これまであまり意識はしなかったが、十六～十七世紀の日本に伝えられたキリスト教――特に迫害が強まった時代はなおさら――には、想像以上にマリア崇敬の要素が強かったかもしれない、と思う。今後の宿題である。

モンセラートの「七つの喜び」

七つの喜び――スペイン語だとsiete alegrias、あるいはsiete gozos。シエテ・ゴーソス……。どことなく響きになじみがある。

もしやと思って、慌てて『モンセラートの朱い本』の歌詞を引っ張り出した。"Los set gotxs"。これまた「七つの喜び」ではないのか！

この曲は「死に向かって急ごう」と同様、モンセラートの中でもビートが効いた、賑やかな部類に入る一曲だ。さほど長くはないので、スペイン語訳をもとに訳してみる。

「七つの喜びを　信心深く歌おう
我らが母　マリアさまに謹んでご挨拶
アヴェ・マリア　神に愛されし清きお方　神はあなたとともにおられます

乙女は　子を産む前　一点のしみもなく清らかであられ
子を産む間も　子を産んだあとも　まったく汚れのないまま
聖なる神の御子をお産みになった　聖なる乙女よ
乙女よ　東方の三人の王が馬にまたがり　凛としてやってきた
まばゆいばかりの星に従ってマリアさまのもとに着いた　黄金と乳香《にゅうこう》を没薬《もつやく》と携えて
乙女よ　嘆きの聖母よ　愛する息子の死で　深い悲しみの淵に沈まれた
その悲しみは　ご復活をご覧になって喜びに変わった

あなたの前に最初にお現れになったのです　慈しみ深き母よ
乙女よ　あなたが愛する息子からお受けになった五番目の喜び
それはオリーブ山で　御子が天に昇られるのをご覧になった時
そこで我らのためにお祈りくださったら　どんなにか嬉しいことでしょう
乙女よ　ペンテコステ〈聖霊降臨日。復活節の五十日後〉のあと
聖なる使徒たちはあなたの元に集まり　聖霊が舞い降りた
乙女よ　あなたがこの世で得た最後の喜びは
あなたの栄えある息子が　あなたを天国へお連れになった時
そこであなたは戴冠されるのです　永遠の女王よ

アヴェ・マリア　神に愛されし清きお方　神はあなたとともにおられます」

ディテールが異なるとはいえ、取り上げるテーマも構造も、カンティガとほぼ同じ。印象はまったく異なる。カンティガでは、崇敬する聖母と歌い手との距離が遠い感触を受ける。一方、モンセラートの聖母は直接話しかける関係性。とても身近な存在に感じられる。実際、モンセラート修道院の外で歌いながら輪になって踊り続けたら、ほとんどトランス状態に陥ったのではないか。巡礼を遂げるとは、心だけでなく、肉体までもが天国に近づく感覚を得られる、それほど心弾む稀有な体験だったのかと思わざるをえない。

歌詞を知ると、ますますその時代に興味が湧く。カンティガをさらに詳しく見ていくことにしよう。

第8話　聖母の御《み》業《わざ》に驚くなかれ（カンティガ二六番）

「薔薇の中の薔薇」

今回は、『聖母マリアのカンティガ（頌歌集）』の中から、いまも多くのミュージシャンからカバーされ続けているメジャー曲に注目してみたい。
まずは一〇〇番 "Santa Maria, Strela do Dia"「聖母マリアよ　暁の星よ」を挙げよう。

「聖母マリアよ　暁の星よ
神への道を示し　我らを導きたまえ

自ら犯した罪におぼれた不道徳な者たちに　あなたはお示しになる
罪人といえども

どれほど愚かで　ゆきすぎた行為をなした罪人といえども
あなたはお許しくださるということを
聖母マリアよ　暁の星よ……

我らに道を示したまえ
あなただけが我らに与えてくださる　比類なき真実の光
何があろうとも　我らがその光にたどり着けますように
神は　あなたにそう望んでおられる
聖母マリアよ　暁の星よ……

何ものにも代えがたい　あなたの英知が
我らを天国へ導いてくださる
信じる者すべてに　神が喜びと笑みを与えてくださる　あの天国へ
どうか　どうか　我らの魂とともにおわしますように
聖母マリアよ　暁の星よ
神への道を示し　我らを導きたまえ」（英訳より訳出）

いつものごとく、リュートを弾きながらはちゃめちゃな原語で歌い、とても不思議な感覚に見舞われる。

歌詞はこのように、神へのとりなしを聖母マリアに祈るキリスト教的要素に満ちているのだが、弾いてみるとまったく感触が異なる。旋律が、自分のイメージするアラブっぽい。

やはり代表曲の一つ、一〇番の〝Rosa das Rosas〟「薔薇の中の薔薇」を見てみよう。

「薔薇の中の薔薇　花の中の花
淑女の中の淑女　主の中の主

美しく姿形のよい薔薇　幸せと喜びの花よ
慈悲深い淑女　あらゆる苦悩を取り除いてくださる主よ

我ら　このお方を愛す
我らを悪から遠ざけ　いかなる罪人も許し
この世を善きものにしてくださるお方を

我ら　このお方を愛し　忠誠を誓う
我ら罪人を堕落から守り
犯した過ちを　悔い改めさせてくださるお方を

この淑女は私の主人
あなたのための吟遊詩人に　喜んでなろう
あなたの愛を得られるならば　ほかの恋人はすべて諦めようぞ

薔薇の中の薔薇　花の中の花
淑女の中の淑女　主の中の主」（英訳より訳出）

こちらは「暁の星」よりもさらにアラブっぽさが増す。

カンティガのネウマ譜には、音と拍子が書かれているだけで、どう弾くか、どう歌うかは個人の解釈に任される。この曲を西洋っぽく奏でることはできる。しかし私がこの曲を弾く時、リュート界では厳禁とされる「かき鳴らし」奏法をしたくなる。指の腹で弦を撫《な》でるようにそーっと、という奏法では、この歌にはまったく似合わない気がするのだ。

目を閉じると脳裏に思い浮かぶのは、教会の尖塔ではなく、強烈な太陽と乾いた空気である。これは裏声＋リュートよりも、地声＋ウードのほうが似合うのではないか、という率直な印象を抱く。

歌詞の内容に目を向けると、「暁の星」と同様、聖母マリアの存在そのものを賞賛するもの。これらを、仮に「マリア賞賛系」と名付けておく。

誤解なきよう強調しておくと、故意にアラブっぽい二曲を選んだわけではないのだ。四百曲以上もあるカンティガには、私がイメージするキリスト教的西洋っぽい曲もある（それもおいおい紹介していく）。しかし、奇しくも一〇〇番、一〇番と番号付けられた節目の代表曲がアラブっぽさに満ち、西洋っぽくないことは、私を喜ばせる。カンティガが内包する多文化性を象徴して、あまりある。

鍵は、これを編纂させたアルフォンソ十世の生きた時代にありそうだ。

賢王の宮廷

七一一年、イスラーム勢が北アフリカからイベリア半島に侵入し、またたく間に半島の大半を制圧してから、最後のイスラーム王朝、ナスル朝の牙城グラナダ王国が一四九二年に滅亡するまでのおよそ八世紀間、地域によって当然ながら濃淡はあるけれども、スペインはキリスト教徒、イスラーム教徒、そしてユダヤ教徒が共存する世界だった。

なかでも一〇八五年、アルフォンソ六世によって奪還されたトレドは、古典文化やイスラーム学術研究の中心地として繁栄を極め、多数のユダヤ人が居住していたことから「スペインのエルサレム」とも呼ばれた。「トレドの翻訳グループ」を中心に、アラビア語文献から哲学、神学、自然科学などの翻訳が進められた。

のちに「賢王」と呼ばれるアルフォンソ十世は一二二一年、そんなトレドに生まれた。アルフォンソ十世が編纂させたものに、カンティガ以外にも、チェスに興じるユダヤ人とイスラーム教徒の絵が描かれた『チェス、サイコロ、盤の書』（一二八三年）や、惑星の位置を表にした

『アルフォンソ天文表』などがある。またこの王は、ラテン語からの脱却を目指し、イベリア半島の一方言だったカスティーリャ語の使用を推進させたことでも知られる。

そんな時代背景を想像すれば、カンティガの曲調に多文化が内包されているのは、ごく自然なことなのである。

私が愛聴するカンティガのCDを監修したジョエル・コーエンは、ライナーノーツにこう書いている。

「大事なのは、どう演奏すべきか、である。アルフォンソ十世の宮廷は、高度に多元文化で、ユダヤ教徒、イスラーム教徒、キリスト教徒がいた。挿絵にも白い肌や黒い肌の楽師が一緒に演奏する様子が描かれている。旋律とリズムは写本に書かれている。しかしニュアンスや解釈については書かれていない。アルフォンソ十世の宮廷は、現代のニューヨークのような、文明の十字路だったはずだ。そんな仮定に基づいて、様々なルーツを持ったミュージシャンを集め、できるだけ当時に近い楽器を使用し、西洋の『クラシック』の主流からは外れる試みをした。」

解釈は自由だ。けれども、カンティガの歌詞の内容に引きずられて、キリスト教的西洋っぽく演奏することは、現代に形づくられた西洋観に隷属しすぎと言ってよいかもしれない。

「賢王」アルフォンソ10世が編纂させた『チェス、サイコロ、盤の書』（1283年）より、チェスに興じるユダヤ人（左）とイスラーム教徒（右）の挿絵

「足が萎《な》えた男」

以上、「マリア賞賛系」の二曲を紹介したが、カンティガにはさらに幅広いヴァリエーションがある。聖母マリアが起こした奇跡を讃える「奇跡系」や、そのなかでも特に多い、病の治癒にまつわる「治癒系」。さらには具体的な地名が登場する「地名系」や、巡礼にまつわる逸話を題材にした「巡礼系」、キリスト教の教義が中心になった「教義系」、特定の聖人が登場する「聖人系」などど。メジャー曲の一つ、一六六番“Como poden per sas culpas”は、「治癒系」である。

前にも述べたように、カンティガの各曲には、実はタイトルがない。冒頭の一節が題名替わりにされるため、尻切れトンボで意味がよくわからない曲名が多くなってしまう。よって、今後は私見で和訳タイトルを付けさせてもらうことにする。一六六番は題して「足が萎えた男」。

「（前書き）これは、体と足が不自由になった男が、いかにしてサラスの聖母マリアさまに癒されたかを述べた歌である。

（歌）罪によって体が麻痺した男は　乙女によって健やかになった
犯した罪によって病に侵された男は　手足が不自由になり　痛みにさいなまれ
五年もの間　動くこともできず　足はすっかりねじれ曲がってしまった

あまりに病気がひどかったので　男は誓った
もし病気が治ったなら　サラスへ行き　毎年一リブラの蠟燭を　聖母マリアさまに捧げましょう
するとまたたく間に男の病気は治り　それ以上は何も不満を訴えなかった
男はただちに　質の良い蠟燭を携えてサラスへ向かった
長い間歩けなかったというのに　何の痛みもなく　喜びいさんで　さっそうと歩くことができたのだ

罪によって体が麻痺した男は　乙女によって健やかになった

(後書き)病と痛みから解放してくださったこの奇跡によって、彼らは聖母マリアに感謝を捧げ、賞賛した。マリアさまは常に我ら罪人のために祈ってくださいます。だから我らは永遠に、マリアさまの忠実な臣民となるべきなのです。」(スペイン語訳より訳出)

当時、病や痛みの治癒を願う対象として、聖母マリアが崇敬されていたことがよくわかる。これは、カンティガのなかでも私が最初に弾きたいと思った曲である。非常にメロディアスで、しかも情熱的。萎えていた足が治癒した喜びを爆発させ、思いきりステップを踏みしめて踊り出したくなるような曲。肉体の解放！　という印象で、ある意味、官能的ですらある。

そしてディテールの情報が、また興味深い。教会で聖母マリアに蠟燭を捧げる行為は、私などが仏壇に線香をあげる感覚と近いのだろう。ここに登場する重量単位の「リブラ（livra）」は、後書きに登場する、病と痛みからの「解放（livra）」に呼応した単語であるが、地方によって若干のバラつきはあるものの、一リブラは当時、およそ四五〇グラムを指したそうである。

毎年四五〇グラムの蠟燭……ひと月平均で約三七グラム。想像してみたら、意外にささやかである。五年も動けなかった男にとっては値が張る品だったかもしれないが、それでも、黄金や宝石といった高価な捧げ物ではない。蠟燭で願いを聞き入れてくださるマリアさまは、懐にやさしい。

サラスは、スペイン北部のアラゴン州ウエスカ近郊にある。アラゴン州政府のホームページによれば、そこにはサンチュアリオ・デ・ヌエストラ・セニョーラと称する教会がある。建造されたのは十三世紀初頭。サラスの聖母マリアが数々の奇跡を起こしたため、いつしかスペイン北部の重要な聖母マリア巡礼地となったが、その後すたれたという。

「サラスの聖母マリアによる奇跡は、賢王アルフォンソ十世の『カンティガ』のなかで語られている」

つまり賢王は、聖母マリアが各地で起こした奇跡譚を集め、それをカンティガのなかにちりばめたのであろう。

そんな、聖母に対する感謝と喜びに満ち溢れた曲であるが、この曲が使用されている映像媒体が実に興味深いのである。

少し古いところでは、オーストリア出身の元ボディビルダーで、ハリウッドにデビューしたての頃は英語が自由に操れなかったが故に、セリフの少ない原始人（コナン）や人造人間（ターミネーター）の役が多かったアーノルド・シュワルツェネッガーが主演した『コナン・ザ・グレート』（一九八二年）。コナンとその仲間が、酒池肉林を繰り広げる蛇王の宮殿に忍びこみ、巨大なルビーを盗む場面でこの曲が流れる。一糸まとわぬ男女の群れがくんずほぐれつまぐわう、非常にエロチックなシーンである。

新しいところでは、イングランド王ヘンリー八世の生涯を、女性関係を軸に描いてヒットしたテレビドラマシリーズ『チューダーズ　ヘンリー8世　背徳の王冠』（二〇〇七〜二〇一〇年）。惹かれあうようになったヘンリーとアン・ブーリンが二人で踊る場面で、激しく体をぶつけながら、二人とも脳内はセックスのことで頭がいっぱいという、これまたエロチックなシーン。

この二つを見ていると、「聖母への感謝を歌った歌ですから！」とツッコミを入れたくなる。しかし考えてみたら、肉体が自由になった喜びを爆発させた歌なのだから、あながち解釈は外れてはいない。賢王は草葉の陰でたまげているに違いない。

「ウサギの骨を喉に詰まらせた男」

「治癒系」のほほえましいバージョンとして、この歌も取り上げずにはいられない。三二一番〝A Virgen, que de Deus Madre éste〟である。題して「ウサギの骨を喉に詰まらせた男」。

「（前書き）これは喉を詰まらせて死にかけていたエヴォラの男が　聖母マリアによって救われ

た歌である。

（歌）主の母　娘　そして僕である乙女は　いつでも罪人を助けてくださる

エヴォラに　聖母マリアを深く信心する男がおった
しかし男はとてつもなく大食らいで　口の中に大きなものを詰めこむのが好きでな
ある晩のこと　男は夕飯にウサギを食っていた
するとウサギの骨が　喉に詰まってしまったのじゃ
骨は男の喉をふさぎ　すっかり膨れあがってしまった
男は喋ることも　息をすることすらできなくなってしまったのじゃ
男はもう　長いことその状態だった
薄いスープと冷たい水しか飲めなくなってしまった
八月になり　聖母戴冠のお祭りがやってきた
友人たちは男を教会に運び　祭壇の前に横たえた
男は一晩じゅうそこに横たわり　死ぬのを待っていた
明け方　ミサを捧げている最中　男が咳きこんだ
喉に詰まった骨を吐き出させるため　聖母が男に咳きこませたのじゃ
彼らは聖母マリアを讃えた

主の母　娘　そして僕である乙女は　いつでも罪人を助けてくださる」（スペイン語訳より訳出）

喉を詰まらせた男が救われた奇跡であると同時に、「七つの大罪」の一つ、「貪食」を戒める内容となっている。いかにも喉が苦しそうに歌うのがポイントだ。

「聖母の御業に驚くなかれ」

本章の最後に、メジャー曲とはいえないが、歌詞の内容にうならされた一曲を取り上げたい。二六番の"Non é gran cousa"、題して「聖母の御業に驚くなかれ」。奇跡、教義、サンティアゴ巡礼、聖人がてんこ盛りの、非常に美しい曲である。写本に描かれた細密画とあわせて、歌詞を追ってみることにする。

「（前書き）これは、サンティアゴへ向かった巡礼者が悪魔にそそのかされて自殺し、聖母マリアのおかげで魂が体に還った話である。

（歌）聖母の御業に驚くなかれ　聖母は必ず正しい裁きをしてくださる

賢い判断をなさる聖母は　許し　いさめる力をお持ちだ
それは神が聖母に永遠に与えたもうた力
そなたらが聞きたいというなら　聖ヤコブの墓に出かけて自殺してしまった巡礼者に対して
マリアさまがなされた裁きについて語って聞かせようぞ

ある男が聖ヤコブへの強い信心から　サンティアゴ――本物の――へ向かった
しかし旅を始める前に彼は　罪を犯してしまった
ある女性と婚外関係を持ってしまったのだ」

大きな香炉が天井から提がったサンティアゴ・デ・コンポステラの礼拝堂の中に、線だけで描かれた巡礼者が立っている。簡素な帽子に、頭からすっぽりかぶるローブを身にまとい、布でできたポシェットを斜めがけにしている。そして右手には、巡礼者のトレードマークである、背丈ほどの大きな杖。他が彩色で、彼だけ無色なのは、未来を表現しているのだろう。彼はまだ、サンティアゴに到達していないからだ。

「男は告解をすることなく　巡礼道を進んだ
するとじきに　使徒　聖ヤコブの姿をした悪魔が現れた　彼をだます気満々だ
偽の聖ヤコブは男に告げた

『巡礼者よ　おまえにはがっかりだ　罪を犯したな
おまえを救ってやる　地獄の火の海から逃れるいい方法を教えてやろう
だがその前に　私の友でありたいなら　命じた通りにするのだ
おまえが犯した罪を消すためには　罪を犯させた性器を切りおとすしかない』」

場面は変わり、男は彩色された姿になっている。彼は、目の前に突然姿を現した白い聖衣姿の聖ヤコブと話している。しかし恐ろしいことに、聖ヤコブの肩には、とがった耳と羽根を持った真っ黒い悪魔が乗っているのだ。男から少し離れたところに数人の巡礼者が立ちすくみ、男に何かを話しかけようとしている。

「巡礼者はまったく疑いもせず　聖ヤコブに命じられたと思いこんだ
そして正しいことだと信じて　言われた通り　自分の性器を切ってしまった
間もなく男は　巡礼道で息絶えた
ほどなくして旅の仲間たちは　男が冷たくなり　死んでいるのを見つけた
しかし死者を咎《とが》めて　さっさと逃げてしまった
すぐさま　死者の魂を連れ去るために　悪魔たちが戻ってきた」

恐ろしい場面である。剣で喉を掻き切った男が巡礼道に横たわっている。それを見た他の巡礼者は、いかにも「関わりたくない」といった表情で、そそくさと逃げていく。一番後ろにいる巡礼者だけが、死者に向かって頭をさげ、別れを告げる。そして空に目を向けると、三体の悪魔が宙を飛びかい、たったいま肉体から離れた男の魂（幼子の形で描かれている）を引っ張りあっている。「俺のものだ、俺によこせ！」と奪いあうように。

「悪魔たちはその途中　敬虔《けいけん》な使徒　聖ペテロを奉る　とても美しい教会の前を通った
するとコンポステラの聖ヤコブが　そこから飛び出して言った
『おい　偽者めが　私の巡礼者の魂は連れ去らせんぞ
よくも私の名を語ってだましてくれたな　なんと恐れ多いことを
偽りによって奪った魂は　神が私をお助けくだされば　ほどなく取り返せるであろう』
邪悪な悪魔たちは言い返した
『聖ヤコブめ　何をぬかす
こやつの魂が神の元に行けないことははっきりしている
なにしろ　適切な方法で死んでおらぬのだからな』
聖ヤコブは告げた
『こうしよう　おまえどもと私で決めるわけにはいかぬ
いますぐ　非の打ちどころのない裁判官に訴えようぞ』」

美しい教会の扉から、光輪のついた二人の聖人が飛び出す。イエスの使徒、聖ペテロと聖ヤコブだ。聖ペテロは天を指さし、一方聖ヤコブは、さすが戦う聖人だけあって、右手に持った剣を天に向かって振りかざしている。そして左手は、連れ去られようとする男の魂をしっかり摑《つか》み、悪魔と引っ張りあいをする。

「彼らはすぐさま聖母マリアの元へ行き　事の次第をすべて詳しく語り　裁きを求めた
　下された裁きはこうであった
　悪魔は立ち去れ　そして男の魂を　元の肉体に還すように」

天国で戴冠した聖母マリアが、跪《ひざまず》いて事の次第を説明する聖ペテロと聖ヤコブの言葉に真摯に耳を傾けている。反対側に跪いた数人（おそらく諸聖人）も両手を合わせ、寛大な裁きを懇願しているようだ。そうしながらも聖ヤコブは、右手を振り上げ、宙に浮いた男の魂をしっかり摑んでいる。悪魔はいまにも魂を離しそうだ。

聖ペテロと聖ヤコブが聖母に裁定をお願いしている場面。左側のヤコブは悪魔と幼子の形をした魂の引っ張りあいをしている（「聖母の御業に驚くなかれ」の写本細密画より）

「この裁きはただちに実行され　神が賜った恩寵《おんちょう》によって　死んだ巡礼者は生き返った
男は神に感謝を捧げ、終生神に仕えるようになった
しかし切除した性器は元に戻らなかった
二度と　致命的な罪は犯さぬように」

最後の場面には、巡礼者たちが見下ろすなか、起き上がる男が描かれている。

最後の場面に到達した時、憐れな巡礼者に思いきり感情移入してしまい、不覚にも涙ぐんだ。聴く、見る、訳す、を別々にしていた時はまったくそんな現象は起きなかったのに、三つを同時にした途端、心が揺さぶられた。映像の力の強さを、こういう形で認識させられるとは。当時この歌を聴いた民は、心底震え上がったことと思う。

音、詩、絵画で構成されたカンティガは、中世スペインが生み出した総合文化芸術なのである。

第９話　コンスタンティノープル包囲（カンティガ二八番）

ポリコレな賢王

聖母マリアを讃える歌のいくつかを紹介して、『聖母マリアのカンティガ』を終わろう、と当初は考えていた。何曲かリュートでも弾けるようになったことだし、そろそろ元の時代に、せいぜいルネサンスの時代に戻ってこよう、と。

ウサギの骨が喉に詰まった男（カンティガ三二二番）も、足が萎えた男（一六六番）も、戦《いくさ》で顔に矢が当たった男（一二六番）も、悪魔にそそのかされて自殺してしまったサンティアゴ巡礼者（二六番）も、そしてモンセラート修道院に落石があった時（一一三番）も、聖母マリアが奇跡を起こして救ってくれた。聖母は水をワインに変えてくれたこともある（二三番）。

カンティガは、中世スペインの民が奇跡を求めて聖母を称揚する、ちょっとおちゃめで信心深いポップス……そんな位置づけで終わりたい、というのが正直なところだった。

しかし、どうも後ろ髪を引かれる思いが残った。巡礼者が聖堂で歌うことを想定して作られた、十曲仕立ての『モンセラートの朱い本』とは異なり、なにしろカンティガは四百二十七曲もある。中世音楽のコンサートなどで取り上げられることの多い、あるいはCDなどに収録されることが多いメジャーな曲は、私の印象だとせいぜい二十から三十曲ほど、つまり全体の一割にも満たない。

決まった歌ばかりが演奏されたり歌われたりすることに、漠然とした違和感を抱いた。あとの約四百曲にはどんな世界が描かれているのか。残りの九割以上を見ずして、カンティガの全体像を理解するわけにはいかないだろう。

決まった歌ばかりが取り上げられるのは、カンティガのバックグラウンドに縛られている点が大きいのではないだろうか、と思った。

この曲集を編纂させたのは、キリスト教徒、ユダヤ教徒、イスラーム教徒という「啓典の民」三教徒の王と呼ばれることを好んだカスティーリャの「賢王」、アルフォンソ十世である。この時代の彩色細密画には、白い肌をしたキリスト教徒の楽師がリュートを、そして浅黒い肌で頭にターバンを巻いたイスラーム教徒の楽師がウードを、並んで演奏する様子が描かれ、その融和的な画像がよくクローズアップされる。しかも賢王はカンティガのみならず、ローマ法典のカスティーリャ語版『七部法典』や、星座の位置を計算した『アルフォンソ天文表』を作らせるなどした。

現代の人間から見て、宗教や人種で社会を分断せず、文化科学事業に情熱を注いだ、ポリコレ（政治的に正しい）な王、という印象がするのだ（もちろん、ただのイメージである）。

特にスペインをベースにした古楽ミュージシャンがカンティガを取り扱う際、その点が強調される傾向があるように、私の目には映る。

「宗教や人種の壁を超えて共存していたあの時代のように、我らもまた共存しよう」

三教徒が反目しがちな（乱暴なくくりだが）昨今の世界情勢を思うと、「啓典の民」が共存した一四九二年以前のスペインには、確かに惹かれるものがある。

そのこと自体には賛同するし、そもそも私がカンティガに惹かれたのも、その点が大きかった。カンティガは、現代に受け入れられる要素を多分に持っているといえよう。だからこそ、曲調がアラブっぽいことを、ことのほか喜んだ。様々な理由で困っている民を、聖母マリアが救うという数々の逸話は、聴いていてもわるくない気分であるし。

そのあたりでやめておけば、ほんわかした気分で次へ移ることができただろう。

ラテン帝国の存在

ある日、YouTubeを自動再生に設定し、ランダムにカンティガを聴き流していた時のことだ。とても美しい曲の合間で「ん？」と思った。

いま、「コンスタンティノープル」と言わなかったか？

突然見舞われたジャブにうろたえ、慌てて曲に集中すると、続いて「モーロ」「スルタン」「マフォメッテ」という単語が流れてきた。ガリシア・ポルトガル語がわからなくても、これらの言葉が何を指すかはわかる。

カンティガにイベリア半島外の地名が登場するのは、実は珍しくない。ブリタニア（英国）、フランシア（フランス）、アレマニア（ドイツ）、イタリアなど、聖母の奇跡は国境を越えるので、多様な地名だけで驚くことはなかった。しかしコンスタンティノープル、マフォメッテときたら、アンテナが振れる。

たまたま、少し前にイスタンブールを訪れたばかりだったので、なおさら興味を惹かれた。

聖母マリアが、この街を異教徒の攻撃からお守りくださった、という内容であることは、城壁を挟んで戦う兵士の細密画を見れば、すぐにわかった。まったく細密画とはありがたい。これはどう考えても、コンスタンティノープル包囲戦の歌だろう。

「コンスタンティノープル包囲」と聞いて、私が真っ先に思い浮かべたのは、オスマン帝国による攻撃だ。

ビザンツ帝国の帝都コンスタンティノープルがオスマン帝国の若きスルタン、メフメト二世に包囲されて陥落したのは、一四五三年五月二十九日のことだ。千年以上も存続したローマ帝国の継承帝国は、そこで力尽き、ヨーロッパに激震を与えた。その後、この街はオスマン帝国の帝都イスタンブールとして生まれ変わり、二度とキリスト教徒の手に戻ることはなく、今日に至っている。

しかし、それはカンティガより二世紀近くもあとの出来事である。第一、この時、聖母は都を守れなかったのだから、これはもちろん、メフメト二世によるコンスタンティノープル陥落の歌ではない。

では、どの時代の話なのだろう？

「聖母が守った」と言うからには、この街はキリスト教徒の手になければならない。しかしこの場合の「キリスト教」は厄介だ。ローマ教皇をヒエラルキーの頂点に置くローマ・カトリック教会なのか、それともビザンツ帝国版図とギリシア、小アジアで広く信仰された正教会なのか。どちらととらえるかで、歌の意味あいが異なってしまう。

歌が書かれた十三世紀という時代を考えると、コンスタンティノープルがカトリック陣営に占領された出来事について思いを馳せずにはいられない。一二〇四年から一二六一年まで存在した十字軍国家、ラテン帝国である。

事の発端は、悪名高い第四次十字軍（一二〇二〜〇四年）だった。ビザンツ皇帝の跡目争いにつけこんだヴェネツィア共和国が十字軍の主導権を握り、資金不足で支払いができなくなった皇帝に脅しをかけ、エルサレムへは行かずにコンスタンティノープルに居すわり、帝都を略奪した。要は、借金を回収するため、ビザンツ帝国を乗っ取ったのである。そしてできたのがローマ・カトリック陣営によるラテン帝国だ。ビザンツ宮廷は亡命を余儀なくされ、亡命政権の一つであったニカイア帝国がようやく、一二六一年にコンスタンティノープルを奪還した。

第2話「ピーヴァ」でも少し触れたが、ヴェネツィアにはコンスタンティノープルから奪った財宝の数々がある。四体のブロンズ製の騎馬像、聖十字架をはじめとした聖遺物の数々、貴重な古文書など。そういわれてみれば、アルフォンソ十世の治世は一二五二〜八四年。ラテン帝国が存在した時期と重なっている。

この時の様子は、ウジェーヌ・ドラクロワ（一七九八〜一八六三）が《十字軍のコンスタンティノープル入城》に描いている。ヴェルサイユ宮殿の「十字軍の間」（！）に飾るために制作を依頼されたとか。いまはルーヴル美術館に所蔵されている。

十字軍関連の書籍を読んでいると、その狂信的な暴力性に暗澹《あんたん》とした気持ちになり、ローマ・カトリック教会に対する警戒心が芽生えることは避けられない。

百歩譲って（本心を言えば百歩では到底足りない）十字軍に「異教徒から聖地を奪還する」という大義があったとしても、同じキリスト教徒を襲ったという点で、第四次十字軍は、西側の正教会軽視と非道っぷりが際立つ、実にいやな十字軍である。

ビザンツ帝国はその後、二世紀弱はなんとかもちこたえるが、ラテン帝国による蹂躙《じゅうりん》を機に弱体化が顕著となり、一四五三年の帝都陥落を迎えることになる。まさに東と西の狭間にあり、異文化、異宗教、異民族と衝突を繰り返しながら、同時にそれを巧みに内包する知恵を持っていたビザンツ帝国を、西から来た十字軍が弱体化させ、最終的には東から来たオスマン帝国による滅亡を招いたことは、皮肉という言葉では到底言い表せない。

この歌がどの時代を描いたものなのかは、まだわからない。ただ少なくともこの時期、コンスタンティノープルがローマ・カトリック陣営の手に落ちたことで、ビザンツ文化や情報が西ヨーロッ

ドラクロワ《十字軍のコンスタンティノープル入城》（1840年）1204年、フランドル伯ボードワン率いる十字軍がコンスタンティノープルを攻略した場面

パに広く知れ渡った、ということだけは言えるだろう。

ともあれ、まずは歌の内容を見てみることにしよう。


「コンスタンティノープル包囲」（カンティガ二八番）

「（前書き）これは聖母マリアがモーロ〈イスラーム教徒〉と戦って、コンスタンティノープルを守った歌である。

心底語って聞かせたい偉大な奇跡がある。

比類なきお方である聖母は、ご自身が守らなければならない街を失うことも、敗北することも望まれなかった。


（歌）あらゆる場所は守られる　聖母マリアがお守りくださるから

これはコンスタンティノープルが　キリスト教徒の手にあった時に書かれた話である
一人の王が街を包囲するためにやってきた　獰猛《どうもう》で荒々しい異教徒の軍勢を引き連れて
そして言い始めた　街を征服して民どもを皆殺しにし　隠された財宝をみな奪ってやるぞ
街の中では　それを聞いた司教サンジェルマンが聖母マリアに祈っていた
神よ　お助けください　お許しください

不遜なモーロについて　ただちに神に祈り始めたのだ
そして街の高貴なご婦人たちに助言した
街の人々が征服されないよう　気高い聖母の御絵の前でろうそくを灯すようにと
モーロのスルタンは投石機を設置し　弓矢を放って　戦闘の火ぶたを切った
城壁はすぐさま損傷し　内側の人々は苦しみにさいなまれた
もし聖なる乙女がいらっしゃらなかったら　みな捕虜となっていただろう
しかし聖母がいらっしゃり　城壁が壊れないよう　マントを広げて守ってくださった
続いて聖人の軍団が天から降りてきて　聖母のマントをさらに広げ　唇の厚いスルタンが投げてくる矢をそらしてくださった
神が　母を恐れて　髭をはやしたスルタンを殺すため　そうしてくださったのだ
傷ついた城壁は守られた
劣勢を知ったスルタンは　これは嘘ではなくまことの話だ
マフォメッテ――よく知られた偽者――を呼び　助けを求めた
しかしそれは失望に終わった
スルタンが目を開けて天を見上げると
なんと　ベールをまとった神の御母が天から降りてきて　マントを広げ　街を守っておられるではないか
それを見たスルタンは　我らの主が　他でもなく御母のためにこのようなことを起こされた

と知り　味方と離れて街のなかへ入っていった
異教徒のスルタンはサンジェルマンに向かって言った
『今日から　どうかあなたがたの手で　私をキリスト教徒にしてください
改宗して　偽の卑怯者　マフォメッテは捨てたいのです』
そう決意した理由を続いて述べた
『あなたがたの法である聖なる女王が姿を現し　あなたがたを解放されるのを見ました
洗礼を受けたいが　どうしたらいいのか　わからないのです』
この街の立派な　富貴で善良な殿方たちに　シリアのスルタンが引き渡され　この国を二度
と攻撃しないと告げた時の様子は　なかなか言い表すのが難しい
こうして守ってくださる神は　まこと　ありがたいのである」（スペイン語訳より訳出）

弦楽器とフラウタ（フルート）が軽やかな、美しい曲である。

私が皮肉に感じたのは、ここでは外敵をモーロのスルタンと設定しているけれど、十三世紀ビザンツ住人の側に立てば、これを「ラテン人」と置き換えて読むことが可能な点だった。彼らから見れば、あなたたち――西ヨーロッパというより、ローマ・カトリック教会陣営――こそが恐るべき敵だったではないか、というツッコミは最低限入れておきたい。

さらに、聖母とともに聖人軍団が天から降りてきて帝都を防衛した、という描写が妙に気になった。

いちいち名前も列挙せず、とにかく聖人が一人残らず降りてきたのである。そのインパクトはかなり強烈だ。

コンスタンティノープルは天が総がかりで防衛しなければならないという、この街の戦略的重要性を象徴しているようだ。

内容と符合する歴史的事実はあるのだろうか。

聖ゲルマヌス

まずは、ラテン帝国時代の可能性を調べた。しかしこの時期、「モーロ」による大規模なコンスタンティノープル包囲はないのである。ビザンツ宮廷放逐の機に乗じて勢力を拡大し、ラテン人を悩ませたのはむしろ、第二次ブルガリア帝国の皇帝カロヤンや、ビザンツ復興を目指すビザンツ系専制公たち、つまり広義のキリスト教徒だった。イスラーム教徒から街を防衛したという記述とは合わない。

なかでもラテン帝国皇帝を討って名をあげたカロヤンは、正教徒であるにもかかわらず、ビザンツに対抗するため、ローマ教皇インノケンティウス三世から王冠を授かった、つまりローマ・カトリック陣営の同盟者と目された人物だった。ところがビザンツ宮廷がラテン人に放逐されると、今度はラテン帝国に対抗するため、ルーム・セルジュークと手を組んで牙を剝いた。てのひらを返すような背信行為を知った教皇は、「ブルガリアに十字軍を送るぞ！」と怒り狂ったとか。まったく、十字軍が好きな教皇である。

では、ビザンツ帝国時代の話なのだろうか。

頼りになる固有名詞は「司教サンジェルマン」のみ。「サン」がついていることから、死後に列聖された人物のようだが、「司教」という訳語が合っているか、名前の読み方が合っているか、どこの人間かもわからない。ローマ・カトリック教会と正教会では、教義はもちろんのこと、聖職者の職位も、崇敬される聖人も、異なるからだ。

諦めかけていた矢先、あるウェブサイトにたどり着いた。Catholic Answers Press という、カトリック系の英文サイトである。

「教皇ベネディクト十六世は二〇〇九年四月二十九日、水曜日恒例の一般謁見のカテケーシス〈教会の教えの解説〉で、中世の東西教会における偉大な著作家について取り上げられた。八世紀にコンスタンティノープル総主教だった聖ゲルマヌスである。」

San German……聖ゲルマヌス？　これだろうか？

そして、記事には前教皇ベネディクト十六世の説教が掲載されていた。

「親愛なる兄弟姉妹の皆さん

今日はコンスタンティノープル総主教、聖ゲルマヌスを考察しましょう。彼の祝日は東方教会では五月十二日に祝われます。七一七年、コンスタンティノープルがサラセン軍に包囲された時、ゲルマヌスは、神の御母聖マリアの御絵と聖十字架の遺物を掲げ、神のご加護を願う聖行列を指導しました。包囲が解かれた時、それは人々の信心に対する神の答えだとゲルマヌスは確信しました。」

これだ！　歌の内容と合致する。このゲルマヌスに違いない。

「しかしその後、皇帝レオン三世は聖像破壊運動（イコノクラスム）に走ります。ゲルマヌスは皇帝のこの動きに強硬に反対し、その結果、七三〇年には総主教職を解かれ、自ら修道院にこもり、死を迎えました。しかし、彼は人々の記憶から消し去られたわけではありません。聖像崇敬が公式に承認された七八七年の第二ニカイア公会議（最後の全地公会議）において、ゲルマヌスの名は公的に賞賛を受けたのです。

ゲルマヌスの書いた書物には、教会と神の御母への燃えるような愛が満ち溢れています。彼の著作は東西両教会の信者たちの信心に多大な影響を残しました。

またゲルマヌスは、荘厳で美しい典礼の促進にも力を入れました。

彼のマリア論における鋭い洞察力もよく知られたところです。ゲルマヌスは聖母マリアの奉献と御眠りの祝日の説教において、聖母の徳とその使命を賞賛しています。ゲルマヌスは聖母マリアの肉体的な不腐敗性の根拠を聖母の処女的母性に見ていますが、この理論は後に教皇ピウス十二世によって『聖母の被昇天に関する使徒憲章』の中に取り入れられています。

聖ゲルマヌスの取り次ぎによって、私たちも教会への愛と、神の御母聖母マリアに対する信心をますます新たにしていくことができるよう祈りましょう。」

なんということだ……。第7話「聖母マリアの七つの喜び」で、西洋絵画でいやというほど描かれ続けてきた重要なテーマ「聖母の被昇天」が、聖書に書かれていないことに対する驚きを書いた。

そして聖母の被昇天に対する決着を公式に行ったのが、一九五〇年の教皇ピウス十二世だった。

一九五〇年まで公式な決着がついていなかっただけでも驚きだったというのに、その際に理論の一つとなったのが、八世紀ビザンツ住人だったコンスタンティノープル総主教ゲルマヌスが書いたマリア論なのか。そして彼が、この歌の登場人物なのか。いやはや、話が時空を超えすぎて、めまいがしてきた。

難攻不落のコンスタンティノープル

手元にあるビザンツ関連の書籍をいくつか開いてみると、拍子抜けするほどあっさり、コンスタンティノープル包囲戦が登場した。

時は七一七年。ウマイヤ朝のアラブ軍の勢いはとどまるところを知らず、東ではササーン朝ペルシャを滅ぼし、西ではイベリア半島の西ゴート王国を滅ぼし、次の大きな目標はコンスタンティノープルだった。余談だが、スペイン好きの人間はこのタイミングに反応せざるを得ない。イベリア半島がイスラーム傘下に入ったのが平城京遷都と同じ七一〇年だからだ。この時期のウマイヤ朝の力がいかに強大だったかは、想像に難くない。

七一七年の初夏、大軍勢がコンスタンティノープルを包囲した。アラブ軍の総大将はウマイヤ朝五代カリフの庶子にして六代、七代、九代、十代カリフの異母兄弟、マスラマ・イブン・アブドゥルマリク（?～七三八）。母親が奴隷だったため、カリフ継承ラインからは外された人物だ。このマスラマが、歌に出てくる「モーロのスルタン」と思われる。一方、ビザンツ側で迎え撃ったのは、クーデターを起こして春に即位したばかりの軍人皇帝、レオン三世（在位七一七～七四一）である。

コンスタンティノープルは、アラブ軍が四十年前に包囲した際も落とせなかった、難攻不落の街だ。その包囲戦失敗から彼らは、コンスタンティノープルの堅牢な城壁を突破することは難しいことを学んだ。今回は陸・海から街への物資補給を断って孤立させる、兵糧《ひょうろう》攻めに出たのである。

イスタンブールを訪れた時のことを思い出す。

オスマン帝国のメフメト二世に破られるまで、コンスタンティノープルを守ってきたのは、ビザンツ帝国の秘密兵器にして伝家の宝刀、「ギリシアの火」と「テオドシウスの城壁」だった。

「ギリシアの火」は、「燃える水」「液体の炎」などと呼ばれた、ビザンツ帝国秘蔵の武器である。製法が国家秘密とされたことから、いまでも詳しいことはわかっていないが、生石灰や松脂《まつやに》、精製油、硫黄《いおう》などの混合物だったようである。筒から発射されると火を噴きながら飛ぶという、恐ろしい武器だった。

テオドシウスの城壁は、ところどころ崩れながら、いまなお旧市街を囲むように残っている。三重構造の、それ自体が城のようにさえ見える堅牢な城壁だ。そびえたつ城壁の前に立ち、ここに挑んだ強者たちの心情を想像してみては、不思議な感覚に見舞われた。「ふつう、諦めるでしょう」と思う一方、これほど堅固に守られた城壁の内側には、よほど素晴らしい世界があるに違いないと、想像力を掻き立てられる威厳があった。

ここを征服した者が世界を征服する——

テオドシウスの城壁には、見る者にそう思わせる何かがある。

メフメト二世が城壁を破った、まさにその場所に、いまでは「一四五三パノラマ博物館」という博物館が立っている。戦闘の激しさを疑似体験させることを目的とした、体験型博物館だ。自分が立つ場所は、城壁とメフメト二世率いる軍勢に挟まれた場所。戦闘の模様を再現した写実的な壁画が三六〇度に描かれ、馬のいななきやオスマン軍があげる雄《お》たけびが大音量で鳴り響き、否が応でも臨場感が高まる構造になっていた。

ビザンツ自慢の「ギリシアの火」も城壁も、メフメト二世がハンガリー人技師ウルバンに開発させた大砲の威力にはかなわなかった。ウルバンは当初、ビザンツ宮廷に大砲を売りこんだが、資金不足を理由に断られ、メフメト二世に売りこんだところ、即決で採用された、といわれている。

「ビザンツ帝国を支えた『ギリシアの火』も、オスマン帝国の大砲には太刀打ちできなかったのです」

自動音声ガイドが再三にわたって、誇らしげに繰り返していたことを生々しく思い出す。

七一七年に戻ろう。冬を迎えたコンスタンティノープルは異常気象に見舞われた。三か月も雪に覆われたのである。マスラマ陣営の物資供給はとどこおり、兵糧攻めをするどころか、軍勢には飢餓と疫病がはびこり始めた。

雪か！　聖母マリアが天からマントを広げて町を守る様子は、雪を意味していたのか。蒙古襲来の際に「神風が吹いた」というのと似ている。

七一八年の春が到来すると、アラブ軍にエジプトとイフリキヤ（北アフリカ、現在のリビアのあたり。もとはビザンツ領だった）から援軍の艦隊がやってきた。ところが乗組員にその地で徴兵されたキリスト教徒が多かったため、ビザンツ側に寝返る兵士が続出し、ビザンツ艦隊に壊滅させられてしまう。この時は舳先《へさき》から発射される「ギリシアの火」が大活躍で、アラブ艦隊は火だるまになったという。さらにレオン三世の巧妙な外交術で、アラブ軍は後背からブルガール人勢に挟み撃ちされることになり、多くの兵力を失った。

コンスタンティノープル包囲は失敗に終わった。急死したマスラマの兄、七代スレイマンに替わって即位した八代カリフ、ウマル二世（在位七一七〜七二〇）の命でマスラマ軍は撤退した。十三か月にわたった包囲からコンスタンティノープルが解放されたのは、七一八年八月十五日。偶然か必然か、聖母の被昇天の祝日である！

包囲戦では成果を上げられなかったマスラマだが、その後もビザンツに対する散発的な攻撃に従事した。晩年はハザール汗国との戦闘に明け暮れたという。

このようにマスラマは、七三八年に死去するまで、ほぼ戦場で人生を過ごした将軍だった。しかも歴代カリフの近親者である。この歌が言うように、キリスト教に改宗したとは到底思えない。どこをどうしたら、そんな逸話が生まれるのだろうか。

興味深いことに、コンスタンティノープルを苦しめたマスラマは、包囲戦失敗にもかかわらず、当時のアラビア文学のなかで英雄として描かれたようである。馬に乗ったマスラマが三十人の兵士のみを連れて帝都に入り、ビザンツ皇帝レオン三世から迎えられてアヤ・ソフィアに入った、という逸話が書かれたとか。これは未確認情報なので、今後機会があればあたってみたいと思う。

イスラーム側がプロパガンダとして書き残した物語を、今度はキリスト教徒の側が読み替える。賢王アルフォンソ十世は、アラビア語文献をカスティーリャ語にせっせと翻訳させた王である。そんな逸話をどこかで目にしたのかもしれない。それがこの歌で描かれた、真実とは思えない、「スルタンの入城と改宗」なのではないだろうか。

カンティガの細密画には、幼子イエスを抱いた聖母マリアに見守られ、総主教ゲルマヌスと高貴な男女に取り囲まれたスルタンが、洗礼盤の上に裸で載せられ、頭からザバンと水をかけられる様子が描かれている。たいへん侮蔑的な筆致である。


さて、総主教ゲルマヌスはどこへ行った？　彼が重要な役割を演じるのは、ここからだ。

イスラーム勢力から帝都を死守したことで、ほぼ一世紀にわたって流動的だったビザンツ－アラブ国境線は比較的固定化し、ビザンツ帝国は安定期に入る。国難を乗りきったレオン三世は、有能な皇帝だったと言ってよいだろう。そして帝国を再建するにあたり、次の一手に出た。聖像破壊運動である。

第10話　コンスタンティノープルを守った聖母のイコン（カンティガ二六四番）

半分人間

正教会の信仰において、聖なる画像以上の意味を持つ「イコン」。その話に入る前に、今回の音楽をめぐる旅は、中世のスペインからしばし離れ、東西冷戦期の西ベルリンに飛ぶ。

私が初めて東西ベルリンを訪れたのは、ベルリンの壁が健在だった一九八六年三月のことだ。大学一年時に中国、二年時にソ連、そして二年時の春休みにベルリンへ行き、その半年後、香港へ留学することになった。少々硬い言い方をすれば、まずは社会主義国家に足を向け、続いて社会主義体制と資本主義体制がぶつかる最前線に位置する人工的自由都市に関心が移った、といえる。

一九八〇年代半ば、私は熱病に冒されたように西ベルリンに夢中になっていた。明確なきっかけがあったわけではない。高校生の頃、東ドイツから西ドイツに亡命したパンク歌手、ニナ・ハーゲンに夢中になったことが、萌芽かもしれない。裕福な家庭に生まれながら、生きる意味を見失ってヘロインに手を染め、ヘロイン代を稼ぐために西ベルリンの街角に立つようになった少女、クリスチーネを描いた映画『クリスチーネ・F』の影響もある。西ベルリン因子はじわじわと降り積もって体内に蓄積し、あとは発症するのを待つだけ、という状態だった。

発症スイッチを押したのは、アインシュテュルツェンデ・ノイバウテン（「崩れ落ちる新建築」の意）というパンク・バンドだった。廃墟となった工場で、廃材や金属をチェーンソーで削りながら、そのノイズをバックに抽象的な詩を叫ぶ、ボーカルのブリクサ・バルゲルトの恰好よさに脳天をぶち割られた。彼らの作ったビデオ作品『半分人間』を大枚はたいて買い、廃墟の美しさに憧憬を抱いたものだ（ブリクサはのちに、ニック・ケイヴと活動を共にする。ニックといえば、一九八七年に公開されて日本でも人気を博したヴィム・ヴェンダースの映画『ベルリン・天使の詩《うた》』に登場する）。

商業ベースではない本物のパンクが生息するのは、西ベルリンなのではないか、と思ってしまい、西ベルリンへ行きたくてたまらなくなった。

廃墟、廃墟、廃墟

西ベルリンは東ドイツという海の中に浮かぶ、壁で囲まれた、西ドイツの飛び地（厳密には、連合国であるアメリカ、イギリス、フランスの共同管理地）だった。よく誤解される点なので強調しておきたいが、東ベルリンは壁に囲まれていなかった。東ドイツ国民が西ベルリンへ逃げるのを阻止するため、東ドイツ政府が西ベルリンを壁で封鎖した、それが「ベルリンの壁」だ。西ドイツの他の街から陸路で西ベルリン入りするには、西ドイツから東ドイツ領内を延々と走り、壁に囲まれた西

ベルリンに入ったのである。西ベルリンの異様な閉塞感が少しは想像していただけるだろうか。

そしてこれも意外と誤解されている点だが、ベルリンから西ドイツへ行くより、ポーランドへ行くほうが近かった。ベルリンは、想像以上に東に位置しているのだ。

当時の西ベルリンの代名詞といえば、廃墟、空き地、そして不法占拠だった。脈絡もなく壁で囲まれ、道路や鉄道が寸断されているため、大資本による投資や大型再開発がしにくく、街は独特な荒れ方をしていた。なにしろ、東京でいえば銀座のような目抜き通り、クーダムに、第二次世界大戦時の爆撃でてっぺんを吹き飛ばされた形のままのカイザー・ヴィルヘルム教会が建っている。いやでもヒトラーを思い出させられる議事堂「ライヒスターク」も、廃墟。整然と設計された、手入れがゆき届いていればさぞ美しいであろう庭園、ティアガルテンには雑草が生い茂り、三国同盟を結んでいたイタリアと日本、伝統的にドイツと縁の深いギリシアの大使館が、やはり廃墟のまま放置されていた。そのあたりは、日が暮れると街娼を拾った客が車でやってきては、ことに及ぶ、怪しげな場所と化していた。クリスチーネも、きっと来たはずだ。

空前の好景気に沸き、スクラップ・アンド・ビルドを際限なく繰り返しては、記憶喪失化に拍車がかかる東京から来た私には、廃墟と空き地だらけの西ベルリンは、過去の亡霊の存在感が強すぎる、時空が歪《ゆが》んだ物語を繰り広げる舞台装置のように見えた。意図的記憶喪失に陥る東京よりは、よほど好感を抱いたのであるけれど。

そしてあちこちにぽこぽこ出現する廃墟や空き地を不法占拠し、アトリエにしたり暮らしたりしていたのが、西ドイツ各地から西ベルリンへ逃げてきた若者たちだった。徴兵制のあった西ドイツでは、西ベルリン居住者には兵役が免除されていた。要は、西ベルリンは連合国の米英仏の共同管理地であるため、西ドイツの徴兵制が適用されなかったのだ。国家や体制とは距離をおき、オルタナティヴな生き方を模索する西ドイツの若者が西ベルリンに惹きつけられるのは、当たり前といえば当たり前だった。

そんな一九八六年がデフォルトである私にとって、ベルリンの認識はいまでも「西ベルリン」と「東ベルリン」である。壁が消滅し、かつては分断されていた道路や鉄道が通じるようになったいまでも、「いま東に入った」「西に戻ってきた」と、いちいち感じずにはいられない。それほど、道の途中にいきなり巨大な壁が出現し、冷酷に街を分断する風景は衝撃的だった。

ポツダム広場に響きわたる「ランバダ」

次にベルリンを訪れたのは、壁が崩壊した翌月、一九八九年十二月だった。

東ベルリン住民が日々大挙して西ベルリンに押し寄せ、これほど人であふれた西ベルリンを見るのは初めてだった。熱狂的なこととはとかく距離をおきたがるシニカルな西ベルリン住民でさえ、このお祭りムードを心底楽しんでいるように見えた。

かつては壁が近すぎて、ただの荒れ果てた広大な空き地だったポツダム広場には連日、自然発生的に市が立った。東ベルリン住民が採ってきたばかりのキノコや手作りのジャム、ケーキ、手編みのセーター、東ドイツ製の時計など、とりあえずすぐに換金できそうなものを持ちこみ、ぐちゃぐちゃとぬかるむ土の上で小遣い稼ぎをしていた。西ベルリンの繁華街には東ドイツの国民車トラバントが何台も停められ、「売ります」という紙が貼られていた。

私はポツダム広場で東ベルリンから来たおばあさんから、太い手編みのセーターを買った。いまでも、寒がりな父のお気に入りである。別に緊急で買わなければならない必要性はなかったのだが、壁崩壊の御祝儀のような気持ちで、彼らに少しでも多くの西ドイツ・マルクを手渡したかった。

そして一日じゅうポツダム広場に響きわたっていたのが、その年に世界的なヒットとなったブラジル出身のバンド、カオマの「ランバダ」だった。否が応でも性的行為を連想させる煽情的なリズムと腰の動きは、西側の情報が極めて限られていた東の人々にとっては、西の開放性の象徴のように映ったのではないだろうか。私はいまでもこの曲を聴くと、足元からしんしんと寒さが上ってくる、ぬかるんだポツダム広場を思い出す。

しかし、人の往来はいいことばかりではなかった。

東欧民主化の波は、東ドイツの人たちだけではなく、社会主義体制が揺らぎ始めた東ヨーロッパじゅうから西ベルリンに人を運んできた。西ベルリンの玄関口だった動物園駅には、ルーマニア人やアルバニア人、セルビア人が多く住みつくようになり、彼らが東ベルリン市民と衝突する事案が目に見えて増えていった。

経済活動がいきなり自由になると、「手っ取り早く金を稼ぎたい」という欲望が生まれるのはごく自然なことだ。私はじきに、一九九〇年代前半の南中国でも同じ光景を見ることになるのだが、中には、イカサマ賭博《とばく》に手を染める連中が出てくる。客の中に胴元《どうもと》とグルになったサクラがまぎれていて、少ない金から賭け、勝ち始める。それにつられた本物の客が賭けると、最初は勝たせて脇を甘くさせ、金額がかさんだところでズドンと巻き上げる、という寸法だ。

資本主義体制出身の人間には、「世の中にそう甘い話はない」「どうせグルに決まっている」という予測がはたらく。しかし社会主義体制出身の人には、その免疫がない。腕から買い物カゴをさげた、西ベルリンへキノコを売りにきたおばあさんが、そのカモにされたところを目撃した。もうほんの少しお小遣いを増やしたい、という欲望に負け、金を賭けてしまったのだろう。ありがねをすべて奪われ、呆然と涙を流す場面にでくわした時にはいたたまれなかった。やはり金を巻き上げられた男性が親に摑《つか》みかかり、殴り合いになったのを見たこともある。

東の人たちは、ベルリンの壁崩壊直後から、資本主義は美しくない、ということを肌で感じ始めていたはずである。

まさか、これは……

一九九〇年十月三日、東西ドイツは統一された。その一週間ほど前から私は再びベルリンに滞在していた。

一年前に街を覆っていた祝祭ムードは、表向きはまだしも、実際には完全に終わっていた。一番大きな変化は、西ベルリン住民が東ベルリンへ入り始めたことだった。

東ベルリンの中心部には、第二次世界大戦時の弾痕が生々しく残る、重厚な造りの建造物が多くあり、西側住民からすれば驚くほどの安値で借りることができた。旧東ベルリンの中心だったミッテ地区とプレンツラウアーベルク地区にはあれよあれよという間におしゃれなカフェやクラブ、アーティストのためのアトリエが林立し、西ベルリンお得意の不法占拠まで出始めていた。

不法占拠は、彼らなりの、資本主義への抗議だったはずだ。それを、社会主義から解放されたばかりの東の建物まで対象にするのは、いくらなんでもいきすぎだ。「パンクは意外と筋を通さない」と胸に刻んだものだった。

マレーネ・ディートリヒのような装いをするのが好きだった、ミュンヘン出身の友人が話してくれたことを、いまでも思い出す。

「こういうことを言ってはいけないことはわかってる。でも、粗末な恰好をした東の人でごった返す西ベルリンは、急にダサくなった。最近、遊びに出かけるのは、もっぱら東ベルリンよ」

あれほど資本主義が嫌いだと豪語する西ベルリンの若者が、自分が行使する資本主義の暴力性には気づいていないことが、悲しかった。

しかし彼女が語ったことは、ある意味ではまぎれもない事実だった。西ベルリンは確かに、急激に「ダサ」くなっていたのだ。

それを象徴するような場所が西ベルリンのクーダムの近くにあった。動物園駅から放射状に延びる通りの一つ、カント通りには、バッタ品や中古品、型落ちの安い家電製品などを売る小売店が建ち並び、その合間に怪しげな光を放つポルノ・ショップがぽつぽつと軒を並べていた。東京にたとえるなら、銀座のすぐ裏手に蒲田《かまた》があるような感じだろうか。そのエリアを行きかうのは、ひと目で「東」とわかる人たちだった。私自身はそういうエリアの空気感が嫌いではない、というより、むしろ親近感を抱くので、カント通り界隈にはよく足を運んだ。

ある日、カント通りに軒を連ねる商店をひやかしていた時のことだ。型落ちの家電製品と水道の蛇口部品が陳列されたショーウィンドーに、場違いなものを見つけた。

単行本くらいの大きさの、聖母マリアとキリストを描いた聖画である。

これは……いわゆる「イコン」という代物《しろもの》ではないのか？

いやいや、本物がこんなところで売られているわけがない。どこかで作られた複製だろう、と自分に言い聞かせ、その場を通り過ぎた。

しかしそれから、聖画に出くわす機会は増えていった。そしてある店のウィンドーで、本当にどこかから剝《は》がしてきたような痕跡のある板のイコンを目にしたことで、疑念はほぼ確信に変わった。

東欧民主化の混乱で、西ベルリンに、本物のイコンが流れてきているのかもしれない。

カント通りと交差する通りに、日本料理店が一軒あった。ベルリンで知り合った、写真家を目指す日本人の女友達がそこで働いていた。定食を頼めば、貧乏旅行者でもなんとか払える価格設定の店だ。月に一度くらいそこへ行き、焼きサバ定食を頼むのが常だった。

ある日曜日、いつものようにその店のカウンター席で焼きサバ定食を食べていると、恰幅《かっぷく》のよい、スラヴ系の男女の一団が入ってきた。女性は一様に豪華な毛皮のコートを身にまとっている。極端な菜食主義者の多い西ベルリンでは、眉をひそめられそうな恰好だ。そのコートの下には、豊満な体にぴったりとはりついたワンピース。混乱する東欧で金を儲けた成金男とその彼女、を地でいくような集団だった。

彼らは席に着くなり、次から次へと寿司を注文し、赤ワインをあけていった。いまでは世界各地で愛好される寿司であるが（私は食べないけれど）、一九九〇年当時、西ベルリン住民でさえあまり口にはしなかった食べ物だ。お世辞にも上品とは言えないその食べっぷりに、スノッブなほかの客たちの表情がみるみる曇っていく。目の前でむさぼるように寿司をたいらげていく一団には、暴力的にさえ映るすごみを感じた。

「ごめんね、今日はうるさいでしょ」

お茶をつぎに来た友人が言った。

「別にかまわないけど。彼らは何者なの？」

「ロシア人よ。最近、よく来るの」

続いて彼女は私の耳に顔を近づけ、声を潜めてささやいた。

「ロシアのマフィアだって噂よ」

彼らは最近、店に一番金を落としてくれる上客なのだという。寿司を本当においしいと思っているのかどうかはわからない。高いものから順に頼んでいくのだと、彼女が教えてくれた。

「何がそんなに儲かるのかね？」

「最近は、イコンが一番儲かるそうよ」

イコン! カント通りのショーウィンドーで目にした時に抱いた、「どこかから剝がしてきた本物ではないのか?」という疑念は、勘違いではなかったのか……。衝撃だった。

イコンはどこから?

当時の私には、イコン=ロシア正教という短絡的な発想しかなく、ロシア人がソ連各地のロシア正教会からイコンを不正に手に入れ、西ベルリンでさばく光景を思い描いていた。しかしいまでは、さらに広い可能性を考える。

正教会はロシアの専売特許ではない。ロシア正教会とはアイデンティティの異なるウクライナ正教もあるし、ビザンツ帝国の影響を強く受けたバルカン半島では、セルビア正教、ルーマニア正教、ブルガリア正教……と、各地に独自の正教会がある。正教会信仰が深く根を下ろして花開いた地域が、オスマン傘下に入り、さらにソ連の影響下で共産圏に入り、東欧の民主化によって再び激変にさらされたのである。東と西が出会い激突するベルト地帯で、様々な体制の支配下に入り、鍛えられてきたのが正教会といえる。

しかも一九九〇年といえば、ユーゴスラヴィアで内戦が始まった年だ。「戦火で灰になるよりは」という思いから各地で数々のイコンが取り去られ、それが西側陣営の最前線である西ベルリンに持ちこまれたのかもしれない。高値がつくことがわかれば、組織的に密輸する者が出始める。目の前で寿司をほおばっていたロシア人の一団は、「イコン・シンジケート」とでも呼ぶべき組織の一端をなす人たちだったのではないだろうか。

そして肝心のイコンはどこから来たのだろう？　いまとなっては確かめようもないが、動物園駅構内に敷物を敷いて寝泊まりしていた人たちの姿を思い浮かべると、ルーマニアやセルビアが多かったのではないか、と想像するのみだ。

民主化という美名の陰で、とりかえしがつかないほど多くのものが壊され、失われる。それが西ベルリンで得た実感だった。

イコンの神聖性

正教会において「イコン」は、特別な意味を持っている。それはイイスス・ハリストス（イエス・キリスト）、生神女《しょうしんじょ》（神を生みし女）、聖人や天使、聖書における重要な出来事や教会史上の出来事を描いた二次元画像。日本正教会の司祭、高橋保行氏の言葉を借りれば、正教会の世界ではイコンを「描きだされた聖書といったり、逆に聖書を、書かれたイコンといったりする」。そしてイコンに描かれたハリストスや生神女は、たいてい、同じような姿形をしている。「ユダヤの人として東洋の一端に、二千年前に生まれたという歴史的事実を無視せずに描かれて」おり、「聖書の中のイメージが忠実に打ち出されている」のだ（高橋保行『ギリシャ正教』講談社学術文庫、一九八〇年）。

さらにイコンは、単なる聖堂の装飾や典礼の道具ではなく、正教徒が祈り、じかに口づけする、聖なるもの。信仰の対象となるのは、イコンに描かれた原像であり、信仰を媒介するものとして尊ばれる、聖なる絵なのである。

それは、技術の向上と独創性に向かってひたすら高みを目指した西洋絵画に慣れた目から見ると、あまりに東洋の香りが強く、ややもすると「時代遅れ」「画一的」「独創性の欠如」に映りがちだ。「わたしたちは今日、オリジナリティに価値を見いだす。それゆえ、ビザンティン絵画のように単純な図像の繰り返しは、想像力の欠如のようにも見える。が、新しさや変化があえて避けられたために、何世紀にもわたって正教会（ひいては福音書）の不変性、真正性が保たれたともいえる。」（瀧口美香『ビザンティン　四福音書写本挿絵の研究』創元社、二〇一二年）

いまの自分の目には、そのかたくなな不変性が、むしろ好ましいものとして映る。

十二歳でミッション・スクールに入れられた時のとまどいがよみがえる。

ローマ化されたキリストやマリアの像。聖書の巻末にはイスラエルの地図が載っていて、イエスが中東地域出身であることをかろうじて匂わせているものの、それがどのようにローマ化されたのかを、誰も説明してくれない。しかも学校の起源はイギリスにあり、その英国国教会といえば、ヘンリー八世が離婚したくてローマ・カトリック教会と袂《たもと》を分かって作った教会。さらには、日本が開国されるや否や「布教（ミッション）」のためにできた学校だ。

その宗教の誕生から自分のいる地点までに変容しすぎ、どのポイントに焦点を置けばいいのか、途方に暮れた。

「西」のふりをして、「東」の出自をまるでなかったもののように振る舞うキリスト教。それをまるごと受け止める余裕は、十代の私にはなかった。別に正教会シンパではないけれど、もし最初に出会ったキリスト教が、正教会のように東の香りを感じさせるものであったなら、もう少し素直に受け止められたかもしれない、と思う。その地点には戻れないことも、わかっているのだが。

戦争における宗教画

ビザンツ帝国の歴史に目を向ければ、イコンは信仰の媒体としての聖画以上の意味を持っていた。戦争における宗教的画像の役割である。

最初にイコンを戦争に用いたのは、ヘラクレイオス帝（在位六一〇〜六四一）といわれる。その頃、ビザンツ帝国は空前の危機に見舞われていた。ササーン朝ペルシャとアヴァールの猛攻によって、正教会の主教座があったアレキサンドリアとエルサレムは失われ、いよいよペルシャ軍は、コンスタンティノープルからボスポラス海峡を挟んで真向かいにあるカルケドン（現在のイスタンブールのアジア側、カドキョイ）にまで迫っていた。

ペルシャへ遠征に出かけたヘラクレイオス帝から帝都防衛を任されたのは、コンスタンティノープル総主教のセルギオスである。六二六年のことだ。

総主教セルギオスは、腕に幼子キリストを抱いた聖母マリアの像を、コンスタンティノープルの陸の城壁にあるすべての門に描くように命じた。そのひな形とされたのは、聖書の福音書で知られる福音史家、聖ルカが、マリアとイエスを前にして描いた絵と広く信じられていたイコン。こうして、聖画像が兵士と並んでテオドシウスの城壁に陣取ることになったのだった。

「もしもコンスタンティノープルが六二六年に陥落していたなら、（中略）この町が失われたなら、小アジアは散在する残りの帝国領から切り離され、帝国をひとつにまとめるものもなくなったことだろう。六二六年の危機を乗り切ったことで、自分たちの帝国は神に嘉された国であるというビザンツ人の信念を、コンスタンティノープルが裏付けたように思われた。同時にこの町は、聖母マリアの特別の保護下にあるという、ほとんど神話と言ってよい気配を漂わせる都となった。」（ジョナサン・ハリス『ビザンツ帝国――生存戦略の一千年』井上浩一訳、白水社、二〇一八年）

ビザンツ帝国の行く末にとって、それほど大きな意味を持ったコンスタンティノープル防衛だったのだ。

この防衛戦を歌った歌はないのだろうかと探してみたところ、意外な、というより、当然なところにあった。正教会で、この時に街を守ってくれた生神女に対する感謝が歌われているのだ。"To Thee, the Champion Leader" である。

「比類なき指導者よ　そなたのしもべである我ら
勝利の感謝をここに捧げます
ああ、神の母よ　無敵の力で　恐怖から私をお救いくださった
ああ、神の母よ　あなただけが私を解放してくださる
あらゆる危険から救い出し　自由にしてくださる

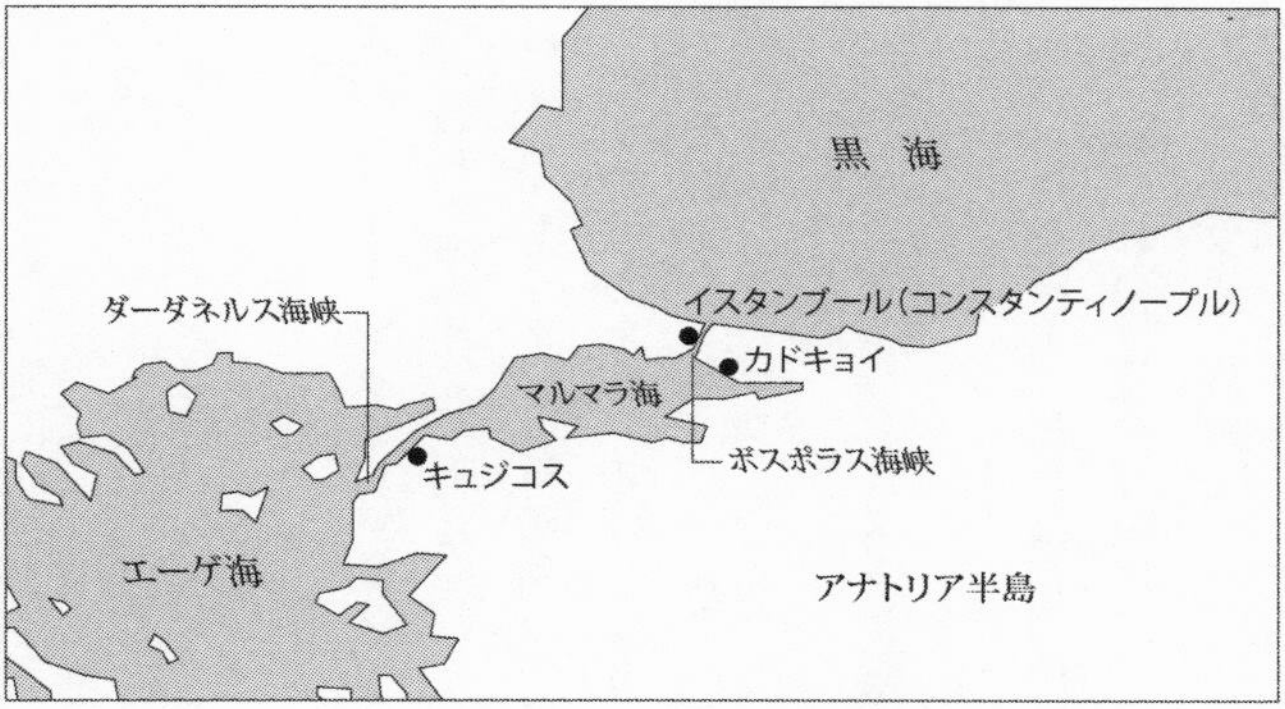

あなたの前にひざまずき　おすがりします　汚れなき乙女よ」（英語歌詞より訳出）

書いたのは、当時コンスタンティノープル総主教だったセルギオスという説が優勢だ。

ウクライナ正教徒である日本人の友人に尋ねたところ、これは「テオトコス〈神の母マリア〉のためのアカフィスト〈賛美する祈禱〉のなかのコンダク〈小讃詞〉」で、生神女福音祭（受胎告知の日に行われる奉神礼）で唱えられることがある、祈禱詞なのだという。旋律はついているものの、歌ではなく、あくまでも祈禱詞なのである。

彼女の協力を仰いで探してもらったところ、日本正教会の「生神女アカフィスト祈禱」の一部に、この祈禱詞の内容に似たものがあることがわかった。

「生神女アカフィスト祈禱」　小讃詞（コンダク）　第八調

「生神女よ、我等爾の諸僕は禍《わざわい》より授けられしを以て、爾克《よ》く勝つ将帥に凱歌《かちうた》と感謝とを奉る。勝たれぬ権能《ちから》を有《たも》つに由りて、我等を諸《もろもろ》の苦難より救い、爾を歌いて呼ばしめ給え、聘女ならぬ聘女よ、慶べ。」

コンスタンティノープルを守った神の母に対する感謝が、日本でも祈禱のなかで唱えられることがある（さほど頻繁ではないようだが）とは、驚いた。実に興味深い。

聖ルカの描いたイコン

さて、とはいえ、このコンスタンティノープル包囲は、その後一世紀弱にわたって続くビザンツ帝国受難の時代の、ほんの幕開けに過ぎなかった。豊かな属州を次々と失い、コンパクトになった版図と帝都をペルシャから死守したビザンツ帝国だったが、その頃、難敵ペルシャをも呑みこむことになる新興勢力が産声をあげていた。

預言者ムハンマドのヒジュラ〈聖遷〉から約半世紀後の六七四年、いよいよアラブ軍が帝都コンスタンティノープルの前に姿を現す。この時も、足かけ四年にわたる攻撃からかろうじて帝都を死守したが、さらに七一七年、再びアラブ軍の挑戦を受ける。『聖母マリアのカンティガ』二八番が、七一七年の包囲を歌った歌であることは前章で述べた通りだ。

それにしても、「聖ルカがマリアとイエスを描いたイコン」というのが妙に気になる。そんな話を、どこかで目にした記憶がある。はて、どこだったか。まるでトランプのゲーム「神経衰弱」のように、様々な書籍や、カンティガの歌詞を手当たり次第にプリントアウトしたものに目を通し、聖ルカの名前を探す。

そして、ようやくそれらしきものを見つけた。案の定、カンティガの中にあった。二六四番の“Pois aos seus que ama defende todavia”、題して「コンスタンティノープルを守った聖母のイコン」だ。

「（前書き）これはコンスタンティノープルを包囲したモーロの船が、キリスト教徒が海岸に聖母のイコンを掲げるや否や、沈んだ話である。

（歌）聖母は愛する人間をいつでもお守りくださるように　ご自身のことも守られる

聖母が起こされた偉大な奇跡について述べようぞ
我らが苦しみにある時　聖母は常に我らのために祈り　御子に懇願してくださる
そして御子から賜れた御力により　誤りが起きている時　我らをお守りくださる
これから語って聞かせるのは　それはまさにコンスタンティノープルで悪いことが起きた時
起こされた偉大な奇跡である
大きな艦船が率いる　獰猛《どうもう》なモーロを乗せたガレー船が　街を包囲した
そして人々が水を飲む川を力ずくで奪い　水の供給を寸断した
聖母の忠臣である一人のキリスト教徒の騎士が　海辺に聖母の御絵を置いた
それは聖ルカが描いた　栄光の聖母を描いた御絵
あまたの奇跡をすでに起こし　いまも起こし続ける御絵
人々は苦しみ　さいなまれ　状況は悪くなるばかり
聖母を篤く信奉する騎士が　御絵を海辺に置くように命じた
そして御絵を置き　泣きながら懇願した

『我らを[illegible]なモーロよ　煽動家め
神の子に対する　なんという[illegible]言よ』
するとモーロの乗った船が沈んだ
人々は聖母に感謝を捧げた」（英語抄訳より訳出）

ここにはっきりと、聖ルカの描いたイコンが登場した。

この歌に通底する重要なモチーフは海、川といった「水」で、全体的な印象を一言でまとめれば、「水上戦にも絶大なる効力を発揮する聖母のイコン」といったところだろう。

前章で取り上げた二八番とは異なり、この歌には総主教やキリスト教徒兵士の名前が登場しないため、どの時代の包囲戦を歌ったものかを判断することは難しい。が、海が主題という点を見ると、六七四～六七八年の包囲戦の可能性が高いのではないか、と私は見ている。

なぜならこの包囲戦は、海が主戦場で、「砂漠出身で海が苦手なイスラーム勢力」という固定観念を覆す、記念碑的戦いだったからだ。

ササーン朝ペルシャからエジプトを、ビザンツからシリアを奪ったアラブ人は、早速艦隊の建設に取りかかった。彼らは砂漠の出身で、航海の専門知識がなかったので、現地の労働力を使って船を造らせ、乗組員も大部分は地元民から徴集して、信じられないほどの短期間で海に乗り出す準備を整えた。

そして六七四年、アラブ艦隊はダーダネルス海峡を通過してマルマラ海に至り、またたく間にア

「ギリシアの火」はビザンツ帝国秘蔵の焼夷兵器。水上に浮いている間じゅう燃え続けて大きな効果を上げたという

ナトリア半島のキュジコスの町を占領した。そしてそこを拠点に、四年にわたり、夏になるとコンスタンティノープルに海から攻撃をしかけたのだった。

いくらイコンに神話的な力があったとしても、それだけで帝都が防衛できたとは到底思えない。何か、ほかにも要因があったはずだ。何がビザンツを救う鍵になったのだろう？

「アラブ艦隊の乗組員は、敵艦の舳先から奇妙な管がこれ見よがしに突き出ているのに気づいたはずである。だが、その管が大きな音を立てて炎を噴き出すとは夢にも思わなかったに違いない。炎はどうしても消えず、水上でも燃えて、炎が届く範囲にいた船をたちまち焼き尽くしてしまった。

これがいわゆる『ギリシアの火』が海戦に用いられた最初の記録である。」（前掲、『ビザンツ帝国』）

イスタンブールの「一四五三パノラマ博物館」でさんざん目にした、あの、ギリシアの火か！陸上戦で効果を発揮する大量破壊兵器かと思いこんでいたが、もとは海戦でこそ威力を発揮する兵器だったのだ。ビザンツでギリシアの火が初めて用いられた海戦が、中世スペインのカンティガに歌われているのか……。時空酔いで、目が回ってくる。

「今回もまた、天候がビザンツ人の味方をした。エジプトへ向けて戻るべく小アジア沿岸を航行していたアラブ海軍は、嵐に見舞われ、多数の船が難破した。」

またもやコンスタンティノープルは、嵐によって守られたのだった。


せっかくビザンツにまつわる興味深い歌の存在を知ったので、リュートで弾く。もう、いちいちタブラチュアに起こすことはせず、主旋律を拾い、それに合う和音を適当につけてジャカジャカ弾く。リュート奏者の人たちが聞いたら、目を剝《む》いて怒りそうだ。

歌詞の内容は深刻で、悲壮感さえ漂っているが、それこそ「ジャカジャカ弾く」のが大変似合う、軽妙な曲だ。帝都防衛の喜びを爆発させるような曲調である。

そして奇妙なことに、歌詞がとぎれて間奏に入ると、いつの間にか、前章で取り上げた二八番に移り変わってしまう。それほどこの二曲は、使われる音符とリズムが似ている。番号は離れているが、コンスタンティノープルがらみでセットで作曲されたのではないか、とひそかに想像している。


コンスタンティノープル防衛に絶大な力を発揮したイコン。そう知れば知るほど、のちに帝都防衛を果たしたビザンツ皇帝レオン三世が、てのひらを返すように聖像破壊運動（イコノクラスム）へと突き進んだことが不思議に思えてくる。

いよいよ次章は、聖像破壊運動に入る。

第11話　右手を斬られたダマスコの聖イオアン（カンティガ二六五番）

サンティアゴ巡礼路にて

今回の旅は、現代のスペインから始まる。

二〇一四年九月、私は初めてスペインへ行った。十七世紀にスペインから日本に渡ってキリスト教の布教に携わり、禁教令によって潜伏を余儀なくされたのち殉教したスペイン人のドミニコ会宣教師四名（トマス・デ・スマラガ、ハシント・オルファネール、アルフォンソ・デ・ナバレーテ、アロンソ・デ・メーナ）の故郷を訪ねることが主な目的だった。ちなみに四名とも、一八六七年にローマ教皇ピウス九世から認定された福者（聖人に次ぐ位階）である。

スマラガの故郷はバスク州の州都であるビトリア（バスク語ではガステイス）にある。スマラガはバスク人だった。オルファネールの故郷は、地中海沿岸のビナロスから車で三十分ほどの距離にある、オリーブ畑が広がるバレンシア地方の小さな村、ラ・ハナ。この両地を訪れた時の話は拙著

『みんな彗星を見ていた』で詳述しているので、興味のある方はそちらを参照していただきたい。

残る二名、ナバレーテとメーナの故郷はスペイン北部の、ワイン祭りで有名なラ・リオハ州のログローニョにある。二人は母親が姉妹の従兄弟でもあった。彼らが生まれて間もなく洗礼を受けた教会が現存することは書籍を通して判明していたので、スペイン語も話せないのにいきなり現地へ行き、親切な人の手助けを借りて教区司祭を紹介してもらい、聖堂内を案内していただいたのだった。

聖ヤコブの墓があるといわれ、エルサレム、ローマと並んでカトリックの三大聖地の一つとして知られるサンティアゴ・デ・コンポステラには、世界各地から巡礼者、あるいは信徒でなくとも、自分探しの最中のバックパッカーなどが殺到する。サンティアゴ巡礼路にはどこから向かうかによって様々なルートがあるが、ログローニョはフランス－スペイン北部を通る巡礼路の要所に位置していた。

行く前からある程度は想像していたが、ヨーロッパではまだ夏休みが終わっていない九月上旬のログローニョの混雑ぶりは、すさまじいものだった。それは、二人が洗礼を受けた王立聖マリア教会でもそうだった。教会内は朝から巡礼者でごったがえし、スマホやデジカメを手にフラッシュを焚いてバシバシ写真を撮り、警備員から注意を受けている。私はどこかに巡礼をしたいと思ったことがないので心情を想像するのみだが、巡礼というのは、その人が信仰する（あるいは信仰しないままでも）宗教の聖地へ行き、いま一度神と向き合ったり、自身の人生を振り返ったりする行為であろう。この混雑ぶりでは、なかなかそんな静かな心持ちになるのは難しそうだった。

それはさておき、私が驚いたのは、教会内を埋め尽くす聖像（三次元立体像）の多さだった。数々の聖人の聖像が立ち、人々は自分の好む聖人に向かって祈っている。キリストにいたっては、いくつもの磔刑像とは別に、十字架から下ろされたばかりの、鮮血を流した状態の等身大像がガラスの棺に入れられ、信心深い人たちがその棺に、しきりに口づけをしていた。

かつて、ラテン語で書かれた聖書は庶民がじかに読めるものではなかったため、人々は教会に行き、そこに描かれた聖書の物語や聖人の生きざまに触れることで、信仰を体感した。現代的に言うならば、視覚や聴覚や触覚など、体のあらゆるチャンネルを通して、キリスト教のシャワーを浴びた、という感じであろう。そして西洋美術は、教会における造形物から飛躍的な発展を遂げていった。音楽についても同じことが言える。

私はもともとヨーロッパがあまり得意ではなく、若い頃は主にアジアを旅行していた。ヨーロッパ、特にローマ・カトリック陣営の、ルネサンス期に文化が爛熟した場所に行き慣れていたなら、聖像の多さにはさほど驚かなかったかもしれない。しかしそのような経験を経ないまま、しかも巡礼目的ではないのに、いきなりサンティアゴ巡礼路の要所に行ってしまったものだから、より一層、衝撃を受けたのだった。

ナバレーテとメーナの殉教

栄光の殉教者を殺した国からいきなりやって来た私に対し、教区司祭はどこまでも親切だった。ナバレーテとメーナがこの教会で幼児洗礼を受けたことを証明する「授洗名簿」を事務所で見たあと、教会内を案内していただいた。入り口近くに置かれた洗礼盤の前で司祭が立ち止まり、その背後に描かれた壁画を指さした。正面にはバプテスマのヨハネから洗礼を受けるイエスの姿があり、両脇には、頭上に光輪のついた二人の人物が描かれていた。光輪は、その人物が聖性を帯びていることを意味する。

「この二人は、ナバレーテとメーナですよ」

彼らが壁画に！　よくよく見てみると、下に二人の名前が書かれ、二人とも片手に棕櫚《しゅろ》の葉を持っている。棕櫚は「勝利」を意味し、「殉教」を象徴するアトリビュートだ。ビトリアで見たスマラガの聖像も、ラ・ハナで見たオルファネール像も、棕櫚を掲げていた。左側の人物の足元には鋭利な刀が置かれ、右側の人物の足元は火に包まれている。ナバレーテは大村の鷹島で刀によって斬首され、メーナは長崎の西坂で「とろ火」の火あぶり（猛火による処刑よりも惨酷だった）によって処刑された。名前を見なくとも、左の人物がナバレーテ、右がメーナであることが私にはわかった。

つまりこの壁画は、この教会で受洗した時から始まった二人の信仰生活が、日本で「刀」と「火あぶり」による「殉教」を迎え、天国に上って福者の位階を与えられたことを、視覚的に、端的に伝えているのだった。

司祭は続いて、「こちらへ」と教会の奥のほうへ向かうよう促し、主祭壇の左手にある副祭壇の前で立ち止まった。その祭壇の両側は、福音書記者のヨハネやルカといった様々な使徒の三次元立体像で、文字通り埋めつくされていたが、司祭は最も前面に立つ、手に棕櫚を掲げた、ひときわ大きな立体像二つを指さした。

「こちらもナバレーテとメーナです。もう、ここでも覚えている人は少ないですが」

日本で殉教した二人のドミニコ会士が、サンティアゴ巡礼路にある教会の祭壇で、聖像となって会衆を見守っているのだった。

一六一七年五月のナバレーテの殉教（アウグスティノ会のアヤラとともに処刑された）はただちに本国スペインへ伝えられ、『日本の第一殉教者』という戯曲になった。作者は、『ドン・キホーテ』で有名な、かのセルバンテスに「〈自然の怪物たる〉偉大なロ－ペ・デ・ベーガが割りこんできて演劇界を席捲《せっけん》してしまったので、私はペンを折り、劇作をなげうった。」とまで言わしめた、黄金世紀スペイン随一の売れっ子劇作家、ローペ・デ・ベーガである。さらに、ナバレーテの首を斬った刀は、刑吏からスペイン人が買い受け、聖遺物（聖人や殉教者の遺骸や遺品。聖性を帯び、崇敬の対象となった）としてスペインへ持ち出されたことが、同僚宣教師、モラーレスの書簡からわかっている。

それほど衝撃的な殉教だったのだ。故郷で壁画が描かれるのも、聖像が作られるのも、当然であろう。

宗教画から極度な発展を遂げた西洋美術は、アトリビュートを理解しないと読み解きが難しい、といわれる。それが理由で私も西洋美術を苦手に思ってきた。文字を読めない信者の視覚に訴えることが、本来アトリビュートの役割だが、かろうじて文字は読めるけれどキリスト教の世界観にどっぷりとつかったことがない人間には、皮肉なことに、アトリビュートの存在こそが、その世界を知る難しさとして立ちはだかってしまう。

私は殉教者の人生と人となりについてあらかじめ知っていて、それがどのように絵画と立体像で表現されているのかを知った。つまりログローニョで、通常とは逆バージョンを体験したのだった。アトリビュートの意味を、殉教者を知るからこそ実感したのである。

最後の教会

一五四九年にフランシスコ・ザビエルが来日して布教を始めてから、一六一四年の全国的な禁教令発布まで、日本国内ではいくつもの教会が建てられた。圧倒的に数が多かったのは、キリスト教のショールームのような役割を担った長崎である。が、禁教令を機に破壊され、現存するものは一つもない。二〇一八年にユネスコの世界文化遺産に登録された「長崎と天草地方の潜伏キリシタン関連遺産」にも、キリシタン時代に建てられた教会は、もちろん含まれていない。プチジャン神父と浦上《うらかみ》のかくれキリシタンが感動の出会いを果たした、「信徒再発見」の舞台となった大浦天主堂や、五島列島に点在する教会などは、信仰の復活を象徴する遺産だという点は、強調しておきたい。

幕府による教会破壊については、当時のキリスト教の文脈からも考える必要がある。

当時すでに日本各地で殉教が散発し始めていた状況下、教会は殉教者の聖遺体を安置する場所でもあった。殉教したら即、聖人や福者になるわけではないが、キリシタンは殉教者をことのほか崇敬し、聖遺物を欲した。キリシタンだけではない。宣教師たちが殉教者を至宝のように取り扱い、遺体や遺体の一部を塩漬けにして、ヨーロッパへ向かう船に乗せていたことも、数々の書簡からわかっている。彼らの出身地であるスペインやポルトガルで殉教という事象が起こりにくくなっていたこの時代、目の前で斃《たお》れていく信徒の遺体は、ヨーロッパでは入手が困難な、まさに聖宝だったのである。

殉教者の聖遺体は奇跡を起こす聖なる力、「ウィルトゥス」を放ち、その聖性はそれを収める容器や建物まで及ぶ、と考えられていた。キリシタンにとっては、教会建造物を構成した柱の木材、石でも、聖性を帯びているのだ。棄教者も少なくなかった取り締まり側は、キリシタンの思考回路を熟知している。破壊は徹底的に行い、一片の木材や石ころ一つまでキリシタンの手に渡らないようにされたであろう。

当時の面影をかろうじて伝えてくれる唯一の遺構が、長崎に残っている。長崎市立桜町小学校の校庭から発掘された、ドミニコ会が建てたサント・ドミンゴ教会跡である。私がスペインで故郷を訪ねた四名の福者たちは、一六一四年の禁教令まで、ここを拠点に活動していた。ここは彼らにとって、最後の教会だったのだ。長崎を訪れるたび、短時間でも必ず立ち寄ることにしている。元はといえば、ここを訪れたからこそ、彼らの故郷へ行ってみたくなったのだった。

ひんやりして静まりかえった構内は、回廊から地下を見下ろす構造になっており、波打った石畳や地下室、排水溝が見える。壁には長崎市内で出土した磁器や、十字架模様が刻まれた花十字紋瓦が展示されている。敷地の広さや頑丈な石が多く使われていることから、当時はかなり立派な石造りの建物だったことがうかがえる。

私が衝撃を受けたのは、その空間を支配する、「滅亡感」とでも呼びたくなるような、圧倒的な静けさだった。この空間で活動していた人たちが、とうの昔に死に絶えた、という感じなのだ。たかだか四百年前であるのに。

一方、ナバレーテとメーナの信仰生活の出発点であるログローニョの王立聖マリア教会は、一一三〇年に建設が始まった、九百年近くの歴史を持つ教会だ。彼らが受洗した時点ですでに四世紀半の年月を刻み、そして彼らが殉教してさらに四世紀が過ぎたいまでも、二人は壁画と聖像となって教会を守護している。

彼らの最初の教会と最後の教会は、あまりに対照的だった。

三次元立体像の氾濫

日本で殉教した宣教師たちの故郷を訪れたことで、遠く離れた場所と時間を身近に感じることができ、感情的には「めでたし、めでたし」だった。数年来こだわり続けてきたキリシタンをめぐる旅も、そろそろ終わりかけていた。これで終わりたかったし、また、終われると思っていた。

ところがそうはいかなかった。それは、いまこの原稿を書く理由とも根底でつながっている。ログローニョの教会で見た三次元立体像（聖像）の多さが、どうしても忘れられないのである。大変不謹慎な表現だが、ついつい頭に浮かんだのは、「ローマ・カトリック教会のテーマパーク」という感想だった。

個人的に、二次元画像（聖画）までは許容範囲なのだ。しかし三次元立体像（聖像）となると、違和感スイッチが作動する。自分のなかで、二次元と三次元の受け止め方に違いがあると判明したのは興味深かった。

三次元立体像の氾濫には、偶像崇拝の香りがする。非信者の私の目には、多神教っぽく映る。こんな物言いは、時代と場所を間違えたら、命に関わる発言であろうが。

そう感じたことには、スペインを訪れた二〇一四年九月という時期が関係している。

当時、家に高齢の猫を残して海外へ出ることが心配で、いつでも家にインターネット経由で電話をかけられるよう、出発前にタブレットを導入した。このスペイン行きは私にとって、旅先でのネット接続が初めて可能になった海外旅行でもあった。

常時ネット接続をするようになり、たびたび検索したのが、六月二十九日にバグダディーがカリフ就任宣言をしたばかりの「イスラーム国」（ＩＳ）に関するニュース映像や記事だった。それは本当に、まったく偶然のタイミングだった。

イスラームにまったく関心がない時点でスペインへ行っていたら、感じ方が違ったかもしれない。しかしＩＳにまつわる情報のシャワーをある程度浴びてから行ったことで、カトリックに対する見方もまた、微妙に変化し始めたようだった。

キリスト教、ユダヤ教、そしてイスラームは、唯一神を信じる一神教だ。ユダヤ教とイスラームで偶像崇拝が固く禁じられていることはつとに知られる。ところが、同じくモーセの十戒によって禁じられたはずの偶像崇拝が、キリスト教の場合は大変緩く見える。その表現が適切でないならば、こう言い換えよう。それが偶像崇拝に当たらないと、レトリックで論駁《ろんばく》する。画像や立体像を崇拝しているのではなく、その後ろにおられる神を崇拝しているのだ、と。

私はいずれの信徒でもないので、どれが正しいなどと言うつもりはない。ただ、他宗教が介在することによって、とらえ方が変わることを興味深いと思う、と言うだけにとどめよう。

十三世紀にカスティーリャの「賢王」アルフォンソ十世の命で編纂された『聖母マリアのカンティガ（頌歌集）』を、本書で取り上げてすでに数回になる。もともと、それほどカンティガにこだわるつもりはなかった。歌を聴きながら歌詞を読み、細密画を眺めることは、庶民が教会に出向いてキリスト教のシャワーを浴びる行為と似ている。その作業を通して、中世スペインの暮らしを想像できればいいな、程度にしか思っていなかった。

最近カンティガを聴き続けていると、ログローニョの王立聖マリア教会を訪れた時のことがたびたび脳裏をよぎる。くしくもこの教会は十二世紀に建設が始まり、カンティガの作られた時代にはアクティブだった教会である。

その世界観を共有していれば、神々しさに高揚感がかきたてられる空間。

その世界観に距離を置く者からすると、立体像の氾濫に不穏な気持ちにさせられる空間。

数々の聖像に囲まれてキリスト教のシャワーを浴びた時のことを思い出すのである。

聖像破壊運動

さて、前々章、前章と、ビザンツ帝国にまつわる歌がカンティガに含まれていることについて書いた。状況はいずれも、異教徒によるコンスタンティノープル包囲という絶体絶命の状況下で、聖母が街を守ってくださったという内容。聖母や聖人、そして聖画を崇敬するカンティガ世界にとって、イコンを重視する正教会のビザンツ帝国は、恰好の題材を提供している、と言ってよいかもしれない。

カンティガ二八番「コンスタンティノープル包囲」の主役が、コンスタンティノープル総主教、聖ゲルマヌスだったことを思い出していただきたい。七二六年、ウマイヤ朝の将軍マスラマを撃退したことでイスラーム勢力から帝国を死守したビザンツ皇帝レオン三世は、戦勝からほどなく、聖像破壊運動（イコノクラスム）に走り、七三〇年にはとうとう偶像破壊令を発布した。そしてゲルマヌスは皇帝に強硬に抵抗し、職を解かれた人物である（殺されはしなかったが）。カンティガのこの歌には、聖像破壊運動に対する嫌悪が隠されているように私には感じられた。

聖像破壊運動は、およそ百二十年にもわたってビザンツ帝国を二分した、衝撃的なムーブメントだった。主な争点は、教会や個人の家に掲げられて崇敬されていたキリスト、生神女、聖人の画像であるイコンに集中したが、これは単にキリスト教芸術についての考え方の論争ではなかった。キリストの人性の特質、物質に対するキリスト教の態度、キリスト教が教える真の救いの意味など、何が正統で何が異端かという争点も含んだため、より一層苛烈になった。

そして聖像破壊運動は、すでに大きな権力を持ち始めていた修道院に対する弾圧を招き、レオン三世の意志を継いだコンスタンティヌス五世の時代には「粛清《しゅくせい》」のような空気を帯びたため、修道士や聖職者の猛烈な反発を呼んだ。

「皇帝の攻撃は聖像崇拝をあくまでも主張した修道士たちに向けられた。ある者はその髭に油や蠟を塗られ、それに火をつけられて、顔と頭を焼かれた。目をくり抜かれた者も少なくなかった。鞭打ちで済んだ者は運がいいほうであった。
特に有名なのは、山の修道院で六十年も孤独の修行を積んでいた修道士ステファノスの殉教である。皇帝の聖像破壊に反対した彼は、修道院から力ずくで引きずりだされ、見せしめのために都の街路で処刑された。手足を一本ずつ切りとられて、最後に胴体が道端に掘られた穴のなかに投げ込まれたという。」(井上浩一『生き残った帝国ビザンティン』講談社学術文庫、二〇〇八年)

あまりに反発が強かったため、七八七年の第二ニカイア公会議で、一度は聖像崇敬が復活する。しかしのちに聖像破壊が再燃。最終的にはビザンツ皇妃テオドラが八四三年に開いた主教会議で、聖像崇敬の復活が公式に宣言された。この状態がいまも続いているわけだ。この聖像崇敬派の勝利は「正教勝利」といわれ、大斎の最初の日曜日「正教勝利の主日」に祝われる特別な祈りで記憶されている。

こういう点を非常に興味深く思うのだが、全地公会議をことのほか重んじ、古くからの教えを守ることを何よりも重視する正教会にとって、いまという時代もまた、聖像崇敬派が勝利した時代の一部なのである。もしも聖像破壊派が最終的に勝利していたならば、いま私たちが目にする、聖堂を飾るまばゆいばかりのモザイク画や、正教徒の家に飾られたイコンは、存在しなかったのだ。

とはいえ、聖像破壊運動については、いまも不明なことが多いという。それは、のちに聖像崇敬が正統と公式に認められたため、どれほど政治的に功績の大きかった軍人皇帝でも、聖像破壊者

（イコノクラスト）である限り、後世の神学者や年代記作成者たちから「クソ」扱いされたからだ。最大の「クソ」扱いは、レオン三世の意志を継いでより苛烈に行った息子のコンスタンティヌス五世で、受洗する際に洗礼盤に脱糞したという理由で「糞皇帝」という不名誉な称号が与えられている。

それはさておき、イスラーム軍を撃退し、ビザンツ帝国の危機を救った有能な軍人皇帝であるレオン三世が聖像破壊運動を始めたことが、私には興味深い。常識で考えたら、イスラームを意識して、よりキリスト教的側面——聖母や聖人を崇敬する方向性——を強調しそうな気がする。レコンキスタの真っ最中に生きたカスティーリャの「賢王」アルフォンソ十世は、こちらの路線を採った。しかしレオン三世は、そちらの方向へ舵《かじ》を切らなかった。そこに私は、他宗教の介在によってキリスト教を客観的に見直した気配を感じるのである。

東と西の十字路に位置するビザンツ帝国の版図は、時代によってアメーバのように大きく伸び縮みをした。正教会の主教座が置かれたアレキサンドリア（エジプト）、アンティオキア（シリア）、そしてエルサレムはすでにイスラーム圏に入り、キリスト教徒がイスラーム圏内に住む状況も起きれば、イスラーム圏内から逃れてくるキリスト教住民もいた。アラビア半島で勃興したイスラームとの接触によって、ビザンツ帝国は、他宗教からの視線にさらされることになったのである。

キリスト教は、イスラームからはどう見えるのか？　その視線を意識した時、偶像崇拝が理由で離反するキリスト教徒が出る可能性もある。レオン三世は、そのゆきすぎを是正しようとしたのかもしれない。

何かがゆきすぎた時に是正のベクトルが働くのは、マルティン・ルターが起こした宗教改革と通じるものがある。部外者である私は聖像破壊派を糾弾《きゅうだん》する気にはなれず、むしろ教義に対して律儀だったという気がしてならない。イコノクラストのビザンツ皇帝たちが、いまなおクソ呼ばわりであるのは不憫《ふびん》でしかたがない。そんなことを言うと、正教徒から袋叩きにあいそうだが……。

聖像崇敬派の聖イオアン

さて、こうなると一つの予感のようなものがはたらく。

聖像崇敬を肯定するカンティガであるから、聖像破壊運動に関連する歌が埋もれていそうな気がする。カンティガが取り上げるとしたら、破壊に走る皇帝に抵抗した人物が主人公だろう。聖ゲルマヌスのように、のちに列聖された人物だとさらに好ましい。誰かいないだろうか。いつもとは逆のベクトルで、カンティガを調べ始めた。四百曲以上もあるカンティガは、調べ甲斐がある。いつでも宝探しのような気持ちになる。

そして、とうとう見つけた。

ダマスコ（シリアのダマスカス）の聖イオアンを歌った歌があったのだ（ダマスカスの聖ヨアンネスとも呼ばれる）。聖像破壊運動に反対する論陣を張ったことで知られ、膨大な神学的著作をギリシア語で残した、「ギリシア教父」の代表的人物である。この歌は非常に長いので、抄訳することにしよう。

「右手を斬られたダマスコの聖イオアン」（カンティガ二六五番）

「これから語って聞かせるのは、古い写本に書かれた、ダマスコのイオアンに対して示された聖母の奇跡である。

ダマスコのイオアンは貴族の出身で、幼い頃より悪を遠ざけ、聖マリアを愛するキリスト教徒だった。しかしイスラーム教徒に捕らえられてペルシャへ送られ、ある金持ちの奴隷となった。

囚《とら》われの身でも常に神と聖マリアに祈り、解放してくださるよう祈っていた。

感心したイオアンの持ち主は彼に、息子に読み書きを教えさせることにした。息子はいつしか、イオアンの書いた文字と誰にも見分けがつかぬように書けるようになった。

イオアンの評判を聞いた皇帝は、イオアンの書いた物を欲しがり、謁見《えっけん》して非常に満足を覚えたため、褒美として彼をローマのベネディクト修道院に送ることにした。そしてたびたびそこを訪れ、イオアンの助言や説教を聞くことを喜びとした。

その頃ペルシャでは、イオアンの主人の息子が嫉妬を募らせていた。そしてイオアンが書いたように偽装した手紙をいくつも書き、その一通が皇帝の手に届くよう仕向けた。その悪意ある手紙にはこう書かれていた。

『アフリカにいる我らが同胞よ、我、ダマスコのイオアンがそなたらに父なる神の祝福を与える。神はこう言われた。帝国にもはや往時の力はなく、軍備も乏しい。攻撃するなら今である。

そなたらが望めば、じきに捕囚から解放されるであろう』

手紙を読んだ皇帝は、獅子のように怒り狂った。

『このような裏切りをするとは、イオアンの悪人め！　罰してくれようぞ』

皇帝はイオアンを惨酷な方法で処罰することに決め、その手紙を書かせた彼の右手を斬らせた。

右手を失ったイオアンは、聖なる皇后の祭壇の前で祈った。

『どうか奇跡をお示しください、天にましますし聖母さま。私の手をお戻しください。傷が痛むからでも、手が惜しいからでもありませぬ。私はけっしてそのような手紙を書いておらぬからです。もしも私の祈りが届きましたならば、奇跡をお示しください』

イオアンが夜通し十字架を掲げ、祈りを繰り返していると、聖母が降臨され、彼の右手を体に戻された。これは四月の出来事である。ほどなくしてイオアンは、皇帝と多数の信者の前でミサを行い、聖行列を行った」（スペイン語訳より訳出）

カンティガにツッコミどころが多いのはいつものことだが、これほどツッコミできる歌も珍しい。順に見ていこう。

イオアンは、六七五年頃にダマスカスに生まれ、七四九年にエルサレムのマル・サバ修道院で生涯を閉じた。キリスト教徒であるが、生粋《きっすい》のアラブ人で、母語はアラビア語だった。

彼が生まれたタイミングはちょうど、前章で取り上げたコンスタンティノープル第二次包囲（六七四～六七八年)、つまり破竹の勢いのイスラーム軍がビザンツ領の北アフリカとシリアを奪い、コンスタンティノープルを包囲した時期にあたっている。

つまりイオアンは、ビザンツ帝国下のダマスカスでキリスト教徒として暮らしていたところ、その土地がイスラーム圏に入った、ということになる。ペルシャに連れて行かれ、奴隷にされたりはしていない。

イスラーム圏に入ったからといって、キリスト教徒が改宗を迫られるわけではない。イスラームから見た異教徒は、人頭税を払うことでズィンミー〈庇護民〉として、生命・財産の安全と宗教の自由が原則として保障されていた。

この、ビザンツ帝国外となったダマスカスに暮らし、エジプトで修道生活を送ったイオアンが、ビザンツの聖像崇敬派の筆頭格だった点がおもしろいではないか。

「ヨアンネス(イオアンのこと＝筆者注)はビザンティン帝国の権威の及ばぬイスラーム支配下に住んでいたために自由に活動できた。イスラームが期せずして正教の守護者として働いたのはこれが最後ではない。」(ティモシー・ウェア『正教会入門——東方キリスト教の歴史・信仰・礼拝』松島雄一監訳、新教出版社、二〇一七年)

実際イオアンは、皇帝が推し進めるイコノクラスムを批判する数々の手紙を書いたといわれる。

さらに興味深いのは、偽造された手紙を読んで怒り狂う皇帝の様子が、「獅子のように」という言葉で表現されている点だ。獅子は、レオン。聖像破壊運動の陣頭指揮を執《と》ったレオン三世の暗喩であろう。利き手である右手を斬らせるのは、執筆できないようにすることの暗喩と思われる。

イオアンが右手を斬られたという伝承は残るものの、しかし斬らせた人物はレオン三世ではなく、イスラーム側の支配者だった。目障りなイオアンの抹殺を画策したレオン三世が、偽の手紙をイスラーム陣営に渡るよう仕向け、その内容が逆鱗《げきりん》に触れた、といわれる。歌でその役割をレオン三世に振ったのはおそらく、聖像破壊を率先した人物として非難をこめるためだろう。

ちなみにイオアンの右手が戻ったという奇跡は、正教会のイコンのなかでも特に有名な、「三本手の生神女」に描かれている。

右手が戻ったイオアンが「三本手の生神女」の肖像を掲げているイコン

この歌は、イオアンがアラブ人であったことから、旋律がアラブっぽく、西洋の音階とは異なる音が多用されている点がおもしろい。イオアンの波乱に満ちた生涯を説明するため非常に長く、歌というより弾き語りと呼んだほうが近い。なんとなく『平家物語』を彷彿させる。もはや、リュートで弾くとかそういうレベルではない。弾くとしたら、ウードが似合うだろう。

思いもよらぬ土地と時代へ連れて行ってくれるカンティガ。まだまだ埋もれたテーマがありそうだ。

第12話　モーロ王の嘆き（グラナダのロマンセ）

アンダルシアへ

二〇一七年の九月、スペインのアンダルシア地方とモロッコ北部を旅した。スペインを訪れるのは二回目、三年ぶりのことだった。

カスティーリャ女王のイザベル一世とアラゴン王のフェルナンド二世、いわゆるカトリック両王は一四九二年一月、アルハンブラ宮殿を無血開城し、イベリア半島に残った最後のイスラーム王朝であるナスル朝グラナダ王国は滅んだ。八世紀弱にわたった、俗にいう「レコンキスタ（キリスト教徒側から見た国土再征服）」の完了である。

世界の歴史を見渡せば、異教徒の支配下におかれたり、異民族に支配されたりすることは珍しくない。が、そういう経験がない島国出身の私には、どうしてもその感覚が摑みにくい。「七一〇年から一四九二年まで、スペインはレコンキスタをしていた」と教科書的に言われても、平城京から応仁の乱あたりまでの八世紀弱、レコンキスタが進行していたことを想像するのがやっとで、実感がまったく伴わない。

なんとかして、レコンキスタを実感することはできないだろうか。そんな思いから計画した旅行だった。

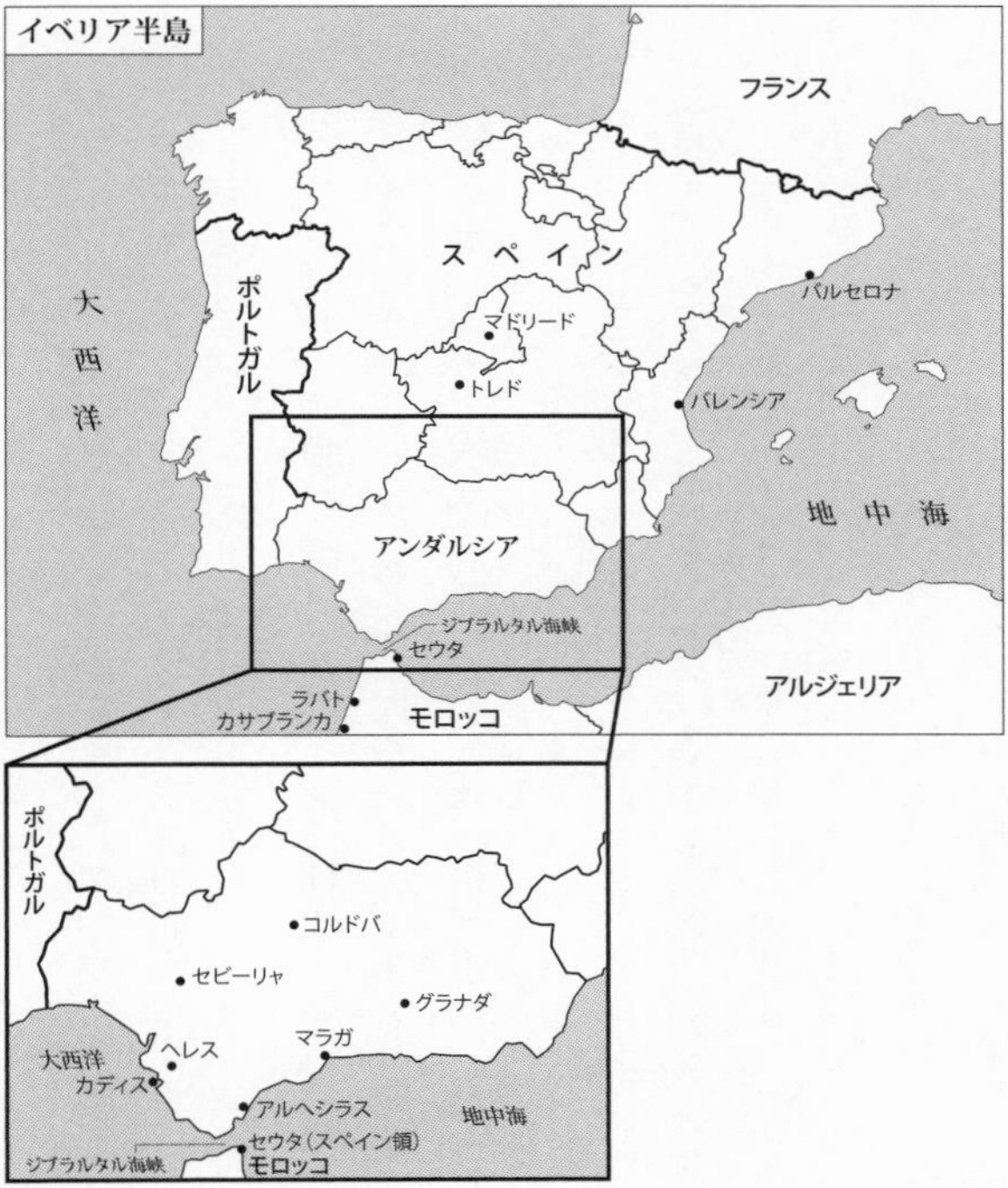

旅の目的は、スペインのアンダルシア地方と北モロッコの連続性を肌で感じることだ。羽田から、ピカソの故郷として知られる地中海沿いのマラガへ飛び、そこから反時計回りに、グラナダ、コルドバ、セビーリャ、ヘレス・デ・ラ・フロンテーラへと移動する。そしてイベリア半島南端のアルヘシラスから船でジブラルタル海峡を渡り、アフリカ大陸最北端のスペイン領セウタから陸路でモロッコ入りし、最後はモロッコの首都ラバト＝サレから帰国する、と

いう旅程を組んだ。

「アンダルシア」は、後ウマイヤ朝がイベリア半島の支配地域を「アル・アンダルース」と呼んだことに起源を発する。つまりイスラーム教徒の側からすれば、もともとはイベリア半島ほぼ全域が「アル・アンダルース」だった。

現在のアンダルシア自治州は、スペインを構成する自治州のなかで二番目に面積が広く、州都はセビーリャにおかれている。多くの人が「スペイン」と聞いて思い浮かべる代表的な文化、フラメンコ発祥の地であり、大航海時代に新大陸への起点だったセビーリャには莫大な富が集積し、栄華を極めた。

ところが現在アンダルシア州の失業率は、スペイン全国平均の二五パーセント（これもかなり高い率ではあるが）を大きく上回る三七パーセントで、国家のお荷物的自治州のような位置づけとなっている。ちょうど私がセビーリャに滞在中、カタルーニャの独立を問う投票が行われた。北部と南部の歴史的経緯が異なるのはもちろんのこと、この問題の根底に豊かな北部と貧しい南部の経済格差が横たわっていることは明らかだ。ちなみに、その時セビーリャの家々の窓からは、カタルーニャ独立を認めない態度を表明するスペイン国旗が数多くはためいていた。

文字情報を羅列すればそういうことになるが、実際のアンダルシアは素晴らしいところだ。スペインを構成する複雑な多元文化を知りたければ、アンダルシアはけっして外せない。ぜひ多くの人に足を運び、お金を落として経済回復に貢献してもらいたいと思っているし、今後もそうするつもりだ。

それはさておき、アンダルシアの主要都市は、それぞれがバスで数時間から半日の距離にあり、数日間滞在しながら移動してコンパクトに回れる、旅行しやすい地域である。アルハンブラ宮殿を擁するグラナダは、世界各国から集まる観光客が多すぎて、どうしても波長が合わなかったのが残念だったけれど。後ウマイヤ朝の都がおかれ、イスラーム教徒、キリスト教徒、ユダヤ教徒の街として栄えた、世界遺産メスキータで有名な古都コルドバ。コロンブスの「新大陸発見」による莫大な富が集積したセビーリャ。数時間のバス移動で到達できる街々が、それぞれにまったく異なる歴史を背負っている。それがアンダルシアの魅力だ。

境界線上のヘレス

スペイン領内では、最後にヘレス・デ・ラ・フロンテーラに滞在した。フロンテーラは「国境」を意味し、まさにキリスト教とイスラームの境界線に、長らくこの街が位置したことを示している。ここには他の街よりも長めに滞在することにしていた。

ヘレスは、シェリー酒とアンダルシア馬、そして毎年六月に行われる馬祭り（Feria del Caballo）で有名な、小さな街である。ここへ長めに滞在することにした理由は、なんといっても馬だった。ここにはスペイン王立馬術学校が置かれ、郊外にはアンダルシア固有の馬を育てるジェグアーダ・デ・カルトゥーハがある。馬好きの自分としては、それだけで訪れる価値のある街だった。王立馬術学校と牧場の見学予約を週末に入れたため、逆算して旅程を組んだようなものだった。馬が目的で、空いた時間に街を歩き回った、というのが実情である。

グラナダやセビーリャと異なり、ヘレスは町のサイズが小さく、バスに頼らず、歩いて回ることができる。一番目立つ観光地は、街全体を防御する砦《とりで》、アルカサルだ。気温が三十八度くらいまで上がるヘレスでは、日中に街を歩き回る愚か者は少なく、日が落ちた夜八時すぎから街に人が出始める。歩き疲れるとアルカサルへ行き、ふもとに立ち並ぶ街路樹の木陰で休み、シャンシャンと鐘を鳴らしながら常歩《なみあし》で進んでいく馬車を眺めては体力を回復する、ということを繰り返した。

セビーリャでもアルカサルを訪れた。このアルカサルは、ミュージシャンのPV（プロモーションビデオ）のロケ地に使われたり、アメリカのテレビドラマシリーズ『ゲーム・オブ・スローンズ』の一場面に登場したりする、モーロ〈北アフリカのイスラーム〉文化と中世ヨーロッパが融合した大変美しい建造物である。が、あまりに観光客が多く、しかも入場するまでに炎天下を一時間以上並ばされたため、中に入った頃には頭が朦朧《もうろう》として、静かに対峙することなど不可能だった。同じ轍《てつ》を踏まぬよう、ヘレスでは朝にホテルを出るとまっすぐアルカサルへ向かい、開門と同時に入った。もっとも、そんな朝早く行かずとも、ここに来る観光客はほとんどいないことが、あとでわかったのだが。

aあるいはalで始まる単語はアラビア語由来であると、スペイン語の授業で習った。alで始まるアルカサルも、もちろんイスラーム統治時代の名残だ。もとはイスラーム教徒が建てた砦だったものを、レコンキスタ後にキリスト教徒が転用したものである。まだ太陽が昇りきっておらず、ひんやりした空気のなか、アルカサルの内部を歩き回る。ここの大部分はムワッヒド朝（北アフリカからアンダルシアを支配したイスラーム王朝。一一三〇～一二六九年）の時代に建てられたが、昨今の発掘調査によれば、街を取り囲む城壁の一部は、それよりさらにさかのぼった後ウマイヤ朝のカリフ時代（七五六～一〇三一年）、十世紀頃に建造されたものだという。

内部にはモスクやハマム〈風呂〉がそのままの形で残り、ここは貯水庫としての役割も担っていた。かつては城壁に設けられた扉を開けると、直接メディナ〈市場〉につながっていたという。城砦としての役割のみならず、ここがイスラーム統治時代の人々の生活の中心であったことがよくわかる。

このハマム跡が特に素晴らしい。温水風呂と冷水風呂、そして蒸気をためてあたる、サウナのようなものがある。天井には星の形をした穴がいくつも空いていて、夜になると星形の穴から月の光が差しこむように設計されている。なんと詩的な光景なのだろう。祈りの前に体を清めることが必須であるイスラームは、水をことのほか大切にする。ここを再征服したキリスト教徒は、もう少しその点を継承すべきだった、と思う。

砦の中には、モスクを転用した小さな聖堂がある。中央に噴水があり、馬蹄《ばてい》形アーチが並んだ、モスクという原型に対する非常なリスペクトが感じられるチャペルだ。

レコンキスタされた街では、モスクが教会に造り替えられて転用されることが常だった。一週間前に訪れたばかりのセビーリャの大聖堂は、世界最大のゴシック建築の一つであるが、これもまた元はモスクだった（隣接するヒラルダの塔も、元はミナレット）。しかしそう言われても、どこがどうモスクだったのかが判別できないほど、完璧に教会にしか見えない大聖堂だった。その印象がまだ鮮烈だったため、余計にヘレスのこの空間が、異教徒に対するリスペクトに満ちたものに映る。

馬蹄形アーチの両脇に、スペイン語（当時はカスティーリャ語）が書かれたタイルが貼られていた。詩のようだ。通りすぎようとしたところ、「Alfonso X」の文字が目に飛びこんできた。賢王アルフォンソ十世ではないか！

「アヴェ　マリア
セビーリャで王と女王は　失われたヘレスのアルカサルの夢を見た
王の守備隊長　ドン・ヌーノは　街に住んでいたモーロに迫った
王と女王は　アルカサルの聖堂が燃え
神の娘である聖母の御絵が　炎に包まれた息子を救おうとしているのを見た
そのことを知った王は　アルカサルを奪還するために兵を送った
そして我らが聖母を聖堂に取り戻して　厳粛な聖行列を行った」

ヘレスは賢王アルフォンソ十世が奪還した街だったのか……。あの、『聖母マリアのカンティガ（頌歌集）』を編纂させた王である。

そんなことも知らずに、ここまで来た。カンティガに引き寄せられて、ここまでやってきたような気がした。

アルカサルから出て、城壁沿いの木陰のベンチで休んだ。ここがアルフォンソ十世によって奪還されたと知る前と知ったあとでは、心持ちが異なる。ベンチに地図と本を広げ、アンダルシアの主だった街と北アフリカのセウタがレコンキスタされた年号を書き入れていった。

年号の早い順から並べると、コルドバ（一二三六年）、セビーリャ（一二四八年）、ヘレス（一二六四年）、カディス（一二六四年）、セウタ（アフリカ、一四一五年）、マラガ（一四八七年）、そして最後がグラナダ（一四九二年）となった。

ん……？　ヘレスとカディスの奪還からレコンキスタの完成まで、二百年以上もかかっている。コンパクトに回れるアンダルシア州の中に、二世紀もの間、キリスト教とイスラームの境界線が存在したということか。そのインパクトを、その時初めて認識した。

日本にいた時、レコンキスタの動きを年代ごとに示したイベリア半島の地図をコピーして壁に張り、折に触れては眺めていた。その境界線を、天気図にならって個人的に「レコンキスタ前線」と呼んでいる。

レコンキスタ前線は、猛烈な速度で一気に南下する時期と、速度が鈍化する時期がある。ヘレスとカディス奪還のあと、レコンキスタは二世紀以上も停滞したのだった。賢王の統治期間は一二五二年から一二八四年まで。つまり賢王は、レコンキスタが停滞した時期に王だった人、多少意地悪な表現をするならば、レコンキスタを停滞させた張本人だったのだ。そして三十二年間の統治期間中に作ったのが、カンティガなのである。

私はますます、賢王に興味を抱いた。

ヘレスの長い夜

明日はいよいよアフリカ大陸へ渡るという、ヘレス最後の日。暑さのなかで歩き回って疲れ果て、早めにホテルへ戻った。もう一歩も動けない。日本から持ちこんだ、ここぞという時に役立つインスタントごはんでも食べようと、お湯を沸かし始めた。お湯を注ごうとしたところで、逡巡する。明日はイベリア半島から離れ、帰国はモロッコのラバトからで、もう半島には戻ってこない。こんな形でスペインと別れるのはもったいない。

最後の力を振りしぼり、また街へ繰り出す。アンダルシアの夜は長い。広場に移動遊園地が建ち、メリーゴーランドに乗った子どもたちが歓声をあげている。眺めているだけで幸せな気持ちになった。

旧市街の中心にものすごい人だかりがしていた。引き寄せられてそちらへ向かうと、道路に正装した子どもたちや神父や修道女が整列し、何かの合図を待っていた。すると遠くのほうでブラスバンドの音楽が鳴り始め、聖行列がゆっくり動き始めた。お香の煙がもうもうとたちこめたほうから姿を現したのは、花の敷きつめられた台車に乗った、幼子イエスを抱く聖母マリアの聖像だった。何かのお祭りのようだ。「これは何を祝うものですか?」と隣に立っていた女性に尋ねると、「ロザリオの聖母のお祝いですよ。今日はロザリオの聖母の祝日だから」とのことだった。

三年前、バレンシア地方のラ・ハナという村で、日本で殉教したドミニコ会士ハシント・オルファネール（福者）の殉教祭に参加した時、やはり聖像が村の人々に担がれて村を練り歩くのを見た。

形態だけに注目するならば、日本の神輿《みこし》のようでもあり、宗教や場所は違えど、人は同じようなことを考えるということが興味深い。しかし文字通り「お祭り騒ぎ」のような日本の神輿担ぎとは異なり、目の前で繰り広げられる聖行列には荘厳さが漂い、行列をなす人たちの佇《たたず》まいや表情にも敬意と誇りが感じられる。生きた宗教を目の当たりにしている実感がした。

こういうものは、なかなか偶然にお目にかかれるものでもない。疲労を押して街へ出てきて、本当に幸運だった。

聖行列から離れて広場へ移動すると、昼間はがらんとしていた広場にパイプ椅子が並べられ、建物のバルコニーを利用した特設ステージでスタッフの人たちがせわしなく機材を設置しているところだった。何の気なしにのぞきこむと、ステージには、リュートやウード、小ぶりの中世ハープ、ヴィオラ・デ・アルコにハーディーガーディー、タンボール（タンバリン）といった古楽器が置かれていた。夜九時からコンサートが始まるという。

「チケットはどこで買えばいいですか？」

「無料だよ！　ぜひ聴きにきて」

ロザリオの聖母の祝日ということで企画された、市民のための無料コンサートのようだ。私は興奮を抑えられなかった。この楽器の面子《めんつ》を見れば、どんな音楽が奏でられる予定なのか、だいたいは想像がつく。間違いなくクラシックではない。キリスト教徒、イスラーム教徒、ユダヤ教徒が共生していた時代の曲。もしかしたら、カンティガも演奏されるかもしれない。

広場に面したバルで簡単な夕飯を済ませ、開演時間を見計らって席につく。最初は三割くらいしか埋まっていなかった客席も、ミュージシャンが姿を現した頃には六割ほどになっていた。ステージに上がったのは、男性一人と女性二人のユニット。短い挨拶のあと、男性がウードで前奏を弾き、女性がタンボールでリズムをとり、コンサートが始まった。

なじみ深い旋律だった。曲名は「ウスキュダル」。イスタンブールのアジア側にある古い街、ウスキュダルが舞台の、トルコの名曲である。目をつぶれば、霧のかかったボスポラス海峡が脳裏に浮かんでくる。ちなみに私はこの曲を、よくリュートで弾く。

この歌は、ずいぶん昔に日本の歌謡曲でもカバーされている。江利チエミの「ウスクダラ」だ。トルコ語の発音を適当に真似たデタラメな歌詞が随所に登場する、まじめなことを言えばオリエンタリズムが垣間見られるキワモノポップスなのだが、それを差し引くとして、異国情緒に対する関心の高さがひしひしと伝わってくる。昭和三十年代の日本の歌謡曲は、斬新だった。

それにしても、なぜ一発めが「ウスキュダル」なのだろう。そんなことを考えている間にも、曲は進んでいく。

再びなじみ深い曲が登場した。これは確か……"La Rosa Enflorece"という曲だ。これも弾けるから知っている。

グラナダ王国が陥落してレコンキスタが完了した一四九二年、スペインに暮らすユダヤ人は、キリスト教への改宗か、国外追放かの二択を迫られた。そして少なくないユダヤ人が改宗して「新キリスト教徒」として生きることになり、改宗を拒否した者は、モロッコやオスマン帝国、スペインと袂《たもと》を分かった低地地方などへディアスポラ〈離散〉してゆき、「セファルディ」と呼ばれるようになる。この曲は、いまでもセファルディの間で話される、カスティーリャ語をベースにした「ラディーノ」の、憂いに満ちた曲だ。

この時点で早くも、このユニットの音楽的志向が判明した。音楽上での、三教徒の共生だ。

「みなさん、こんばんは。今日はようこそいらっしゃいました。ご存じの通り、このヘレスは賢王によって再征服されました」という挨拶が続く。

「賢王の書いた詩が、すぐそこのアルカサルに残されています。興味のある人は見に行ってみてくださいね……」

すると続いて、カンティガの一曲の演奏が始まった。中世ハープによる、歌なしの演奏だ。曲には聞き覚えがあるが、何番だったかが思い出せない。歌詞があれば、聴きとれる単語が鍵になって思い出せるのだが、旋律だけだとまるで思い出せない。なぜカンティガをインストゥルメンタルにするのか？　何かひっかかるものがあった。

この時代の曲は、こうして屋外で聴くのが本来の形だろう。咳《せき》ひとつしても睨《にら》まれるような、日本の古楽コンサートのありかたは、やはり何か設定が間違っている。

偶然聴くことになったコンサートだったが、感慨深かった。リュートと出会ってから今日に至るまでの日々が走馬灯のように脳裏をかけめぐった。彼らが目の前で演奏している音楽世界は、私が目指すものでもあった。

もともと私は、天正遣欧使節の四人が弾いたという理由で、古楽器のリュートを習い始めた。そしてレッスンでは、十七世紀のイタリアやイングランドの楽曲を練習することが多かった。しかしそのうちスペインに対する関心が高じ、演奏したい時代が中世へと移行してしまった。するとリュート講師の手には負えず、教えてもらえなくなった。結局、演奏技術の上達は諦め、独学で好きな曲だけを弾くという方向転換を余儀なくされて、現在に至っている。

最近は『モンセラートの朱い本』や「カンティガ」を弾くことが多い。時代はレコンキスタの最中だ。前者はモンセラート修道院で歌うことを想定したもので、後者は文字通り、聖母マリアを讃えるもの。しかしながら双方とも、一般的にイメージされる「西洋」や「教会音楽」とはかけ離れた、様々な文化が混交した雰囲気を備えている。それこそ三教徒が共生したスペインの、文化的豊饒さである。

リュートよりはむしろ、アラブ世界のウードのほうが似合う曲も少なくない。このステージにも一応リュートが準備されているが、もっぱらウードが使われていた。そのうち自分も、リュートからウードへ移行するかもしれない、という予感がする。

コンサートの最後は、非常にモーロっぽい曲で締めくくられた。ここでいう「モーロっぽい」とは、キリスト教っぽくもユダヤっぽくもない、という程度の感覚だ。最近このあたりの曲を集中的に聴いているので、音階やリズムのとりかたによって、ユダヤとモーロの区別はおおかたつく。

聴いたことはないが、嘆きの感情がこもった、非常に美しい曲だった。恋人か、愛する土地と別れなければならない、そんな悲しみがひしひしと伝わってくる。この時代には、まだまだたくさんの名曲が潜んでいる。そう思うと、嬉しいような、途方に暮れるような心持ちがした。

この曲を忘れたくない。慌ててスマートフォンを取り出し、ステージの動画を撮った。いまこの場では、歌われている歌詞の内容がわからない。しかし帰国後、繰り返し再生すれば、理解できるかもしれない。

その晩は結局、リュートは弾かれなかった。

モーロの歌

ヘレスで聴いた屋外コンサートをしきりに思い出すようになったのは、つい最近のことだ。ヘレスでロザリオの聖母を祝う盛大な聖行列に立ち会い、この地に根づいたキリスト教の一面を知った。そのうえヘレスは、ミュージシャンが壇上でも述べたように、賢王アルフォンソ十世が再征服した街である。当然、カンティガが何曲も演奏されるだろうと思いきや、意外にも演奏されたのはたった一曲で、しかも歌なしのインストゥルメンタルだった。その点が妙にひっかかったのである。

カンティガは、想像以上にレコンキスタと関わっているのではないだろうか、という予感がした。レコンキスタが題材となれば当然、モーロを殺した、といった内容が出てくるだろう。三文化の共生を訴える平和的コンサートでは、それでは具合が悪い。

スペインではその前月の八月十七日、バルセロナと地中海沿いのカンブリスでイスラーム国（IS）に忠誠を誓う犯行グループによるテロ事件が起き、十五名もの死傷者が出た（現場で射殺された犯行グループの五名は除く）。そんな緊張したご時勢に、しかもイスラーム教徒が最後まで牙城を守ったアンダルシアの地で、キリスト教を賛美する歌を披露するのは、かなり勇気が要ることなのかもしれない。しかも人の声を通した歌には、どうしても感情がこもってしまう。だから歌詞を避けるという判断をしたように私には思えたのである。

しかも驚いたことに、ロザリオの聖母の祝日もイスラーム教徒と関連していた。

スペインがローマ教皇やヴェネツィア、ジェノヴァ、聖ヨハネ騎士団を前身とするマルタ騎士団などと手を組み、イスラームの雄であるオスマン帝国と地中海の制海権を争った「レパントの海戦」（一五七一年）という戦争がある。『ドン・キホーテ』の作者である、かのセルバンテスが、この海戦で左手を負傷したのは有名な話だ。この時、キリスト教連合軍はロザリオの祈りを聖母マリアに捧げ、オスマン軍を撃退した。そのレパントの海戦に戦勝した十月八日が、「ロザリオの聖母の祝日」なのだ。いやはや……。冒頭にトルコの名曲「ウスキュダル」を歌ったのは、ポリティカル・コレクトネスに基づいた、イスラーム教徒に対する配慮だったのかもしれない。

私にとっては遠い昔の、まったく縁のない「レコンキスタ」だが、キリスト教徒とイスラーム教徒の緊張関係が再燃した昨今のヨーロッパ、しかも実際に共生したのちに排除したアンダルシアでは、現代性を帯びてしまうテーマであることを痛感したのだった。

さて、私が「モーロっぽい」と感じた歌であるが、苦労の末にようやく曲が判明した。“Paseábase el rey Moro”（さまようモーロの王）という曲だった。グラナダ陥落に先立つ、一四八二年のアルハマ陥落がテーマである。この曲で、今回の旅を締めくくることにしよう。

「モーロの王がグラナダの街をさまよっていた
手紙が届けられた　アルハマが奪われたというのだ
ああ、わがアルハマよ！
王は手紙を火にくべ　手紙を運んできた者を殺した
そしてトランペットを鳴らすよう命じた　銀でできたトランペットだ
ああ、わがアルハマよ！
友よ　わがあらたな不運を知らせようぞ
獰猛《どうもう》なキリスト教徒がアルハマを征服したのだ　わがアルハマよ！
白く長い髭を生やした　賢い律法学者が言った
良き王　良き王　そうなることになっていたのでございます
報いは受けなければなりませぬ　ああ、アルハマよ！
王様は　グラナダの華であったアベンセラヘス家の者たちを殺し
かの名高いコルドバを混乱に陥れられた
ああ、アルハマよ！
それゆえ王様　倍加の悲しみも報いでございます
あなたは負け　王国を失い
そしてグラナダも永遠に失われるでしょう
ああ、アルハマよ」（筆者訳）

アルフレッド・デオダンク《グラナダに別れを告げるボアブディル王》（1869 年）

この題にはいくつかのヴァージョンが存在するが、最も有名なのは歴史著述家のヒネス・ペレス・デ・イータ（一五四四〜一六一九）が書いた"La Guerras Civiles de Granada"〈グラナダ市民戦争〉をもとに書かれたロマンセ〈抒情詩〉で、もとはアラビア語から翻訳されたものだという。

哀切に満ちた歌であるが、たくさんの情報がつまっている。アルハマは、アンダルシア州グラナダ県の山岳地帯にある要衝で、岩山と渓流の美しい、温泉の出る町。名の由来はアラビア語の al-hamam、まさに「風呂」である。

アルハンブラ宮殿で、「アベンセラヘスの間」を見学した時のことを思い出す。鍾乳洞と錯覚するような、美しく何重にも折り重なった馬蹄形アーチ。八角星の形に作られた天井の窓から降り注ぐ光。宮殿の中で最も美しい部屋が、「アベンセラヘスの間」だ。

ところがその美しさからは想像もつかないほど、陰惨な事件がここで起きた。宮殿内の熾烈な権力闘争に巻きこまれ、王から嫉妬された貴族、アベンセラヘス家の男子三十六名が王の晩餐に呼ばれ、この部屋で皆殺しにされたのだ。その時に流されたおびただしい量の血が、部屋の中央にある水盤のところに赤い染みを作った、という恐ろしいエピソードが残っている。

アルハマのあらたなキリスト教徒統治者となったテンディーリャ朝統治下では、この歌は禁止されたのだという。モリスコ〈キリスト教に改宗したイスラーム教徒〉に動揺を与えるからという理由だった。

私にとっては嬉しいことに、この曲にはリュート用（厳密にいえばビウエラ用）の編曲があることがわかった。数多くの名曲を残した、ルイス・デ・ナルバエス（一五〇〇頃～五二頃）の編曲である。ナルバエスはグラナダ生まれだったのだ。

なぜ私がナルバエスに反応するかというと、かの天正遣欧使節が秀吉の前で演奏したと一部でいわれる（私自身は、その見方に懐疑的ではあるものの）「千々の悲しみ」を、ビウエラ用に編曲したのが、このナルバエスだからなのだ。

モーロ王の嘆きを表現したこの曲は、いうなれば、レコンキスタの負の面をイスラーム教徒側から描いたものである。そのような曲を、イエズス会士が少年たちに弾かせる可能性はほぼゼロに近いと思うけれども、時代としては耳にする可能性もあっただろう。そんなことを想像すると、頭がくらくらしてくるのだ。

しばらくはこの曲をリュートで練習してみようと思う。

第13話　マラケシュを救った聖母の御旗（カンティガ一八一番）

ラバトの海

アンダルシアの旅を終えた私は、イベリア半島南端のアルヘシラスからフェリーでジブラルタル海峡を渡り、スペインの飛び地、セウタでアフリカ大陸に上陸した。そしてテトゥアン、シェフシャウエン、フェズ、メルズーガ、再びフェズを経由して、モロッコの首都、ラバトまでやってきた。そしてラバトから、旧宗主国フランスのパリ経由で日本へ帰る。スペインのアンダルシアとモロッコ北部の連続性をじかに感じるための旅が、もうすぐ終わろうとしていた。

ラバトは、現モロッコ国王の住む首都であるが、あまり目立った観光名所がないため、外国人観光客は多くない。多くの人はここへは立ち寄らず、映画であまりに有名なカサブランカから出入りするらしい。私はあの映画がまったく好きではなく（沢田研二が歌った「カサブランカ・ダンディ」は好きだが）、あの街へ義理立てする必要はなかった。

メディナ〈旧市街〉の中にあるリアド〈中庭のある邸宅を改造した宿〉を出て、街を取り囲む分厚い城壁をくぐり抜け、海のほうへ向かって歩く。一本の坂道を下っていけば海に通じるはずだった。その途中には、丘の斜面にへばりつくようにして巨大な墓地が広がり、まるでこの海で亡くなった魂がここに仮住まいしているような感じだ。海が見えてきた。気持ちがはやり、足取りが軽くなる。ドドーン、ドドーンという地響きのような音を立てて波がこちらに向かってくる。雨まじりのどんよりした空もようが、さらに雰囲気を盛り上げたのかもしれないが、すさまじい迫力だ。この海は、とてつもなく荒い。安全を期して、海辺からかなり離れた場所に放置されていた流木の上に腰かけるが、潮流が複雑に渦巻いているらしく、突然向きを変えた波が足元まで迫ってきて、冷や汗をかく。

私は父方も母方も、太平洋の終着地点に位置する外房の海沿いの出身である。私が乳飲み子だった頃の話だ。父が私をおぶって海辺へ散歩に行き、砂浜に腰を下ろし、私を一瞬地面においたその時だった。ひときわ大きな波がやってきて、私は鞠《まり》のように水面をコロコロ転がっていったという。体がその時の波の恐怖を、うっすら記憶しているのかもしれない。

スペインの飛び地であるセウタで見た海とは、すごみが違う。それもそのはず、セウタで見たのは地中海で、ここに広がっているのは大西洋なのだ。モロッコは意外と海洋国家なのである。

ブーレグレグ川の方向へ向かって海辺の遊歩道を進むと、湾になった砂浜にはサーフィンに興じる人たちが集っていた。それだけ波が荒いということだ。湾の背後には崖がそびえ立ち、その上にはカスバがある。

砂浜から一本の桟橋が張り出し、先端では釣りを楽しんでいる人たちがいた。桟橋を進んだが、途中で足が止まる。これ以上進むのは危険だと、体が勝手に反応する。するとマウンテンバイクをひいた自由そうな壮年のモロッコ人が私の傍らに立ち、「これ以上はやめたほうがいい。ここの波は、突然大きくなるから」と忠告してくれた。私は静かにうなずき、彼と一緒にそこから海を眺めることにした。

遠慮がちに遠くから海を見つめる私たちの横を、バスで着いたばかりの中国人観光客の一団がすり抜け、桟橋の先端へ向かって走り出した。国慶節の大型連休を利用して遊びに来た人たちだろう。大西洋を見た喜びが全身からあふれ出ている。そして荒れ狂う波をバックに、各自がスマホで自撮りを始めた。

彼らの楽しそうな姿にこちらも嬉しくなるが、危なっかしくて見ていられなかった。香港もそうだが、内陸中心の時代が長かった中国には、大海の怖さを知らない人が多い。彼らに注意を促したほうがよいだろうか、と思って踏み出そうとした瞬間、左右から違う角度でやってきた波が桟橋の先端でぶつかり、彼らに襲いかかった。叫び声をあげながら、一目散に逃げまどう人たち。幸い、波に呑まれた人はいなかったが、彼らの記憶にも大海の恐ろしさが刻印されたことだろう。

海の怖さを再認識しながらも、私は高揚していた。ここが荒ければ荒いほど、嬉しかった。この海を体感したくて、ラバトまでやってきたのだから。

私がラバトまで来たのは、一冊の本の影響だった。『海賊ユートピア　背教者と難民の17世紀マグリブ海洋世界』（ピーター・ランボーン・ウィルソン著、菰田真介訳、以文社、二〇一三年）という、グルーブ感にあふれた海賊本である（買ったのは海賊版ではなく、正規版である。念のため）。

いまはラバトの存在が突出しているが、かつてこの街は、ブーレグレグ川を挟んだ対岸のサレーとセットで「ラバト＝サレー」と呼ばれていた。そして十七世紀、ここを拠点にして暗躍する海賊がいた。彼らはバーバリー海賊と呼ばれ、さらに海賊による自治共和国があったということを、この本を通して初めて知ったのだった。

その中心だったのが、レコンキスタでスペインを追われたモーロ〈ムーア人〉だった。この沖を通るスペイン船を襲うことが、彼らの主な任務だった。生まれ育ったイベリア半島を追われたイスラーム教徒にとって、それは実利を兼ねた復讐でもあった。さらに驚いたことに、中にはキリスト教からイスラームに改宗した「レネゲイド〈背教者〉」のスペイン人も少なくなかったというのだ。

「数十年だが――『ディーワーン』と呼ばれる海賊船長評議会が統治していた。それは真の意味で『海賊ユートピア』であった。」

「サレーは、いつの時代もモロッコ王朝の領地であるか、独立したムーア海賊国家であったために、外国統治とでも言うべきほどに『外国人』がここで権力を握ったことはなかったのである。」（ともに『海賊ユートピア』より）

長い長い航海を終えたスペイン船は、この沖を通ってスペインへ戻った。ヘレスに近いサンルカール・バラメーダからグアダルキビル川に入り、黄金世紀スペインの富が集積したセビーリャが終着地点。フィリピンから太平洋を越えて新大陸へ向かい、さらにそこから大西洋を横断してスペインへ戻るという、途方もなく過酷な道のりを想像したら、このあたりは「セビーリャはもうすぐだ！」と心が躍る頃だろう。そこへ、ラバト＝サレーから出撃した海賊船が襲いかかる。イベリア半島を追われたモーロにとっては、復讐の美味のようなカタルシスがあったに違いない。その中に、少なからずのレネゲイド〈背教者〉がいたというのは実に興味深い。

歴史は、勝利者や、陸の中心にいる為政者のもとで記述される。海を活動の舞台とする人間や、現代の概念とは異なるにせよ、国家やある共同体の境界を超えて活動する人間たちについては、あまり詳細には書き残されない。それが書かれる場合には、騒擾《そうじょう》を起こす野蛮な存在として描かれる。

「レネゲイドたちのなかには複数の言語が使えた者もいたけれども、知識人階級はまったくいなかったということである。レネゲイドたちによる直接の報告、記述はない。下層階級という社会的出自のために、自己分析的文書の書き手となることはなかった。そのような贅沢品は、まだ貴族階級と勃興期の中産階級が独占していた。歴史を書く道具を持っていたのは、レネゲイドの敵たちである。その一方でレネゲイドは沈黙している。」（前掲、『海賊ユートピア』）

もともとスペイン船に乗り組んで奴隷すれすれのような生活をしていた男が、サレーの海賊船の捕虜となり、サレーで暮らすうちに、スペインを襲う海賊になっていく……。「レコンキスタの完了」や「モーロの追放」といった、教科書的な概念を飛び越えて海にうごめく人たち。彼らの魂は、カスバの下にへばりつくように広がる巨大な墓場で、いまも眠っているのだろうか。

王直の館

旅で目にした風景は、過去の記憶を呼び覚ます。

ラバト＝サレーの海を見てからというもの、日本が西洋と出会った「キリシタンの世紀」を振り返ることが多くなった。バーバリー海賊の全盛期は、日本では「キリシタンの世紀」にあたる。日本の地を踏んだ宣教師の中には、バーバリー海賊に遭遇した者もいたかもしれない。

海賊の定義は、いつの時代、どこの場所でも曖昧だ。それは自分たちの側から見て、体制や領域を脅かす存在。日本に来たスペインやポルトガル出身の宣教師たちは、新教〈カトリックに対するプロテスタント〉国のイギリスやオランダの船を海賊と呼んだし〈実際彼らはスペイン船とポルトガル船に対する私掠を行っていたので、海賊と呼ぶのはわりと妥当だった〉、朝鮮王朝から見たら、海を渡ってきた秀吉軍そのものが海賊だ。南インドに渡ったポルトガル人や、新大陸に渡るや否や、現地文明を根絶やしにしたスペインのコンキスタドール〈征服者〉たちも、現地の人から見たら、ほとんど海賊と変わりない。

その頃東アジア海域では、明の海禁が厳しさを増して、往年より下火になったとはいえ、「倭寇」が活動していた。いまでも韓流ドラマなどで、「倭の国から来た賊」の象徴としてよく登場する倭寇だが、実際はバーバリー海賊と同様、様々な出自を持った人間たちの混成集団だったと見てよいだろう。武装した、密貿易を生業《なりわい》とする海民、というイメージを私は抱いている。

倭寇といえば、運転免許取得のために合宿した、五島列島の福江島を思い出す。

なかなか運転技術が上達せず、滞在がずるずる延びていた私は、悶々とした日々を送っていた。そしてある時、開きなおって島での生活を楽しむことに決め、自動車学校の無料送迎バスと路線バスを駆使して、島めぐりをすることにした。そんな折に出くわしたのが、倭寇の頭目、王直《おうちょく》が建てた「明人堂《みんじんどう》」だった。

福江島の港から歩いて行ける、旧市街といった趣のある商店街が終わるあたりにそれはあった。朱塗りの円柱に支えられた、香港の新界でよく見かける祀堂（祖先を祀る祭堂）のような造りの廟堂である。観光資源としてもっとアピールしてよさそうなものだが、ほとんど訪れる人はいないらしく、過疎化した周囲の風景と完全に同化してひっそりしていた。

王直は、五島列島を形成するいくつかの小島に隠し港を持ち、配下の者たちはそこから出動していたという。福江島の邸宅は、五島海域の出張所、といった位置付けだったのだろう。

東京からできるだけ遠いところへ、という理由で私は福江島に来た。ところが四百五十年ほど前、ここが海を挟んで、「国際」と呼ぶのも馬鹿馬鹿しい響きだが、境界を越えた人々がさかんに行き来していた最先端の場所だったことを、あらためて思い知らされた。

王直はそののち、松浦《まつら》隆信《たかのぶ》に請われて平戸へ移った。そして官位を授けるという謀略に乗せられてさらに明へ渡り、そこで捕縛され、一五五九年に明で処刑された。

平戸といえば、これまた強力な水軍を擁し、南洋貿易で富を築いた松浦氏の拠点である。のちに滅清復明をうたって清への抵抗運動をして台湾へ移り、台湾の建国者として「国姓爺《こくせんや》」の名で呼ばれ、中華世界、特に台湾で絶大なる尊敬を集める鄭成功《ていせいこう》（一六二四〜六二）が生まれたのも、平戸だ。鄭成功の母親は日本人だった。平戸が長きにわたり、どれだけ多様な背景を持った人々を惹きつける土地だったかがうかがえる。

さて、キリシタン勘の多少ある人ならすでにうすうすお気づきだと思うが、指折りの倭寇だった王直が、いわば出張所をかまえた五島と平戸は、のちにキリシタンを多く生み出すことになる場所だ。

平戸は、東方布教のパイオニアにしてカリスマ、フランシスコ・ザビエルが直接布教したことで、最古参の熱心な信者たちの共同体があった場所である。しかし松浦氏が徹頭徹尾キリスト教を嫌ったため——二枚舌を使い分けないという点では、潔い——、禁教状態が長く続いた土地だった。

五島は、五島氏（改姓する前は宇久《うく》氏）が王直を滞在させたことからもわかるように、やはり南洋貿易に並々ならぬ関心を抱き、他の九州の大名からは多少遅れはとったものの、イエズス会きっての布教の名人、ルイス・デ・アルメイダを呼び、奥浦を中心に信徒が急増した。アルメイダは、コンベルソ〈キリスト教に改宗したユダヤ人〉の貿易商人で、商売で日本へやってきて修道士の道に入ることを決意し、貿易で築いた全財産をイエズス会に寄進して、日本で天寿をまっとうした人物だ。

ところが、貿易が主目的だった宇久氏の心変わりは早く、一五七九年には早くも弾圧に転じたため、三百名あまりのキリシタンが信仰を貫くために長崎へ「亡命」した。この亡命組のなかに、秀吉の命で一五九七年に処刑された「二十六聖人」のひとり、聖ヨハネ五島がいた。

つまり、キリシタンの歴史が宗教マターであることは当然なのだが、初期に流入して信仰が根づいた場所は、まぎれもなく南洋貿易の拠点だった場所、あるいは拠点になろうとする野心を領主が抱いた場所であることを、軽視するわけにもいかないのである。

堂崎天主堂

王直が活動した五島と平戸には、もう一つの興味深い共通点がある。両地とものちに、かくれキリシタンの代表的な土地となる点だ。

異世界までの距離が近い、通商の窓口として栄えた場所は、のちの時代に陸の為政者による海禁や統制が強まった時、つまり国が閉じる方向へ向かった場合、辺境世界に転じる。すると禁制を逃れてひそかに生きたい人たちにとっては、潜伏しやすい場所になる。

福江島では、王直の明人堂のほかにも、堂崎《どうざき》天主堂へたびたび出かけた。ここは幹線道路から離れた岬の突端にある。路線バスで出かける時は、帰りの数少ないバスを考えるとあまり時間の余裕がなく、帰りはいつも岬の道を走っていた。

ここにはキリシタン博物館があり、前述した二十六聖人のひとり、聖ヨハネ五島の聖遺骨が安置されている。そこで興味深い展示を見た。

この教会は、キリシタン禁制の撤廃を意味する、いわゆる「高札の撤廃」（明治六＝一八七三年）

以降に信徒によって建てられたものなので、ここに集った信徒たちは、もはや「かくれ」ではない。しかし、だからといって、彼らがいきなり仏教徒たちの多く暮らす里におりてきたわけはなく、依然として「かくれ」時代と同じ場所に暮らしていた。

かつてこの堂崎天主堂では、ほら貝を吹いてミサの開始を告げたという。近隣の浦々に暮らす信徒たちは、その音を聞きつけると、小舟に乗っておずおずと姿を現し、岬の突端にある天主堂に集まった、というのだ。

陸の中心から見れば辺鄙《へんぴ》な場所は、実は海に向かって開かれている、という、中心と周縁の逆転現象が、ここでも起きていた。

目を閉じ、その様子を思い浮かべてみると、王直の配下の者たちが隠し港から船で出ていった様子と、重なって映るのだった。

聖母マリアの港

脳内が海賊に侵食され、思わぬ海域へ連れ去られてしまった。サレーの話に戻ろう。

モロッコから帰国し、いつものように「カンティガ」を聴きあさっていた。ヘレスにまつわる歌を探していたところ、なんと歌詞のなかにサレーが登場したのである。「賢王」アルフォンソ十世とサレーにどんな関係が？　ともあれ、歌詞を見てみることにしよう。

「聖母マリアの港」（カンティガ三二八番）

「聖母はこの奇跡を、かつてアルカンテと呼ばれていた場所で起こされた。それはセビーリャ王国のヘレスの近くにある。地中海と大きな海（大西洋）の間にあり、グアダルキビル川とグアダレテ川が交わる、魚のたくさんとれる町だ。

アルフォンソ王は、サレー攻撃のため、兵士たちとともにアルカンテにいた。王はアルカンテを海軍基地のように扱い、カディスとの間を行き来する日々を送っていた。

するとモーロの軍総司令官がヘレスからやってきて、王に不満を述べた。

『王様の兵士たちがアルカンテを「聖母マリアの港」と呼んでおり、モーロたちが動揺しております。これはモーロに対する侮辱です』

王はその報告にたいそう怒り、そう呼んでいる兵士たちを厳しく罰するよう命じられた。多くの兵士が鞭で打たれた。にもかかわらず、その名前を撲滅しようとすればするほど、多くの者がその名で呼んだ。

王は苦悩した。キリスト教徒とモーロの間で戦が起きるのではないかと恐れたのである。

聖母がこの問題を解決された。

聖母は件《くだん》のモーロ総司令官をヘレスからアルフォンソ王の元へ寄越し、アルカンテを譲ると言わしめさせたのだ。

王はたいそう喜んだ。さすれば、カディスを容易に征服できるからだ。しかし王はモーロの意図を疑い、胸の内は明かさなかった。

するとモーロは誓った。だまそうとしているのではなく、平和を守りたいだけだ、と。そしてさらに、大きな海沿いのすべての村をアルフォンソ王に捧げたのである。」（英語抄訳より訳出）

ずいぶんと虫のいい内容だが、モーロを悪く描いていないという点で特筆すべき歌だ。アルカンテは、七一一年にイスラーム軍勢が北アフリカに侵入してあっという間にイベリア半島のほとんどを手中に収めた時、「塩の港」という意味から命名された、重要な大西洋岸の拠点だった。一二六〇年に賢王によって再征服され、プエルト・デ・サンタ・マリアと改名された。聖母マリアを地名に入れた点からしても、重要拠点だったことがうかがえる。二世紀後にコロンブスが第二次航海に出た時、出航したのもこの港だった。

賢王はサレーで一体何をしようとしていたのか？　これは一筋縄ではいかないレコンキスタを象徴するような話である。

レコンキスタと十字軍

時計の針を少し戻す。賢王の父は、コルドバ（一二三六年）やセビーリャ（一二四八年）を奪還し、「どのキリスト教徒よりも多くのムスリム領土を征服し、アンダルシアの大半からムスリムを追放し、残った国王を従順な家臣にした」（D・W・ローマックス『レコンキスタ　中世スペインの国土回復運動』林邦夫訳、刀水書房、一九九六年）と称賛された名君、カスティーリャ王フェルナンド三世である。その功績から一六七一年に列聖され、「聖王」と呼ばれるようになる。正真正銘の聖人だ。

この、フェルナンド三世に対するキリスト教世界での評価の高さは、その時点で同時進行中だった、中東地域での十字軍の動きも射程に入れる必要がありそうだ。

一〇九九年から一二九一年までの二世紀間、中東地域には十字軍国家が存在した。それはイスラーム教徒の側から見たら、まったく降って湧いた災難としか言いようのないものだった。が、一一八七年、「ヒッティーンの戦い」でサラディン（サラーフッディーン）がエルサレムを奪還して以来、イスラーム教徒側が攻勢を強め、キリスト教徒の最後の砦であったアッカ（アッコ、アッコン、アクレともいう）が一二九一年に陥落した。

中東地域でキリスト教徒が次々に失地する最中に成功したフェルナンド三世のレコンキスタは、キリスト教世界にとっては、久々の「よいニュース」だったのだ。

そして道半ばで斃《たお》れた聖王の死去に伴い、一二五二年、アルフォンソがカスティーリャ王位を継ぐ。偉大な王の事業がその手に渡された。

しかし前章でも触れたように、レコンキスタはそれから約二百年間停滞することになる。

同じ状況を、モロッコ側から見てみよう。イベリア半島でキリスト教徒が攻勢を強めたことは、皮肉な結果を生み出した。アンダルシアを押さえていたムワッヒド朝の弱体化に乗じてモロッコ各地で反乱が起き始め、新興勢力が勃興するのだ。マリーン朝である。

つまり、偉大な先王がレコンキスタを完成形直前まで推し進め、アンダルシアのイスラーム勢力を弱体化させたがために、モロッコでは、より強大な王朝を求める動きが加速してしまったのだった。

そして一二六〇年、サレーをめぐる事件が起きた。サレーに住むキリスト教徒住民が新しいマリーン朝スルタンに反抗し、アルフォンソ十世に助けを求めた。モロッコに拠点を置きたいアルフォンソはただちに反応し、三十七隻から成る艦隊をサレーに送った。ところが十三日間の包囲ののち、彼らは街を炎上させ、戦利品とともに逃走。アルフォンソ王はモロッコに拠点を確保するどころか、マリーン朝にサレーの防御を倍加され、奇襲がはるかに困難になったことを知らされるばかりだった。

サレー遠征は、賢王の大失策の一つだったのである。その大失敗をカムフラージュするために、「聖母マリアの港」を引き合いに出したようにも思えてくる。

そして一二六九年、マラケシュが陥落してムワッヒド朝は滅亡。アルフォンソ十世のレコンキスタは、難敵マリーン朝の勃興によって、ますます困難になった。そして王はその後、ドイツ王につながる母方の血筋を根拠に神聖ローマ皇帝の称号を欲し、カスティーリャを留守にすることが多くなっていく。

私はこれまで、「賢王」と呼ばれるアルフォンソ十世が、文化事業に異様なほどの熱意を注いだ理由がよくわからなかった。

しかしこうしてレコンキスタをめぐる失敗と称号への渇望を知ると、彼をかりたてたものがわかるような気がする。

偉大すぎる父親の影である。

何をしても父親に追いつくことができない。父とは別の分野で功績を上げなければ、という圧力が、彼を苦しめていたのかもしれない。そのおかげで『聖母マリアのカンティガ』が後世に残されたと思えば、少しは心が慰められるのだが。

賢王とモロッコの因縁

他にもモロッコを描いた歌はないかと探してみると、一曲見つかった。それを紹介して、本章を終わることにしよう。舞台はモロッコのマラケシュ。主人公は「賢王」の宿敵、マリーン朝第六代君主のアブー・ユースフ・ヤアクーブ（在位一二五九〜八六）である。

「マラケシュを救った聖母の御旗」（カンティガ一八一番）

「モーロの王アブー・ユースフが、聖母マリアの旗の力によってマラケシュを死守した話について述べようぞ。

聖母は、聖母を愛する者を助けてくださる。たとえ、異なる宗教を信じる者や、不信心者であろうとも。

栄光の聖母はこの奇跡を、マラケシュで起こされた。それは大きくて美しい、王が統治していた街である。

その時、マラケシュの王は別の王と苦しい戦いを強いられ、どんな助けでも必要としていた。王はマラケシュで包囲された。騎士と大勢の兵士がモラベという大きな川を越えてやってきて、マラケシュを包囲したのだ。大群は街の門に殺到し、街を囲む城壁を力ずくで破ろうとした。

その時、マラケシュの住民が王に助言した。

『何人かの武装した者を注意深く選び、聖母の御旗とともに街の外にお出になられませ。そして聖旗を掲げれば、間違いなく敵を敗走させられるでしょう』

さらに彼らは王に助言した。

『キリスト教徒たちを集め、十字架を掲げながら教会の外にお出になられませ』

王は、その助言の通りにし、天使と聖人があまた描かれた聖旗を、城壁の周りに陣取ったモーロに見えるように掲げた。

するとそれを見たモーロは、聖母と十字架の威力で恐怖に陥り、強大な軍隊であったにもかかわらず、敗れた。

うす汚いヒゲを生やした兵士たちは、天幕やそのほか何もかもを失い、命を落とした。恐れおののき、モラベ川を渡って戻ろうとした者たちも、完全に統制を失い、逃げられなかった。

聖母は友を守られた。

たとえ、異なる宗教を信じる者であっても。

大勢であろうが、とるに足らない存在であろうが、その敵を倒してくださる。

こうして聖母の慈悲がみなに示されたのである。」（スペイン語訳より訳出）

キリスト教徒の手を借りはしたものの、なんと聖母マリアが、マリーン朝の王を助けるのである。歌の構造は二八番の「コンスタンティノープル包囲」とほとんど同じ。街が大群によって包囲され、窮地に陥ったところで、聖母の聖旗が登場する。それが街を守り、敵を敗走させる。人々は聖母に感謝する、という流れだ。

しかし「コンスタンティノープル包囲」の際には、キリスト教の信仰を持つ者だけが救われたのに対し、ここでは「異なる信心の者」であろうと救うという、一歩踏みこんだご都合主義が繰り広げられている。この柔軟性！　モーロとの関係がけっして一枚岩ではなかったことが見えてくる。

それにしても、十三世紀のマラケシュにそれほど多くのキリスト教徒が暮らしていたとは驚きだ。

「13世紀のムワッヒド朝の下でもキリスト教徒の傭兵軍団が活躍し、聖職者のいる教会もマラケシュで維持されていた。実際にはカタルーニャだけではなく、カスティーリャ王国からも、南仏地域からもキリスト教徒の騎士たちが、金の流入ルートにあたるマグリブ現地のムスリム諸王朝のもとで『出稼ぎ』をしていた。これは、『聖母マリア頌歌集』第181節の図像資料からもわかる。」（立石博高・内村俊太編著『スペインの歴史を知るための50章』明石書店、二〇一六年）

ラバト＝サレーだけでなく、マラケシュにも腕っぷしの強い出稼ぎキリスト教徒がいたとは。

レコンキスタが双方向の人的交流を生み出していた証左に思えて興味深い。

ちなみに、「賢王」アルフォンソ十世が、ここまでかつての宿敵に気を遣うのには理由があった。文化事業に力を注いだ王だったが、人生の後半は母方の血筋を根拠に、神聖ローマ皇帝の称号に執着し、そのロビー活動でカスティーリャを留守にすることが多くなった。すると国内が一気に不安定化し、業《ごう》を煮やした次男、のちの「勇敢王」サンチョ四世から廃位を言い渡されてしまう。腹の虫が治まらないアルフォンソは、「敵の敵は味方」の論理で、なんと宿敵アブー・ユースフに援助を求めるのだ。

アブー・ユースフはマドリードまで攻め上がるものの、最終的には「勇敢王」に敗北してモロッコへ戻る。息子を裏切り、異教徒と手を組んだ「賢王」は幽閉され、一二八四年に六十二歳の生涯をセビーリャで閉じるのである。聖母マリアを称揚する歌集を編纂させた王が、息子と闘うために最後は異教徒の王と手を組んだ。レコンキスタの複雑さを象徴するような逸話ではないか。

いまは、父親の「聖王」フェルナンド三世やコロンブスとともに、もとはモーロのモスクだったセビーリャ大聖堂で静かに眠っている。

第14話　気がふれたホスピタル騎士団の修道士（カンティガ二七五番）

カンティガのおさらい

これまで『聖母マリアの頌歌集（通称カンティガ）』について見てきた。イベリア半島で進行中だったレコンキスタはもちろんのこと、ビザンツ帝国とイスラーム陣営との闘いや、ビザンツで起きた聖像破壊運動（イコノクラスム）にも言及されるなど、カンティガの守備範囲が思いのほか広いことがわかった。

今回は視線をぐっと低くし、十三世紀当時の庶民の生活に近づいてみたいと思う。カンティガの特性について、ここであらためておさらいしておこう。そもそも聖母マリアの御業《みわざ》を称揚する性格の歌集なので、当然ながら奇跡をテーマにした歌が多い。カンティガの内容は、ほぼ以下のように分類できる。

一、ただただ賞賛系――とにかく聖母を讃える（教義を含む）
二、聖人・偉人系――のちに聖人となる人物や偉人を通して、あるいはその人物に対して起こされる御業
三、領土防衛系――キリスト教徒、あるいはその領域が絶体絶命の状況におかれた時
四、勧善懲悪系――信心深い者に対して不当な事象が起きた時
五、戒め系――不道徳な行いや不信心を戒める
六、治癒・よみがえり系――信心深い人間が困難に陥った時に、治癒やよみがえりなどの奇跡が起きる。あるいは信心深くない者に奇跡が起こされ、回心する
七、巡礼系――巡礼の勧め
八、冒瀆系――聖母マリアや神の子イエスに対する冒瀆的事象において（このケースは懲罰で終わることが多い）

コンサートやCDなどで聴く機会の多い、一番「聖母マリアの七つの喜び」、一〇番「薔薇の中の薔薇」、一〇〇番「聖母マリアよ、暁の星よ」などは、ケース一の「ただただ賞賛系」にあたる。これらは、曲が単純に美しいという側面もあろうが、明確な敵が登場したり、他の宗教や民族を攻撃したりしないので、とかく「ポリコレ（政治的正しさ）」にセンシティブである昨今では無難な状況設定ともいえる。多くのミュージシャンが選ぶのも当然だろう。

悪魔にそそのかされて自殺してしまったサンティアゴ巡礼者の魂を、聖ヤコブと聖ペテロが取り

戻すという、美しくも悲しい二六番「聖母の御業に驚くなかれ」は、聖人、勧善懲悪、戒め、よみがえり、巡礼がてんこもりの、実によくばりな曲だった。名曲である。

ケース三の「領土防衛系」は、キリスト教徒を守るという意味で、イベリア半島で目下進行中だったレコンキスタ、十字軍、そして西ヨーロッパよりも異教徒に囲まれる機会が頻繁だったビザンツ帝国が俎上に載ることが多い。カンティガが編まれた十三世紀は、聖地エルサレムへ向かうはずの第四次十字軍が、キリスト教徒が暮らすコンスタンティノープルを奪い、半世紀以上も支配するという、前代未聞の事態が起きた時代でもあった。ビザンツの情報が多く入ってきたことも影響しているものと思われる。二八番「コンスタンティノープル包囲」や、二六四番「コンスタンティノープルを守った聖母のイコン」は、その典型例だ。どちらもビザンツ帝国のその後を大きく左右する重要な戦いだった。

二八番の舞台となったのは、レオン三世治下の七一七〜七一八年、アラブ軍によるコンスタンティノープル包囲。のちに聖人となる総主教ゲルマヌスが聖母のイコンを掲げたところ、天使の軍団が降臨して、敵が放つ矢をそらしてくれた、というもの。敵将マスラマがキリスト教に改宗するという、現実離れしたオチで終わっている。

二六四番の舞台となったのは、コンスタンティヌス四世治下、六七四〜六七八年のアラブ軍による兵糧攻め。こちらは海戦で、総主教セルギオスが城壁の上に聖母のイコンを掲げたところ、アラブ艦隊が壊滅した。この戦は正教会の祈禱《きとう》の一部としていまも残るほど、象徴的な防衛戦だった。またビザンツ帝国の秘密兵器「ギリシアの火」が最初に使われた海戦としても知られる。

いずれも聖母マリアのイコンが敵を撃退する点が共通している。イコンが単なる画像ではなく、祈りの対象である正教会の特徴をよく表していると言えよう。

正教会で崇敬される聖人「ダマスコの聖イオアン」を歌った二六五番「右手を斬られたダマスコの聖イオアン」は、賞賛、聖人、領土防衛、勧善懲悪、治癒の要素がつまった歌だった。二八番の歌でイスラーム軍を撃退したビザンツ皇帝レオン三世は、戦勝後に突如として聖像破壊運動を始める。その動きに強硬に抵抗したイオアン（あるいはヨアンネス）は、国家転覆を煽動《せんどう》したという濡《ぬ》れ衣《ぎぬ》を着せられ、二度とものを書けぬように右手を斬り落とされる。そして聖母マリアが現れて手を戻した、というエピソードは、正教会の有名な「三本手の生神女」のイコンのもとにもなっている。

実に多い「治癒・よみがえり系」

ケース六「治癒・よみがえり系」は、カンティガの主要分野と言って差し支えない。オクスフォード大学が提供する「カンティガ・データベース」を利用して、ざっと英文タイトルを見渡しただけでも、少なくとも七十五曲がこのカテゴリーに入る。タイトルにその要素が入っていない場合もあろうから、実際の数はさらに多いことが予想される。

すでに取り上げた、人気曲の一六六番「足が萎《な》えた男」は、手足が不自由になってまったく動けなくなってしまった男が、もしも病気が治ったら「サラスへ行き、毎年一リブラ（約四五〇グラム）の蠟燭《ろうそく》を聖母マリアに捧げます」と祈ったところ、病気が治った、という歌だった。「治癒・よみがえり系」の典型例である。

このカテゴリーから、十三世紀当時の人々がどのような疾病《しっぺい》や苦しみにさいなまれていたかに、あらためて思いを馳せてみたい。

・目の見えない人が視力を取り戻す：六曲
九二番「盲目の司祭が光を取り戻す」、一七七番「目が治った男」、二四七番「視力を取り戻した少女」、二七八番「ビジャシルガで治癒した盲目の巡礼者」、三三八番「視力を取り戻した召使い」、三六二番「目が治った金細工師」

・聾唖《ろうあ》の人が聴覚を取り戻す：四曲
六九番「トレドで治癒した聾唖者」、一〇一番「ソワッソンの聾唖者」、二三四番「ビジャシルガで治癒した聾唖者」、三二四番「聾唖者を治した聖像」

・手足の不自由が治る：七曲
七七番「ルーゴの手足がねじれた女性」、一六六番「足が萎えた男（サラス）」、二六三番「クデーホの足が不自由な男」、二六八番「ビジャシルガで治癒した、足が不自由な女」、三三三番「テレナで治癒した、足が不自由な女」、三四六番「腕の腫《は》れあがった女が治癒する」、三九一番「『聖母マリアの港』で治癒した、足の不自由な少女」

・死の淵からよみがえる：九曲

二六番「聖母の御業に驚くなかれ（生き返ったサンティアゴ巡礼者）」、一一八番「サラスで死産した赤子がよみがえる」、一一三番「生き返った乳児」、一七八番「生き返った頑固者《がんこもの》」、二二四番「テレナで治癒して生き返った少女」、三三二番「ウサギの骨を喉に詰まらせた男（エヴォラ）」、三二三番「コリアでよみがえった少年」、三四七番「トゥデラでよみがえった少年」、三八一番「『聖母マリアの港』でよみがえった少年」

・感染症や内臓疾患の治癒：五曲

九三番「聖母の乳で治癒したハンセン病患者」、一七三番「腎臓結石が消えた男」、二二八番「痛風に苦しむ頑固者」、三〇八番「腎臓結石に苦しむ女」、三二一番「甲状腺腫瘍《こうじょうせんしゅよう》が治癒した少女」

体の不自由と疾病以外に、不慮の事故によるケガも多かった。

・不慮の事故による大ケガ：十三曲

三七番「切断された足」、八一番「顔が治った女」、一二九番「目に矢を受けた兵士」、二四三番「氷の下に閉じこめられた猟師」、二四九番「高い所から落ちて助かった石工」、二七六番「頭蓋骨がつぶれた猟師」、二八二番「屋根から落ちた子ども」、三〇七番「シシリーで火山が噴火した」、三一一番「雷に打たれた巡礼者」、三五七番「顔が治った女」、三七八番「出血した少女が治癒する」、三八五番「頭に石が当たった男」、四〇八番「矢で射られた従者」

意外に多いのが、水難事故で溺れるケースである。

・水難：六曲

一四二番「溺れて助けられた猟師」、一九三番「溺れて救出された商人」、二三六番「船が沈んで浜に打ち上げられた女」、二六七番「海に落ちた商人」、三七一番「船が沈んで生き残った女」、三八三番「溺れた女巡礼者」

カンティガを聴き始めてまだ間もない頃、全編を通して、これでもか、これでもかと繰り広げられる奇跡願望に対して、私は比較的冷ややかだった。どれだけ奇跡を求めるのか。喉に詰まったウサギの骨を吐き出したのも、聖母マリアの奇跡なのか！　とツッコミを入れたぐらいだった。純粋な信仰心というより、現世利益を願うだけの態度に映った。

しかしこうして、治癒やよみがえりの歌の多さを目の当たりにすると、当時の人々にとって、ケガや病気がどれだけ死に直結する恐ろしい存在だったかを想像し、次第に同情心が高まった。人々は、とっても死にやすかったのだ。

死の恐怖を前に奇跡を願ったとして、誰がそれを責められるだろう。その願いを、現世利益的信仰などと笑うことは、私には到底できない。

精神の不調と「とりつかれ」

さらに、精神の不調と「とりつかれ」事案にまつわる歌も少なくない。

・精神の不調と憑依《ひょうい》の解消：九曲

一〇九番「悪魔にとりつかれた男　サラスで悪魔祓《あくまばら》いされる」、一九七番「悪魔にとりつかれた少年　悪魔祓いされてよみがえる」、二二三番「テレナの気がふれた男」、二七五番「気がふれたホスピタル騎士団の修道士」、二九八番「ソワッソンで悪魔祓いされた女」、三一九番「テレナの気がふれた少女」、三三一番「悲しみのあまり気がふれた母親」、三七二番「気がふれた女『聖母マリアの港』で治癒する」、三九三番「気がふれた少年『聖母マリアの港』で癒される」

こうして症例ごとに曲名を挙げてみて気づくのは、同じ地名が頻出している点だ。特にサラス、テレナ、ビジャシルガ、「聖母マリアの港」の存在感が目立つ。

サラスは、「足が萎えた男」の章でも紹介したように、スペイン北部のアラゴン州ウエスカ近郊にある。十三世紀初頭に建てられた聖堂サンチュアリオ・デ・ヌエストラ・セニョーラの聖母マリアが数々の奇跡を起こしたため、スペイン北部の重要な聖母マリア巡礼地となった。

テレナは、カスティーリャとの境界に近い、現ポルトガル南東部のアレンテージョ地方にある。この町のテレナ城は、カスティーリャとの境界を監視するため、ポルトガルのデニス王によって一二六二年に建てられたもので、まさにカンティガの時代だ。

ビジャシルガ（現在の名前はビジャルカサール・デ・シルガ）は、スペイン北部のカスティーリャ・イ・レオン州にあり、サンティアゴ巡礼路の「フランスの道」が領域内を通っている。ここは、十字軍で有名なテンプル騎士団の領地だったところだ。数々の奇跡の舞台となった聖マリア教会も、十二世紀にテンプル騎士団が建てたもので、この町を舞台にした歌はカンティガに十二曲あるという。

「聖母マリアの港（エル・プエルト・デ・サンタ・マリア）」は、前章で紹介したようにスペイン南部のアンダルシア州カディス県にある。十三世紀当時のレコンキスタ最前線にあった重要な港で、「賢王」アルフォンソ十世自らが再征服した町だ。日本と縁の深い、あの聖フランシスコ・ザビエルは、のちにこの町の守護聖人のひとりとなる。

こうしてみると、「治癒・よみがえり系」は「巡礼系」と重なる部分が多いことに気づく。曲中である地名に出会い、その町の歴史を調べてみると、たいてい巡礼と何らかの関わりがある。十三世紀の巡礼ガイドブックを読んでいるような錯覚を起こし始める。

ある場所で奇跡のような事象が起きる。その逸話が巡礼路などを伝って拡散され、病や傷に苦しむ人たちを巡礼地に惹きつける。そしてその逸話が歌となり、ますます奇跡を求める人が巡礼地に向かう。カンティガと巡礼熱は、互いに相乗効果をもたらす関係性だったことがうかがえる。

いくつか内容を比較検討してみたい。

「テレナの気がふれた少女」（カンティガ三一九番）

「グアディアナ川のほとり　テレナと呼ばれるところに聖母のための教会があった。
痛みや狂気　どんな病気にかかった人でも　そこを訪れれば治ると言われていた。
バダホスに　聖母を深く信じる男がいた。
その男の娘は気がふれ　あまりに狂暴だったので抑制することができなかった。
どんな薬草もまじないも　彼女には効かなかった。
聖人でさえ　彼女を救うことはできなかった。
両親は嘆き悲しみ　涙に暮れる日々を送った。
娘がたった一人の子どもだったからだ。
母親は娘を　テレナに連れて行く決心をした。
そして道中ずっと　祈り続けた。
娘はテレナの教会を見るや否や　正気を取り戻し　『縄をほどいてください』と言った。
両親はたいそう喜び　できる限りのものを捧げた。
そして娘を連れて暮らす町に戻り　聖母の誠実さをみなに宣言したのである。」（英語抄訳より訳出）

とてもシンプルな歌だが、いくつか重要な鍵が提示されている。

テレナの聖母マリアが治癒に効くことが、この時点ですでに広く知られていたことがうかがえる。また「薬草もまじないも効かなかった」という表現から、できる限りのことを試した末、最終手段として奇跡を求めることが推奨されているように感じられる。

さらに、「聖人でさえ救うことができなかった」と、聖母と諸聖人に格の違いをもうけている点がおもしろい。

次に、「とりつかれ」事案を見てみよう。

「悪魔にとりつかれた少年　悪魔祓いされてよみがえる」（カンティガ一九七番）

「ヘレス・デ・バダホス近くのクンブレスというところに　裕福な男がいた。
多くの収穫をもたらす農地と　たくさんの家畜　そして愛する息子がいた。
男は息子を　牛の世話に向かわせた。
すると息子は一日に何度も悪魔にとりつかれ　多い時は七度もとりつかれた。
そしてあまりに激しくとりつかれたため　のたうちまわり　とうとう死んでしまった。
家族や親戚が悲しみに暮れていると　息子の兄弟が言った。
生前彼が　罪を赦《ゆる》してもらうため　テレナへ巡礼に行くと誓っていたと言うのだ。
兄弟は死者の代わりに巡礼へ行くことを申し出た。
そして　もしも聖母が死んだ兄弟の罪を赦してくださったなら

十頭の豚を捧げます　と約束した。
するとたちまち　死んだ息子が生き返った。
翌日　二人はテレナへ向けて出発した。
そしてテレナに到着すると　約束した通り　供物を捧げた。
そしてこの偉大な奇跡を報告したのである。」（英語抄訳より訳出）

ここでも、奇跡を起こしたのはテレナの聖母マリアである。

錯乱した精神状態が、悪魔に帰されている点に要注目だ。しかもその原因として、罪の存在がほのめかされている。だからこそ、聖母への祈禱がよりいっそう効力を持つ、という構造だ。

おもしろいことに、治癒系の歌は、捧げもので終わるケースが多い。足の萎えた男はサラスで四五〇グラムの蠟燭を捧げたし、テレナで治癒した少女の両親は「できる限りのもの」を捧げた。悪魔祓いされて生還した少年の家族は、豚十頭を捧げた。

これは、「ただただ賞賛系」や「勧善懲悪系」、「領土防衛系」には見られなかった特徴である。表現は悪いが、治療費の支払い、といった印象を受ける。

祈禱者の経済状況によって、捧げものの種類に幅がある点は良心的だ。富める者は豪勢に、貧しい者は心ばかり、でかまわないのである。

私はこういう側面を非常に興味深く思う。

カンティガはもちろん、聖母を賞賛する歌集なのだが、同時に、前述したように、ほとんどガイドブックのように、具体的で詳細な情報を伝えている。北部に住んでいるなら、モンセラートに行くがよい（余談だが、イエズス会創始者のイグナチオ・デ・ロヨラは、モンセラートに巡礼して回心した）。レオンの者はビジャシルガへ行くがよかろう。アストゥリアの者はサラスが近いぞ。精神に不調をきたした者や、ポルトガルに近い者にはテレナがオススメだ。アンダルシアの者は、なんといっても「聖母マリアの港」がよかろう。とりわけ大きな罪を抱えているなら、サンティアゴ・デ・コンポステラへ……と、聴く者がどこへ巡礼すれば最適なのか、具体的な情報を提供する。

さらに治療費……否、捧げものの相場まで示している。なかなかに実用的なのである。

それにしても、悪魔祓いのお礼が豚十頭というのが、おもしろくもあり、微妙にひっかかる。美味なハムを産出するスペインらしいエピソードのようでもあるし、豚肉をけっして口にしないモーロやユダヤ人ではない、という強調表現のようにも思える。

ホスピタル騎士団の歌

さて、もう一曲、俄然興味を惹かれたのは、ホスピタル騎士団の修道士の歌だ。洗礼者ヨハネを守護聖人とするために、聖ヨハネ騎士修道会とも呼ばれたこの騎士修道会は、十一世紀末にエルサレムで誕生した。前述のテンプル騎士団、そしてドイツ騎士団（またはチュートン騎士団）とともに、中世ヨーロッパの三大騎士修道会の一つだ。

ホスピタルとテンプルといえば、なんと言っても十字軍である。ホスピタルという名の通り、もともとは聖地巡礼の途上で病気になったり負傷したりした人たちの看護と施療《せりょう》を行う目的で結成された。絵画や映画、またはゲームなどにおける三騎士修道会の見分け方は比較的たやすい。テンプルが白地に赤十字、ホスピタルが黒地に白十字、そしてドイツは白地に黒十字がトレードマークだ。

組織力と豊富な資金が仇《あだ》となって目をつけられ、フランスの「美王」フィリップ四世に壊滅させられたテンプル騎士団とは異なり、ホスピタル騎士団とドイツ騎士団は、いまも生き残っている。前者はシチリアの南のマルタで、そして後者はウィーンで。

十字軍国家の消滅によってロードス島へ拠点を移したホスピタル騎士団は、その後は地中海でオスマンを相手に異教徒との戦いを続けることになる。そしてロードス島から彼らを駆逐したのは、千年帝都コンスタンティノープルを陥落させた、あの、メフメト二世である。

ともあれ、早速、歌の内容を見てみよう。

「気がふれたホスピタル騎士団の修道士」（カンティガ二七五番）

「モウラの修道院で暮らしていたホスピタル騎士団の修道士二人が　気がふれてしまった。

二人は錯乱し　互いに激しく引っかきあうので　誰にも止められなかった。

人々は彼らを強い縄でしっかり縛り　聖母マリアが治してくださることを願い　彼らをテレナに連れて行った。

二人は犬のように噛みつくので　連れて行くのも容易ではなかった。

そしてようやく彼らはグアディアナ川を渡り　ポルトガルに入った。

一人目の修道士は丘の上にたどり着くと　谷に寄り添うようにして広がるテレナの町を見た。
彼は人々に縄をほどくよう頼み　そして言った。
『聖母マリアを見たら　病が治った』と。
そして水を飲ませてほしいと頼んだ。
もう一人の修道士も　教会の姿が目に入るや否やまったく同じことを言った。
彼も病が治り　やはり泉の水を飲みたがった。
二人は水を飲み終えると　巡礼するため　ただちにテレナへ向かった。
そしてそれぞれ　聖母マリアの祭壇に供物を捧げ長い蠟燭を灯した。」（英語抄訳より訳出）

実に興味深い。

彼らが暮らす修道院のあったモウラは、前述したテレナと同様、カスティーリャとの境界に近い、現ポルトガル南東部のアレンテージョ地方にある。山深いところだ。テレナまでの直線距離はさほどでもないが、旅路は山あり谷ありで、しかも縄で縛られた状態ならば、さぞ厳しい道のりだったと思われる。

ホスピタル騎士団の歌の細密画。縄でつながれたようすがよく出ている

「激しく引っかきあう」「犬のように噛みつく」という症状からは、狂犬病が連想される。また狂犬病に感染した人は、極度に水を恐れるようになるといわれた。正気に戻った二人が、いずれも水を欲しがったという点も、狂犬病の婉曲表現に映る。

狂犬病は人畜共通感染症のひとつで、犬のみならず野生動物との接触で感染する。日本では一九五七年以降、発生は見られないというが（外国で噛まれ、帰国後に発症・死亡したケースはある）、発症するとほぼ一〇〇パーセント死に至るという、恐ろしい感染症である。

若い人には想像もつかないだろうが、一九六六年生まれの私にとって、狂犬病は大変リアルな恐怖だった。狂犬病ウィルスを持った野良犬に噛まれたら「気がふれて、最後は死ぬ」と教えられたものだ。いま思えばそれは、狂犬病撲滅《ぼくめつ》の途上で流布された都市伝説の類《たぐい》だったのかもしれないが、子どもにとってその恐怖はかなりのインパクトがあった。「オバケのQ太郎」が異様なほど犬を怖がったことも、狂犬病に対するえもいわれぬ恐れがあったからこそ、共感できた。

ある日、私は近所で大きな犬に追いかけられ、歩道橋上に逃げたのだが、それでも犬が追いかけてきて追いつかれそうになり、「今日、ここで死ぬのか」という恐怖を味わったことがある。幸い飼い主が追いついて捕まえてくれ、噛まれることはなかった（その犬にしても、ただじゃれたかっただけかもしれない）が、その時恐れたのは、噛まれて生じる痛みではなく、狂犬病だった。ケガは治るが、狂犬病は死に至るのだから。私はいまでも、その歩道橋をけっして渡らない。

それから月日は流れ、狂犬病の存在などとうに忘れ去っていた頃、再びその恐怖がよみがえる出来事が起きた。一九九八年に香港の郊外で、とうとう野良犬にふくらはぎを噛まれたのだ。滅多なことでは病院に行かない私も、この時ばかりは迷わず香港島の大病院に直行し、注射を打ってもらった。潜伏期間が比較的長い狂犬病の症状がいつ出るやもしれないと、気が気ではなかった。日本に帰国してしばらくたっても、ふくらはぎに犬の歯形が残っていた。

それから七年たった二〇〇五年、今度は中国・重慶の人里離れた場所で、十頭くらいの野良犬に取り囲まれた。襲われたら、今度はふくらはぎ程度では済まないだろう。「救命！　救命！」と叫び続けたら、近くに住む男性がかけつけてくれ、事なきを得た。

狂犬病に対する恐怖が刷りこまれた私には、だからこそこの歌は、十分共感できるものなのである。

それはさておき、同じ錯乱でも、歌によって、原因が悪魔と狂犬病に使い分けられていることが興味深い。

前述の悪魔祓いされた少年は、牛の世話をするため野原へ行く機会が多く、そこで錯乱した。現代に身を置く私がその光景を想像しても、悪魔だか幽霊だか精霊だかは知らないが、何かにとりつかれやすそうなシチュエーションではある。しかし同時に彼は、野生動物との接触も多かった。どちらかといえば、この少年のほうが狂犬病の可能性を疑ってもよさそうだが、彼の場合は「悪魔」が原因とされ、「罪のゆるし」によって生還を果たした。

ところが今回錯乱したのは、修道院に暮らす二人の修道士である。すでに俗世を捨てて神に人生を捧げた人たちで、しかもよりによって、キリスト教界に多大な貢献をしている騎士修道会のメンバーだ。もしかしたら、十字軍参加組だったかもしれない。すると罪は贖宥《しょくゆう》されたはずで、原因を

「悪魔」と「罪」にするわけにはいかなくなる。

彼らに罪のない錯乱……では狂犬病ということにしよう、といった印象操作を想像せざるを得ないのである。

あるいは、こんな深読みもしたくなる。二人の症状は狂犬病ではなく、十字軍に従軍してあまりに多くの人の死に立ち会った、あるいは異教徒を殺したことによるＰＴＳＤ（心的外傷後ストレス障害）だったのかもしれない、と。

第15話　殺されたユダヤ人の子ども（カンティガ四番）

もう一つの「治癒・よみがえり系」

前章では、『聖母マリアの頌歌集』（通称カンティガ）に「治癒・よみがえり系」の歌が非常に多いことについて考察した。ある場所で聖母マリアによって奇跡が起こされるとそこが巡礼対象地となり、そこで起こされた奇跡がさらなる歌になるという、歌と巡礼熱に相関関係があることがうかがえた。

またこの系列には、肉体的な傷病のみならず、精神の不調やとりつかれ事象も少なくないことに触れた。それで穏やかにこのテーマを終わろうと思っていたのだが、その中で穏やかでない一曲を見つけてしまった。

これをスルーして前に進むわけにはいかないので、ここに紹介したい。オクスフォード大学の「カンティガ・データベース」の、英語抄訳から訳出する。

「悪魔にとりつかれた男　サラスで悪魔祓いされる」（カンティガ一〇九番）

「ある男を苦しめるため、五人の悪魔が彼にとりついた。
男はサラスへ向かった。
悪魔たちは邪魔して旅をやめさせようとした。
それを見た二人のフランシスコ会修道士が、彼を教会に連れていった。
悪魔たちは不平をこぼした。
聖母が男を解放してしまうからだ。
するとあるユダヤ人が悪魔に尋ねた。
『なぜ悪魔はユダヤ人にとりつかないのか？』
悪魔の一人が答えた。
『我らがユダヤ人に危害を加えないのは、ユダヤ人が悪魔に仕える仲間だからだ』
それを聞いたユダヤ人は恐ろしくなり、一目散にその場から逃げた。
すると悪魔は、男から離れた。
男が救われたことに、みなの者が聖母マリアを称賛した。」

短い歌だが、ユダヤ人と悪魔を関連づける発想が存分に発揮されている。

とても気は重いが、私はこれから、カンティガのダークサイドを直視しなければならない。

モーロの描き方

カンティガを編纂させたのは、キリスト教徒、イスラーム教徒、ユダヤ教徒という、三つの「啓典の民」の王と呼ばれることを好み、文化事業や翻訳事業に力を注いだカスティーリャ王、「賢王」アルフォンソ十世である。

そもそも私がこの歌集に惹かれた理由は、三教徒の共生にあった。

日本のキリシタン時代に興味を抱いてリュートを弾き始め、リュートをきっかけに、関心は日本にキリスト教が伝わる前のヨーロッパへ飛び火した。それは現実世界ではちょうど、過激な聖戦思想に染まったイスラーム教徒によるテロがヨーロッパ各地で起き始めた頃のことだった。

三教徒が平和裏に共存することは、いまの時代では不可能になりつつあるのだろうか。そう思えば思うほど、三教徒が共生——少なくとも混住——した、レコンキスタ完了前のイベリア半島を理想化したい気分は強くなった。ミュージシャンの中にもその思いを共有する人が少なくないからこそ、スペインで「三つの文化」をテーマにしたコンサートがウケたり、モロッコやトルコのミュージシャンとジョイントしたりする、一種の古楽ブームが起きているのだろう。

しかしそんなお花畑気分は、少なくとも私の場合、そう長くは続かなかった。不穏な気持ちは、通奏低音のように、ずっと底のほうで鳴り響いていた。まず気づいたのは、取り上げられる頻度の高いものが一定の曲に集中していることだった。

四百曲以上もあるのに、なぜ公の場で演奏される曲は固定化しているのか。何かが隠されているように、漠然と思えた。それは、「三教徒の共生」の賞賛にとっては不都合な何かではないのか、と考えるのは自然な成り行きだった。

その不都合な何かの一つが、この歌集におけるモーロの取り扱いである。

パリにニース、ロンドン、ブリュッセル、ベルリン、そしてバルセロナ……と、西ヨーロッパ各地でイスラーム過激主義者のローンウルフによるテロが散発するいまの西ヨーロッパで、反イスラーム的な内容を含んだ曲を演奏することには、かなりのリスクが想定される。それらを演奏しない理由は、少なくとも理解できる。

カンティガにおけるモーロの描き方について、いま一度振り返っておこう。

イスラーム教徒にまつわる歌の多くは「領土防衛系」、つまり歌の舞台がカスティーリャであれビザンツ帝国であれ、キリスト教徒の土地がイスラーム教徒によって包囲、あるいは攻撃され、聖母マリアによって守られる、という設定が多い。

ちなみに、長い時代と広い地域をカバーするカンティガでは、それが隣町に住むイスラーム教徒であろうと、ビザンツ帝国を苦しめたアラブ人であろうと、オリエントで頭角を現し始めたテュルク人であろうと、モロッコのベルベル人であろうと、ざっくり「モーロ」と表現する。

二八番「コンスタンティノープル包囲」では、モーロの軍団が聖母マリアと諸聖人によって蹴散らされ、敗北したウマイヤ朝の敵将マスラマが単身でテオドシウスの城壁をくぐって城内に入り、教会で、のちに聖人となる総主教ゲルマヌスから洗礼を受ける、という結末だった。

二六四番「コンスタンティノープルを守った聖母のイコン」では、海から攻撃してきたモーロの艦隊が聖母のイコンによって撃退された。イコンにも効力はあっただろうが、史実としてはビザンツの秘密大量破壊兵器「ギリシアの火」の威力が破格だったようだ。生き残った者は、すごすごとエジプト方面へ戻っていった。

二六五番「右手を斬られたダマスコの聖イオアン」は、シリアのダマスカスに住むキリスト教徒のアラブ人にして、のちの聖人、イオアンが主人公。文章の名手イオアンは、讒言《ざんげん》に遭《あ》ってモーロの皇帝から右手を斬られるが、聖母マリアが起こした奇跡によって右手を取り戻す。彼を陥れたモーロたちに懲罰は下らなかった。

三二八番「聖母マリアの港」は、カンティガを編纂させた「賢王」アルフォンソ十世自身が主人公だった。ヘレスでレコンキスタ中の賢王のもとに、モーロの司令官がやってきて、自分が統治する港をキリスト教徒たちが「聖母マリアの港」と呼ぶことに不満を訴える。そしてなんと、港をタダで明け渡してくれたという、キリスト教徒にとってはなんともおいしい結末だった。

さらに一八一番「マラケシュを救った聖母の御旗」では、聖母が異教徒であるマリーン朝のスルタンまで救ってくれた。

これらの「領土防衛系」では、「獰猛《どうもう》な異教徒」「うす汚いヒゲ」「ペテン師マホメット」などといった、モーロに対する不敬な言葉が頻出するものの、描写はさほど過激ではなく、結末が思いのほかマイルドな点が興味深い。キリスト教徒の領土を守る、あるいは拡張することさえできれば、モーロが何を信じようが知ったことではない、という空気が流れているのだ。イスラーム教徒は領土問題で時には激突する、近くの他者、という扱いであるといえよう。

「殺されたユダヤ人の子ども」

本題に戻ろう。

以上のように、モーロに対しては一枚岩ではない描き方をするカンティガであるが、その一方でユダヤ人は、悪魔と並列に描写されている。カンティガが隠したい、最も濃い陰は、この歌集に内包された反ユダヤ主義ではないだろうか、という予感がした。

そんな予測を立て、ユダヤ人の登場する曲を片っ端から探してみた。出てくる、出てくる……三十曲近くもあった。全体の約七パーセントである。ともあれ早速、細密画を追いながら歌詞の内容を見てみることにしよう。

「殺されたユダヤ人の子ども」(カンティガ四番)

「これは、父親からかまどに押しこまれたユダヤ人の男の子を、聖母が炎から守られた歌である。

ダニエルをライオンから守られた聖母は、イスラエルの子どもを炎から守られた。

ブールジュ(フランス)にユダヤ人のガラス職人がいた。

彼の息子——たった一人の子どもだった——は学校でキリスト教徒と机を並べてともに学び、そのことは父親サムエルを嘆き悲しませた。」

大きなかまどがある室内で、ユダヤ人の子どもが両親に何かを訴えている

かまどがある家の中で、父、母、男児が会話をしている。男児が何かを懇願し、父親はそれを制止しているようだ。父親だけ、デフォルメされた鉤鼻《かぎばな》をしている。かまどの火はついているが、蓋は閉められている。

冒頭で言及される「ダニエル」と「ライオン」は、絵画の題材としても好まれた（その代表例がルーベンスの作品）旧約聖書「ダニエル書」の有名な逸話、「獅子の穴の中のダニエル」であろう。

舞台はユダヤ王国が滅亡したあとのバビロン。「ダリヨス王以外に如何なる神にも人間にも祈ってはならない」という法に背き、神に祈ったユダヤの知者ダニエルは、王の命令によって獅子の棲む穴に投げこまれる。しかし獅子たちはダニエルを襲わず、何の危害も加えなかった。感銘を受けた王が、ダニエルを讒言した者たちを妻子もろとも獅子の穴に投げこんだところ、穴の底に到達しないうちに獅子が飛びかかり、その骨までも噛み砕いた、という逸話だ。

ちなみに歌詞に登場する父親の名「サムエル」はユダヤ人に多い名前で、その出典も旧約聖書である。「士師記《ししき》」で語られるユダヤの「士師」（預言者かつ政治的民族指導者）がサムエルだ。ユダヤ人を題材にする際、本来彼らの啓典である旧約聖書を引き合いに出すのは、「これからユダヤ人の話をしますよ」という、暗黙のお約束、あるいは一種のコードのようなものなのだろう。ツッコミを入れさせてもらうと、神がダニエルを守ったのは、聖母マリアがこの世に誕生する六百年も前の話。どうがんばっても、聖母がダニエルを救うことは物理的に不可能だった。

「息子は一生懸命勉強し、聞くことすべてを学ぶことに大きな喜びを感じた。
それが故に学校の子どもたちから気に入られ、彼らの集団から受け入れられていた。」

赤いベールを頭からかぶった女性が書物を読み、彼女を囲む子どもたちが一心に耳を傾けている。この絵からは、どれがユダヤ人の子どもかは読み取れない。それほどユダヤ人の男児はキリスト教徒の中に溶けこんでいる。

「さて、ここで、復活祭にその男の子に起きたことについて述べようぞ。
その子が教会に入ると、祭壇の前で総主教が、聖餅《せいへい》と、美しい聖杯からぶどう酒を、子どもたちに授けているところだった。
小さなユダヤ人は喜んだ。

息子のイマニュエルを腕に抱いた、まばゆいばかりの聖母マリアが、祭壇から彼らに秘跡を授けているように見えたからである。

その光景を目にした男の子は居ても立ってもいられなくなり、自分も授けてもらおうと、列に並んだ。

すると聖母が祭壇から手を伸ばし、彼に聖餅を授けた。

その聖餅の、蜜のように甘かったことよ！」


幼子イエスを抱いた聖母がおわす祭壇の前で、主教が列に並んだ子どもたちに聖餅とぶどう酒を授けている。ところが一人の男の子だけ、祭壇の聖母から直接、聖餅を受けているのだ。この子がユダヤ人の子であろう。

司祭からキリストの肉体（聖餅）と血（ぶどう酒）を授けてもらう「聖体拝領」は、キリストと一心同体になることを意味する、カトリック教徒にとって極めて重要な儀式である。それをすすんで受けたユダヤ人の男の子は、洗礼をまだ受けていなくとも、すでにキリスト教徒となる準備ができている。この場面は「改宗」の暗喩であろう。


「聖体拝領のあと、男の子は教会から、いつものように父親のいる家に帰った。

父親が息子に『何をしたのか』と尋ねると、男の子は言った。

『台座の上にいらした女性が、聖餅を授けてくださいました』

それを聞いた父親は烈火のごとく怒り出した。

そして息子を掴み、炎の燃えさかるかまどの中に押しこんで蓋を閉めた。

冷酷な裏切り者がするような、なんと恐ろしいことを！」

ユダヤ人の子どもは、父親に火のついたかまどに押しこまれる……

腰を曲げ、まるでピザをかまどに入れるかのごとく、平然と息子をかまどに押しこむ父、サムエル。その背後では、妻と思われる女性ともうひとりの女性が、仰天して泣き叫んでいる。男の子の小さな体は、かまどの中で、すでに炎に包まれている。


「息子を心から愛する母親のラケルは、息子がかまどの中で焼かれていることを知り、悲鳴をあげて嘆き悲しみ、通りに飛び出した。

ラケルの嘆きを聞きつけた人々が集まってきた。

そして嘆きの理由を知り、ただちにかまどへ向かい、蓋を開けた。」


ここで、息子を心から愛するユダヤ人の母親の名前が「ラケル」と判明する。ラケルも旧約聖書の超有名人物で、アブラハムの息子イサク、の息子ヤコブ、の二番目の妻だ。

「するとなんということだ、男の子は無傷でそこにいた。聖母の御子、すなわち神が、ハナニヤ、アザリヤ、そしてミシャエルを救われたように、聖母が男の子を救われたのである。」

ハナニヤ、アザリヤ、そしてミシャエルは、獅子の穴に投げこまれても無事だったダニエルの同僚で、ネブカデネザル王に仕えた、同じくユダヤの知者である。王の侍衛長が奸計《かんけい》を謀《はか》って彼らをなきものにしようとするが、ダニエルが王の見た夢の謎解きをしたことで危機から逃れることができた。

ここでもツッコミを入れずにはいられない。ユダヤの知者を救ったのは、ユダヤ人が信じる唯一神だった。しかし父・精霊・子の三位一体《さんみ》を唱えるカトリックでは、「聖母の御子」キリストが「神」とは切り離せない。するとユダヤの知者三人を救ったのは「聖母の御子、すなわち神」という表現が成立してしまう。個人的にはとても違和感が残る表現だ。

「喜びいさんだ彼らは、男の子をかまどの中から助け出し、痛いところはないかと尋ねた。『痛みはありません。祭壇の上で美しい御子を抱いておられた淑女が、炎から守ってくださったのです』

この偉大な奇跡を目《ま》のあたりにしたユダヤ女はそれを信じ、男の子は言うまでもなく、ただちに洗礼を受けた。」

かまどの中にイエスを抱いた聖母マリアが座り、傷ひとつない男の子を母親に引き渡す。腰を低く曲げ、喜びながら男の子を迎える母親と、後ろで何かをひそひそと話し合っている、駆けつけたキリスト教徒の女性たち。

ここで興味深いのは、男の子の体の大きさが一回り小さくなり、聖母が抱く幼子イエスほどの大きさに描かれていることだ。キリスト教徒として生まれ変わった、という暗喩であろう。

ここで終わればハッピーエンドなのだが、そう簡単には終わらない。

「常軌を逸して悪魔のような行いをした父親は、死を与えられた。

ちょうど、彼が息子アベルを殺そうとした時と同じ方法で。」（スペイン語訳より訳出）

最後に、殺されて生まれ変わったユダヤ人男児の名前が「アベル」であることが判明する。旧約聖書で最初に起きる殺人事件として有名な兄弟、「カインとアベル」を誰もが思い出すだろう。弟アベルは、神に愛されたがために、兄カインから妬《ねた》まれ、殺されてしまう。アベルが登場したら、「愛され、妬まれ、殺される」のコードである。

さて、歌詞ではユダヤ人の父親サムエルが「同じ方法」で「死を与えられた」と、比較的婉曲な表現に終始している。誰に「死」を与えられたのかまでは、歌詞ではわからない。しかし絵は、その恐ろしい結末を詳細に物語る。

鉤鼻をした父親がかまどの中に押しこまれ、炎に包まれている。

誰に？　一つ前の絵で、後ろで何かを話し合っていたキリスト教徒の女性たちに。

彼女たちが槍と十手《じって》を構え、サムエルをかまどに押しこんでいるのだ。

自らすすんでキリスト教に改宗したユダヤ人は救われ、キリスト教を汚し、頑迷《がんめい》に受け入れないユダヤ人には死という懲罰が待ち受けている、という強烈なメッセージを感じる。

深いため息が出た。

ノートル・ダムの奇跡

中世ヨーロッパで広く流布した反ユダヤ主義的モチーフの典型といえば、聖餅を汚す、儀式殺人を犯す、井戸に毒を入れる、などが有名だ。この歌は「聖餅の冒瀆《ぼうとく》」の一例といえるだろう。

レオン・ポリアコフの『反ユダヤ主義の歴史』（菅野賢治訳、筑摩書房、二〇〇五年）第一巻「キリストから宮廷ユダヤ人まで」の中にこんな記述がある。

「十二世紀のフランスとドイツで、それまでの限られた聖職者層ではなく、より広く一般の読者層に向けられた俗語表現による民族色の濃い文学が登場する。（中略）たとえば、多くの「奇跡劇」（miracle）がユダヤ教徒の改宗という主題を扱っているが、当然のことながら、改宗に応じない頑ななユダヤ人は激しい憎悪の対象として描き出されることとなる。」

そしてポリアコフはその一例として、フランスの主教であり詩人、作曲者でもあったゴーティエ・ド・コワンシー（一一七七～一二三六）作の『ノートル・ダムの奇跡』を挙げる。

「ユダヤ人たちすべてのなかにあっても
賢く、また見目の良い、その子は
キリスト教徒の子らに愛想をふりまき
彼らにまじって、先になり後になりして遊んでいた
このユダヤの子がいない時は、何をして遊ぼうかと迷うほどであった

このユダヤ人の子は、父親の不満をよそにキリスト教徒の子らと一緒になって遊んでいる。父親はブールジュのガラス職人である」

これは……カンティガ四番の内容と酷似しているではないか。「賢王」アルフォンソ十世は一二二一年生まれなので、コワンシーの晩年がかぶるくらい。大枠では同時代と見なせる。

「そのほかにも、ゴーティエ・ド・コワンシーの作品には、十二世紀末のユダヤ人たちの社会環境や彼らとキリスト教徒たちの関係を考える上で手がかりとなる細かな指標が数多く鏤められている。」

ノートル・ダムは訳せば「我らが淑女」で、聖母マリアを意味する。つまり『ノートル・ダムの奇跡』はカンティガと同じく、まさに聖母の奇跡集なのだ。フランスでもカスティーリャでも、十三世紀に前後して、聖母マリアの奇跡を称揚する歌集を作っていたわけである。十二〜十三世紀のヨーロッパで、すでに反ユダヤ主義的モチーフが広く知れ渡っていたことがうかがえる。

引き続きこのテーマを注視することにしよう。

第16話　ユダヤ人に汚されたキリストの像（カンティガ一二番）

前章では、カンティガに反ユダヤ主義的な内容を含む歌が含まれていることに触れた。英オクスフォード大学の「カンティガ・データベース」に基づけば、何らかの形でユダヤ人について言及のある歌は三十曲近くで、全体の約七パーセントにあたる。

これを多いと感じるか、少ないと感じるかは個人差があるだろうが、私自身は多いと感じる。というのも、リュートで弾ける曲を探してカンティガを手当たり次第に聴きあさっていた初期の段階で、すでに反ユダヤの歌の存在に気づいたからだ。

これから細かく見ていくつもりだが、その前に、カンティガの構成について見渡しておきたい。

カンティガは「賢王」アルフォンソ十世治世期間の終盤、一二七〇～八二年頃に編纂《へんさん》されたといわれる。主な作曲者は、当時カスティーリャ宮廷に出入りしていたアイラス・ヌーネス（一二三〇頃～九三）という吟遊詩人である。

何百年も前のことを知ろうとする時、後世の人間が陥りがちなのは、その時代を現在の感覚から判断してしまうことだろう。

後世の人間は、レコンキスタが完了するまでに、あと二百年かかることを知っている。それとほぼ同時に、ユダヤ人がスペインから追放されたことも。それに先立ち、ビザンツ帝国が滅亡したことも。そしてディアスポラの身となったスペインのユダヤ人たちの多くを受け入れたのが、皮肉なことにビザンツ帝国にとどめを刺した、オスマン帝国であったことも。

しかし渦中で生きていた人々は、そんな未来を知らない。ましてカンティガを編纂させた「賢王」は、父のフェルナンド三世、のちの「聖王」があと一歩というところまで進めたレコンキスタ事業を引き継いだ人物だった。

ヘレスも「聖母マリアの港」も奪還し、当初は順調に進むかと思えたレコンキスタだったが、モロッコの政変でグラナダ王国の防衛が強化され、思うように進まない。功を焦り、神聖ローマ皇帝位獲得のロビー活動に精を上げるが、ことごとくうまくいかない。

現実世界で思うように進まない再征服事業を、せめて文学上、あるいは音楽上で成し遂げようとしたのがカンティガなのかもしれない。ともあれ、この歌集がレコンキスタが停滞するさなかに作られたことは、覚えておきたい。

曲の順番から見えてくるもの

四百曲を超えるカンティガがどのような順番で編纂されたのかはわからない。が、来る日も来る日もタイトルのリストを眺めていると、おおまかな構造が見えてくる。

栄えある第一番は、すでに取り上げた「聖母マリアの七つの喜び」だ。「これは聖母マリアを讃える最初の曲である。聖母が御子から授けられた七つの喜びを挙げようぞ」というフレーズから始まるこの曲は、この曲集の全体像と方向性を示す宣言歌、あるいは開幕の挨拶歌といえよう。

「聖母の七つの喜び」は「聖母の七つの悲しみ」とともに、ルネサンスやバロック期の音楽や美術でも頻出するテーマ。スペイン各地の教会に行くと、このどちらか、あるいは両方の立体レリーフをよく見かける。この時代、庶民が自分の日常言語で読むことのできる聖書は、まだ存在していない。彼らは教会に行き、立体像や聖画を見、司祭の説教や音楽を聴き、体のあらゆるチャンネルを駆使してキリスト教の世界観を体感していたことを、いま一度思い出す。

続いて二番は「トレドの聖イルデフォンソス」。トレドの守護聖人である聖イルデフォンソスは、スペインを代表する聖人の一人で、イベリア半島にイスラーム（彼らの表現ではモーロ）が侵入する七一一年より前の、西ゴート王国時代に生きた人物である。この曲は、イスラーム侵入以前から連綿と続くキリスト教の歴史を思い出せ、という呼びかけに思える。

ここで私は、いつ終わるかわからない長期連載を遂行する時の心性を重ね合わせてみる。まずは冒頭で、「こんなグランド・デザインを考えている」という宣言を行うだろう。一番、二番はまさに、起承転結の「起」に当たる。これを仮にカンティガの（一）とする。

それからカンティガは具体的な内容に入っていく。これも連載を想像してみるならば、後回しにするうちに途中で打ち切りになったりすると困るので、絶対に忘れてはいけない要素を序盤に盛りこむだろう。これを（二）とする。

それから膨大な量の中盤が展開される。この部分を（三）とすると、ここには「治癒・よみがえり系」や「巡礼系」、「領土防衛系」のほとんどが含まれる。

賢王は歌集の編纂にあたり、「聖母が起こした奇跡譚を各地から集めるように」と号令をかけたに違いない。するとイベリア半島はもとより、ヨーロッパ各地、ビザンツ帝国、北アフリカ、シリア、聖地エルサレムから続々と情報が集まってくる。キリスト教が根づいてすでに長い時間が経過した場所は広域にわたり、私たちがいま漠然と想像する「西洋」の範囲よりはるかに広い。というより、キリスト教と「西洋」を同一視することがそもそも勘違いなのだということを、それらの地名が思い起こさせてくれる。聖母マリアの威光を示すには、範囲は広ければ広いほど、逸話は多ければ多いほど、好ましい。せっかく手元に届いた奇跡譚を取捨選択するのは畏れ多いので、曲数はどんどん膨れ上がっていく。

さらに現在進行中であった、レコンキスタ関連の最新情報もリアルタイムで届けられる。「領土防衛系」で多く登場する地名は、賢王自らが再征服に関わったセビーリャ、ヘレス、そして「聖母マリアの港」だ。特に三〇〇番台には賢王自身にまつわる歌が集中している。四〇〇番台に突入すると、カンティガは突如まとめに入る。編纂を命じた賢王は晩年、王位継承で息子のサンチョと対立し、王位を剝奪されてセビーリャで幽閉された。そんな背景がなんとなくうなずけるように、カンティガも、突然終わる感じなのだ。

連載ならば、多岐にわたった中盤の内容を整理し、いま一度、本来のテーマに立ち戻る段階だ。

この部分を(四)とする。
(四)の四一〇番以降は聖書の内容、そしてそれに基づく重要な祝日のオンパレードになっている。

四一〇番「聖母マリアの祝日への序曲」
四一一番「聖母マリアの生誕(九月八日)」
四一三番「マリアの純潔(十二月十八日)」
四一五番「受胎告知(三月二十五日)」
四一七番「主の奉献(二月二日)」
四一八番「七つの賜物」
四一九番「聖母の被昇天前夜(八月十四日)」
四二〇番「聖母の被昇天のための聖歌(八月十五日)」
四二二番「裁きの日のための連禱」
四二三番「天地創造」
四二四番「主の公現：東方三博士の訪問」
四二五番「キリストの復活：三人のマリア」
四二六番「キリストの昇天」
四二七番「ペンテコステ：精霊降臨の祝日」

十三世紀スペインのキリスト教徒にとって、教会の暦は共同体の結束を強める重要な紐帯《ちゆうたい》だったろう。最後にキリスト教徒の結束を思い起こさせると同時に、実用的な意味合いも強かったのではないだろうか。

カンティガが内包する反ユダヤ主義

前置きが大変長くなった。おおかた構成を見渡したところで、今回のテーマである反ユダヤ主義に戻ろう。

この歌集の中で反ユダヤの内容を含んだ歌はどの部分に多いかというと、(二) なのである。

前章で取り上げた「殺されたユダヤ人の子ども」を振り返ってみる。ブールジュ(フランス)に住むユダヤ人のガラス職人サムエルが、日頃からキリスト教に好感を抱く息子のアベルが聖母マリアから聖餅を授けられたことに逆上し、息子をかまどに押しこんで殺す、という衝撃的な内容だった。テーマは、中世における反ユダヤ主義的表現の典型、「聖餅の冒瀆《ぼうとく》」(host desecration) である。

この歌が四番だった。

これが四番目に配置されている意味を、私は見過ごすことはできない。(一) の開幕、あるいは宣言が終わるや否や、いきなり反ユダヤの歌が登場するのだ。そしてこれが四番だったからこそ、この歌集が内包する反ユダヤ主義に、早く気づくことになった。

つまりこの歌集において反ユダヤ主義は、「絶対に忘れてはいけない要素」ということなのか……。編集意図がそこにあったとしたら、その目論見《もくろみ》は、まったく喜ばしくはないが、成功したことなる。

次に反ユダヤの歌が登場するのは、一曲おいた六番だ。「カンティガ・データベース」によれば、舞台はイングランド。以下は英語抄訳からの訳出である。

「殺された聖歌隊員」（カンティガ六番）

「ある未亡人に、聖母に捧げた息子がいた。

息子は歌を歌うのが大変上手で、なかでもGaude Virgo Maria〈マリア賛歌〉を歌うのが得意だった。

彼が歌うと人々はたいそう喜び、ごほうびに食べ物を与えた。

彼と母親がそれで生活できるように。」


聖母マリアを篤《あつ》く信仰する母子の貧しさが示唆《しさ》されている。少年は歌を歌うことでキリスト教徒の共同体から援助を受けていた。教会付き聖歌隊員のような位置づけだったのかもしれない。聖母マリアを讃えるカンティガに登場する、マリア賛歌を歌う少年。入れ子状態は、まるで現実で起きているかのような効果を醸し出す。

「ある祝日、少年の歌がユダヤ人を惹きつけた。

そのユダヤ人は少年をさらうと、斧で斬り殺し、死体をワイン貯蔵庫に隠してしまった。」

四番と同様、ここでもユダヤ人に殺されるのは少年である。聖母マリアの御子、キリストと重ね合わせるためだろう。死体を隠す場所がワイン貯蔵庫というのも、ぶどう酒、つまりキリストの血を想起させる記号といえよう。

「母親は必死に息子を探していた。
誰かが、ユダヤ人に連れられてどこかへ行った、と言った。
母親は群衆に連れられ、ユダヤ人の家があるほうへ向かった。
するとある家から、少年の美しい歌声が聞こえてきた。
彼がいつも歌っていた、あの、マリア賛歌ではないか。
死体はワイン貯蔵庫の中で埋められたはずなのに。
歌声が流れてきたワイン貯蔵庫に彼らが入ると、死んだはずの少年がいた。
そして、聖なる乙女がよみがえらせてくれたのだと言った。」

殺された少年が聖母マリアの奇跡によってよみがえる。キリストの復活の暗喩であろう。そして「群衆」が不気味だ。ユダヤ人に対峙する際、キリスト教徒は群衆となる。

「群衆はユダヤ人を皆殺しにし、少年を殺したユダヤ人を火の中に投げこんだ。」

キリストを彷彿させる少年を殺したユダヤ人は、四番同様、ここでも火の中に投げこまれる。火で焼かれるのは、明らかに地獄のコードであろう。

四番のテーマは「聖餅の冒瀆」だったが、この六番は同じく反ユダヤ主義的表現の典型、「血の中傷」（blood libel)、あるいは「儀式殺人」（ritual murder）といえる。

構造は驚くほどよく似ている。ユダヤ人が少年を殺す。聖母マリアが少年を復活させる。キリスト教徒の群衆がユダヤ人に復讐する。ユダヤ人は地獄に落ちる。このテーマが、手を変え品を変え、再生産されているという印象を抱く。

「血の中傷」の流布

ユダヤ人は「過ぎ越しの祭り」（エジプトの地で奴隷になっていたイスラエルの民が、モーセの先導でパレスチナの地に脱出したことを祝う日）の際、雄の仔羊を屠殺《とさつ》し、その血を戸柱に塗る。キリスト教徒にとって、犠牲の仔羊といえば、キリストである。キリスト教の復活祭の時期になるとユダヤ人がキリスト教徒の男児を殺し、その血や心臓を抜き、血を種なしパンに混ぜる。そうしてキリストの殺害を何度でも反復し、キリスト教徒を愚弄《ぐろう》する——この風説が、反ユダヤ的表現の典型、「血の中傷」のベースにある。

ディテールは異なるが、六番の歌のひな形と見なせる事件が一一四一年、イングランドのノーウイッチで起きた。中世最初の「儀式殺人」と見なされた、いわゆる「ウィリアム少年殺人事件」である。

十二歳のウィリアムは革なめし職人の見習いだった。革なめしは、中世ヨーロッパでユダヤ人が就くことの多い職業だった。彼は日頃からユダヤ人と接触する機会の多い少年だったのである。

そのウィリアムが行方不明になり、後日、遺体がノーウィッチ郊外の林で発見された。上着と靴だけを身に着けた状態で、体は刺し傷だらけだったとか。するとどこからともなく、少年はキリストの受難を愚弄してやろうというユダヤ人たちによって殺されたのだ、という風説が広まった。当局が証拠不十分として否定したにもかかわらず。

その後ウィリアムは地元の人々から「聖ウィリアム」と呼ばれて聖人として扱われるようになり（ローマ教皇庁による公式な聖人認定は受けていない）、遺体が埋葬された教会を巡礼者が訪れるようになった。まるで、異教徒（この場合はユダヤ教徒）から迫害を受け、命を懸けて信仰を貫いた殉教者の扱いである。

「ホロコースト・エンサイクロペディア」のサイトによれば、その後も各地で同様の事件が起きている。一一四七年にヴュルツブルク（独）、一一五〇年にケルン（独）、一一六八年にグローセスター（英）、一一七一年にブロワ（仏）、一一八一年にブリー（英）、一一八二年にサラゴサ（西）、一一八三年にブリストル（英）で。半世紀たって再び一二三五年にフルダ（独）、一二五五年にリンカーン（英）、一二八六年にミュンヘン（独）で。

なかでもイングランドで殺された男児たちは、ウィリアムと同様、「グローセスターの聖ハロルド」、「ブリーの聖エドモンド」、「リンカーンの小さな聖ヒュー」として、聖人扱いを受けた。

こうした偏見に満ちた反ユダヤ主義的言説が、マイナーチェンジを繰り返しながら各地で再生産され、キリスト教徒の脳裏に深く刻みこまれていく。犠牲となったいたいけな男児たちは聖人扱いを受け、埋葬地は聖地とみなされ、巡礼者が訪れる。巡礼者は移動しながら、その言説をヨーロッパ各地へ伝播《でんぱ》していく。

そして、どこかの地でまた男児の遺体が発見される。民衆は叫ぶ。

「ユダヤ人の仕業に違いない！」

カンティガの六番は、そんな時空間の広がりを想像させる、恐ろしい歌である。

なぜこのタイミングで、まるで金太郎飴のようにステレオタイプな反ユダヤ主義的言説が、英仏独で同時発生したのだろう。思いつく理由はただ一つ、十字軍だ。

宗教的情熱にかられて聖地を目指した民衆十字軍が、エルサレムへの途上で各地のユダヤ人を虐殺したことはつとに知られている。ルーアン（仏）の十字軍参加者たちは、いみじくもこう言ってのけたという。

「われわれはオリエントにいる神の敵どもを打ち負かしに行きたいと願いつつ、日々、間近にほかのいかなる種族にもまして神の敵とみなされるべき種族、ユダヤ人どもの姿を目にしている。これではすべてが本末転倒である。」（前掲、『反ユダヤ主義の歴史』第一巻）

特に多くの犠牲者を出したのはライン地方のユダヤ人共同体だった。ケルンでは、最初の大規模なユダヤ人虐殺が一〇九六年に起きている。教皇ウルバヌス二世が十字軍を呼びかけた、かの有名な演説から、わずか半年足らずの出来事だった。

「民衆十字軍は、王侯の正規軍の出発に数カ月先がけて、一〇九六年の春にエルサレムに向かった。陸路で東方に向かう途上、この十字軍は、シュパイアーやヴォルムス、マインツ、ケルン、トリールといったライン地方の拡張を遂げつつある諸都市で、殷賑をきわめたユダヤ人共同体と遭遇した。ヨハン司教が大惨事を回避せしめたシュパイアーを除いて、これらすべての都市でユダヤ人への受洗の強要、殺害や略奪といった恐るべき事件がおこった。この未曾有の襲撃に対するユダヤ人の反応は、多くの場合は集団自殺であった。いかなる事情があろうとも、彼らは十字軍の手にかからないようにしたのだった。」（エリザベス・ハラム編『十字軍大全──年代記で読むキリスト教とイスラームの対立』川成洋・太田直也・太田美智子訳、東洋書林、二〇〇六年）

ポリアコフは、さらにこう書く。

「この種の告発は、ある社会が混乱の種として忌み嫌われた余所者《よそもの》との対峙を余儀なくされた時、必ずといってよいほど表面化する普遍的な主題、まさに雛形（アーキタイプ）であったということができる。

（中略）こうした憎悪が、十字軍によってかき立てられた情熱を助長するようなかたちで生まれてきたものであることも認めなくてはならないだろう。（中略）この三形態が、その後、さまざまに組み合わせられて無限の変種を生み、今日にいたるユダヤ迫害史の随所に顔をのぞかせることとなった。」

「儀式殺人」の典型

気は重い。しかし続けよう。

カンティガで次に反ユダヤ主義的な内容が登場するのは一二番だ。舞台はカスティーリャのトレド。キリスト教徒、ユダヤ教徒、イスラーム教徒の知識人が多数居住し、共同して古典文化やアラビア語文献の翻訳・研究にあたった「トレドの翻訳グループ」のあった街だ。十三世紀のトレドには千五百人にものぼるユダヤ人が居住し、「スペインのエルサレム」と呼ばれたほどだった。ちなみにここは「賢王」アルフォンソ十世が生まれた街でもある。

「ユダヤ人に汚されたキリストの像」（カンティガ一二番）

「これは八月の祝日に、聖母マリアがトレドで嘆いた歌である。
なぜならユダヤ人たちが、聖なる御子に似せたロウの人形を十字架にかけたからである。
『聖母マリアを最も悲しませること

それは御子が傷つけられること』」

冒頭からいきなりストレートに始まる。この段階ですでに、歌の主題が「儀式殺人」であることが示唆されている。

「いま語って聞かせたいこの奇跡を、天上の皇后はトレドで起こされた。

神が聖母マリア様に王冠を授けた、八月の祝日（聖母被昇天の祝日）に起きたことである。

その日、総主教は荘厳なミサを執り行っていた。

そして秘跡の祈りを唱える段になり、会衆が静まりかえると、どこからか女の人の声が聞こえてきた。

憐みを誘う、沈痛な声だった。

その声は泣きながら訴えた。

『ああ、神よ、ああ、神よ！

わが子を殺したユダヤ人の背信は、なんと大きく、明白なことでしょう。

もともとはわが子の人々であったのに、いまだにわが子との平和を望んでいないのです』」

神の子イエス・キリストを殺したのはユダヤ人である――。

反ユダヤ主義的言説が、はっきりと語られている。しかもその発言をしているのが、キリストを

「わが子」と呼ぶ資格がある唯一の女性、聖母マリアであることに要注目だ。細密画でも、祭壇におわす聖母マリアが話すことに総主教が耳を傾けている。

「ミサが終わると、総主教は教会から外に出て、さきほど聞いた声が言ったことをみなの者に伝えた。

するとと人々はこう答えた。

『邪悪なユダヤ人たちの仕業に違いない！』」

深紅のマントを身にまとったトレド総主教が、左右に集ったキリスト教徒に話をしている。その話に耳を傾けながら、ひそひそ話をする群衆。またもや、群衆である。

「みなの者は、ユダヤ人街へ大急ぎで走っていった。」

ここで場面が切り替わり、細密画はユダヤ人街へ駆けつけるキリスト教徒の群衆を描いている。総主教の話を聞いた会衆には女性の姿が少なくなかったが、ユダヤ人街へと急ぐ群衆はみな男で、ある者は馬に乗り、その他の者は盾《たて》を持ったり鎧《よろい》を身に着けたりと、完全武装である。そして女性たちはベールをかぶって手を合わせ、建物の中から武装軍団を心配そうに眺めている。ユダヤ人との全面戦争、といったものものしさだ。

「そこでみなが目にしたものは――嘘などではないぞ――

ユダヤ人たちがイエス・キリストの像を傷つけようと企み、そのお顔に唾を吐いていた。

さらに彼らユダヤ人は十字架を準備し、イエス・キリストの像を十字架にかけようとしていたのだ。」

大きな刀を持ったキリスト教徒の男たちが、秘密の部屋のドアを開けて中に押し入る。先の尖《とが》ったフードをかぶった鷲鼻《わしばな》の男たちが、「まずいところを見られてしまった」という表情でうろたえている。彼らの中央には柱があり、子ども大のロウの人形が磔《はりつけ》にされている。一人の男はまさに、ロウ人形の頭に茨の冠をかぶせようとしているところだ。ちょうどイエスが、ゴルゴタの丘（あるいはカルヴァリオの丘）で十字架にかけられる際、そうされたように。

「この出来事により、ユダヤ人はみな、死ぬことになった。

彼らの快楽は、喪の悲しみへと転じたのである。」（スペイン語訳より訳出）

ユダヤ人によるキリストの侮辱が「快楽」とは……。四番でユダヤ人の父親、サムエルが殺された時と同様、ここでも歌詞の文言は「死」と曖昧にされている。言葉で語らないことを、細密画が語る。

大きな刀を振りかざしたキリスト教徒がユダヤ人に襲いかかる。一人は首を斬られて頭が落ち、二人は頭を真っ二つに割られている。

「神殺しのユダヤ人」

私はいま、とても動揺している。

一四九二年に「ユダヤ人追放令」が出されるまで、スペインでは三教徒が混住、共生していた。しかも「賢王」は「三教徒の王」と呼ばれることを好み、しかも異文化間交流で繁栄したトレドの出身だった。

もちろんユートピアのような共存だったとは思っていない。様々な軋轢《あつれき》はあっただろう。

しかしそれにしても、カンティガに内包された反ユダヤ主義は想像以上だった。スペインほど異教徒と共存の歴史が長く、慣れていた地域でさえ、キリスト教徒が「神殺しのユダヤ人」という感覚を持ち続けていたことに驚かざるを得ない。

十字架のイエスを思わせるロウ人形の背後で、大きな刀を振りかざし襲い来るキリスト教徒。ユダヤ人は首を斬られて頭が落ち、あるいは頭を真っ二つに割られる

キリスト教徒が結束を強めれば強めるほど、

聖母マリアに熱狂すればするほど、執拗《しつよう》について回る反ユダヤ主義。カンティガもその例外ではない。この事実を知ってしまったら、「中世ヨーロッパの古楽は美しい」などと呑気《のんき》に言ってはいられなくなる。それをスルーして楽しむこともできなくなってしまった。

私が最近リュートの練習をさぼっているのは、それも理由のひとつなのである。

最後に、西ヨーロッパから遠く離れたビザンツ帝国の歌で本章を締めくくることにしよう。舞台はおなじみ、コンスタンティノープル。テーマもおなじみ、イコン。解説は加えないので、歌詞をかみしめてほしい。

「冒瀆《ぼうとく》された聖母のイコン」（カンティガ三四番）

「これは聖画を冒瀆された聖母マリアがユダヤ人に対して下した裁きの歌である。

『聖母を冒瀆した者に悪魔という懲罰《ちょうばつ》が下るのは、まったく正当でふさわしい』

これから、聖母マリアが麗しの街　コンスタンティノープルで起こされた　確かな奇跡を語って聞かせよう

聖母マリアにはむかう者は　風に抵抗する麦わらのようにか弱い

コンスタンティノープルの街路に　板に描かれた聖母のイコンが飾ってあった
それはそれはよく描かれた　百枚もの絵がかかってもかなわないほど美しいイコンだった
ある晩　ユダヤ人がその絵をこっそり盗み　マントの下に隠して持ち去った
そしてイコンを便所の穴に投げこむと　その上に座り　なんと恥ずかしいことに　用を足したのである

すると悪魔が現れて彼を殺し　彼は破滅した

一人のキリスト教徒が　汚臭《おしゅう》で満ちた便所の穴からイコンを発見した
その場所は汚物にまみれていたにもかかわらず　イコンは芳香を放っていた
オリエントの香油や塗り薬のような　なんともいえぬ香《かぐわ》しさであった
そのキリスト教徒は　聖画をそこから取り出すと　ただちに水で洗い　家に持ち帰った
そしてそのイコンをふさわしい場所に掲げ　救済を祈って供え物を捧げた
それらのすべてが終わると　そこで神の母による偉大な奇跡が起こされた
聖油のようなものが　イコンから大量にほとばしり出たのだ
この御業《みわざ》を記憶させるために　聖母がそうされたのである」（スペイン語訳より訳出）

第17話　囚われ人は決して（「獅子心王」リチャード一世）

初めの頃と比べると、ずいぶん遠くへ来てしまった。

当時の気分はよく覚えている。私は二〇一五年十月に『みんな彗星を見ていた』という、日本のキリシタンにまつわる本を上梓した。その執筆を通してヨーロッパの古楽器リュートと出会い、「これでゆっくりリュートを習うことができる」と息巻いていた。そして、自分で弾ける曲を探そうと思ったことが、執筆のきっかけだった。「旅ごころはリュートに乗って」というタイトルにしたのも、そういう理由だった。

当初想定していた時代から、回を重ねるにつれ、ずいぶん遡《さかのぼ》ってしまった。第1話で取り上げたのは十六世紀、ヘンリー八世が治めるイングランドの曲だった。第4話で十四世紀に行き、第7話で十三世紀まで遡ってしまった。

この遡り現象は、私のリュート演奏技術と関係がある。複雑な和音が頻発する曲が弾けないため、単旋律の曲を好む。すると時代を遡るしかなかった。ルネサンス好きの編集者からは「もはやついていけない」と苦情を言われたけれども。

もう一つの意外な理由が、スマートフォンだ。「エジプトはナイルの賜物《たまもの》である」という表現に倣《なら》えば、本書はiPhoneの賜物である。

執筆が始まる三か月前、私は折り畳み式携帯電話から、長らく抵抗していたスマホに乗り換えた。それ自体は別にたいしたことではない。それまでも低速度運用だがタブレットは持っていたし、家のパソコンでインターネットには接続していたから、グーテンベルクの活版印刷発明のような、日常を根底からひっくり返すような激変が起きたわけではなかった。

しかしネットへの常時高速接続が可能な端末を手にしたことは、私の音楽的嗜好に大きな変化をもたらした。

喫茶店で原稿を書きながら、スマホでYouTubeを視聴する。上述したように、複雑な曲が弾けないため、時代を遡って検索し始める。そしてふと気づいてみたら、中世にどっぷり浸《つ》かっていた。これは、人工知能が私の検索履歴から好みや関心対象を解析し、「このユーザーは中世や聖母マリアに関心がある」と判断した結果だろう。人工知能が、私の関心の「飛び火」に拍車をかけたのである。

再び十字軍

YouTubeを自動再生にして適当に聴き流していると、とんでもない掘り出しものが飛びこんでくることがある。聖母マリアを称揚する十三世紀スペインの「カンティガ」に、意外とコンスタンティノープルを舞台にした歌が多いことや、反ユダヤ主義的な歌が少なくないことに気づいたのも、自動再生が原因だった。

ある時、いつものように音楽を聴き流していると、なんともいえず憂いに満ちた美しい曲が流れてきた。単旋律で非常にシンプルな構成にもかかわらず、これ以上何も要素を足す必要のない完璧さ。自分の好みにばっちり合う、しかも弾けそうな曲に出会ったことに、私は小躍りした。

曲名は"Ja nuns hons pris"(囚われ人は決して)。作者はRichard the Lionheartedとある。獅子の心を持ったリチャード……イングランドの「獅子心王」リチャード一世ではないか！

リチャード一世(一一五七~九九)は、獅子心王というあだ名の通り、在位中もほとんど戦争に出ずっぱりだった、勇猛果敢で知られるイングランドの王である。

そして獅子心王といえば、何といっても十字軍だ。彼が参戦した第三回十字軍(一一八九~九二年)は、イスラーム側とキリスト教側のスターが集結した、二百年にわたる十字軍の歴史の中でも特に有名なものである。

イスラーム側の大将は、アイユーブ朝の始祖でタクリート(イラク)生まれのクルド人、サラディン(サラーフッディーン、一一三八~九三)。一方、キリスト教陣営の主役は、ドイツの神聖ローマ皇帝「赤髭帝(バルバロッサ)」フリードリヒ一世、フランスの「尊厳王」フィリップ二世、そしてイングランドの「獅子心王」リチャード一世である。この時期の十字軍国家であるエルサレム王国は、世界的ヒットとなったRPG(ロールプレイングゲーム)の「アサシンクリード」シリーズ(のちに映画も)や、リドリー・スコット監督の『キングダム・オブ・ヘブン』(第三回十字軍直前の時代設定）に描かれているので、関心がある人は見てみるのも一興かと思う。

第三回十字軍の話に入る前に、そこに至るまでの経緯を見ておこう。

ローマ教皇ウルバヌス二世がクレルモンの公会議で呼びかけた、悪名高きアジテーションを発端に、第一回十字軍（一〇九六～九九年）は起こった。キリスト教陣営は、エルサレムはじめ、アンティオキア、トリポリ、アッカ、ベイルート、エデッサといった地中海沿岸都市をまたたく間に制圧し、十字軍国家を打ち立てた。しかし第二回十字軍（一一四七～四九年）によってイスラーム勢力を団結させてしまう結果となり、エルサレム王国はかろうじて存続していたものの、ヨーロッパには焦燥感が広がった。

一方サラディンはエジプト、ダマスカス、アレッポ、モスルを支配下に収め、いよいよエルサレム王国に迫っていた。そして一一八七年、「ヒッティーンの戦い」に勝利し、ようやくエルサレムを奪還したのである。

生涯の大部分を戦闘に過ごしたという「獅子心王」、イングランドのリチャード1世が「囚われ人は決して」の作者だった（メリー＝ジョゼフ・ブロンデル《獅子心王リチャード1世》1841年、ヴェルサイユ宮殿）

真の十字架

聖地エルサレムに加えて、サラディンが奪ったものがもう一つあった。キリスト教徒が崇敬する聖遺物の中で最も重要なものの一つ、「真の十字架（あるいは聖十字架）」である。

それはイエスがゴルゴタの丘で磔《はりつけ》にされた時の十字架と信じられたもので、イエスの受難以来、長い間行方がわからなくなっていた。それを発見したのが、ローマ帝国の皇帝として初めてキリスト教に改宗した人物として知られるコンスタンティヌス大帝（のちの聖人。三一二年に首都をローマから東方のコンスタンティノープルに移した）の母親、ヘレナ（二五〇頃〜三三〇。のちの聖ヘレナ）だった。

ヘレナは息子コンスタンティヌス帝の依頼もあり、齢《よわい》七十を越える身で、コンスタンティノープルからエルサレムへ巡礼に出た。そしてエルサレムのヴィーナス神殿の建つ場所を採掘したところ、三二六年、真の十字架を発見したのである。

この時ヘレナは、三本の十字架を発掘した。イエスは二人の強盗とともに磔にされたからだ。しかしこれでは、どれが聖なる十字架か見分けようがない。ちょうどそこへ、死んだ若者を運ぶ葬列が通りがかった。一番目の十字架と二番目の十字架を死者の上に置いたところ、何も起こらなかった。そして三番目の十字架を置いたところ、死者はたちまち生き返った。それが「真の十字架」とされたのである（ヤコブス・デ・ウォラギネ『黄金伝説』2、前田敬作・山口裕訳、平凡社ライブラリー、二〇〇六年より）。

ヘレナはさらに、イエスの肉体を打ち付けた聖釘《せいてい》、脇腹を刺した槍、イエスが生まれた時に使った飼い葉桶のまぐさ、東方三博士の遺骸などを発見した。彼女は真の十字架の一部をエルサレムに残し、一部は他の聖遺物とともにコンスタンティノープルに持ち帰った。そして真の十字架が発見されたヴィーナス神殿の跡には、教会が建てられた。いまなお多くの巡礼者を惹きつけてやまない、聖墳墓教会である。

ヘレナは真の十字架を発見した功績で列聖され、特に正教会とカトリック教会で崇敬される聖人となった。アトリビュートは胸に抱く大きな十字架で、《聖ヘレナの幻視》《聖ヘレナの夢》といった絵画が多く描かれた。

ここでキリスト教における聖遺物について、あらためて触れておきたい。

私が初めて目にした聖遺物は、五島・福江島の堂崎天主堂に置かれた、日本二十六聖人の一人、聖ヨハネ五島の聖遺骨だった。

中世のキリスト教会でしばしば「黄金や宝石よりも価値がある」と形容された聖遺物は、以下のように分類できる。

パオロ・ヴェロネーゼ《聖ヘレナの幻視》1580年、ヴァチカン美術館

一、聖なる人の遺体、遺骨、遺灰等
二、聖なる人が生前にまとったり、触れた事物
三、一ないし二の聖遺物に触れた事物
（秋山聰『聖遺物崇敬の心性史――西洋中世の聖性と造形』講談社学術文庫、二〇一八年より）

聖人ないし聖遺物は、神の力により奇跡を起こす、と信じられていた。聖遺物の聖性を保証する

のは、聖人の身体に生前から宿り、死後もその遺体に残存し続ける特別な力「ウィルトゥス」だ。ウィルトゥスは細部にも宿るため、どんなに細かく分割されようともその聖性は変わらない。どれほど小さな木片でも骨片でもぼろきれでも、当該聖人が「ここに、いま」現前するとみなされる。またウィルトゥスの聖性を浴び続けた聖遺物容器も、ウィルトゥスを宿す。つまりそれは、分散、伝染することが可能な聖性なのである。

聖人や殉教者の遺体は無数に分割され、様々な教会に安置される。そして人々は教会に行き、聖遺物を通して当該聖人に祈りを捧げ、神へのとりなしを願う。そこで奇跡が起きれば、その修道院や教会がさらに巡礼対象地となる。聖遺物と巡礼は切っても切り離せない関係にあった。

そして「黄金や宝石よりも価値がある」聖遺物を所有することはステータスの証《あかし》ともなったため、高額で取り引きされ、詐欺や捏造《ねつぞう》も横行した。

なかでもイエス・キリストに直接まつわる聖遺物は、最も貴重なものだった。ヘレナによる真の十字架発見については、以下のような背景があったのではないかと、秋山聰氏は前掲書で分析している。

「キリスト教公認後、コンスタンティヌス大帝は、ローマ帝国の版図が東方に拡大したこともあって、三三〇年に首都をビザンティオンに遷《うつ》した。『新しいローマ』として首都の機能を帯びたこの町は後にコンスタンティノポリスと呼ばれるようになる。新しい首都としてこれまでの首都ローマと競合し、凌駕しようとするコンスタンティノポリスには、しかし、めぼしい聖遺物が存在せず、聖性という点においてローマに大きく遅れを取っていた。伝説上はコンスタンティヌスの母后ヘレナが、聖十字架をはじめとするキリストゆかりの聖遺物をコンスタンティノポリスにもたらしたと言われるが、実際にはローマを聖性において凌駕しようとした首都の司教たちによるやや時代が下ってからのプロパガンダであったようにも思われる。」

聖遺物に対する熱情

この聖遺物崇敬の心性は、キリスト教が伝えられた十六世紀の日本にもそっくりそのまま持ちこまれた。

日本で最初に殉教したキリスト教徒は、公式には日本二十六聖人（一五九七年に処刑）の二十六名である。秀吉の命により、長崎の西坂で磔にされた彼らの遺体は、見せしめのためしばらくそのまま放置され、夜になるとキリシタンが刑場に忍びこみ、遺体の一部や磔にした十字架の木片、衣類を持ち帰ったと伝えられている。私が福江島で見たヨハネ五島の聖遺骨も、そうしてキリシタンが隠れて持ち去り、命がけで大切に守ってきたものなのである。

聖遺物に対する渇望は、禁教令によってキリスト教信仰が禁止され、殉教者が続出するにつれ、さらに加速していくことになった。この熱狂は、幕府にとっては想定外であった。殉教者が一人出れば、そこには数多くの聖遺物が残される。一斉処刑となれば、なおさらだ。彼らは殉教予定者が処刑される前にロザリオや衣服を受け取り（なぜなら聖性は殉教者の生前からすでに宿されているため）、処刑されたあとは首や頭髪、血、腕に殺到した。それらの聖遺物は、キリシタンの間で隠し持たれたり、船でマカオやマニラ、ヨーロッパへ運ばれたりした。殉教するであろうスペイン人司祭のもとにキリシタンが群がり、聖遺物を受け取ろうと、身ぐるみ剝がしてしまったことさえあった。

現代に生きる私から見れば、その熱情と行為には、ある種の気味悪さを覚えなくもない。しかし神父が次々と命を落とし、ミサを受けることや告解をすることすらできないキリシタンにとって、聖性を発する何かにすがる必要があったことは、十分に理解できる。神へのとりなしを願う心性から発する聖遺物崇敬は、それほど日本の信徒の心に深く根差したものだった。

聖遺物とキリシタンがらみで、もう一つ興味深い話がある。天正遣欧使節（一五八二～九〇年）だ。彼らはヨーロッパを訪れた際、各地で聖遺物を見学させられている。ペルージャでは、イエスが磔にされた時に打たれた「聖釘」を見た。それが本物であるならば、聖ヘレナがエルサレムで発掘した代物だったはずである。リミニでは、イエスがかぶらされた荊冠《けいかん》の七本の荊《いばら》を見た。

そして彼らは、真の十字架にも接触しているのだ。ローマで教皇から、真の十字架を納めた十字架形の聖遺物が使節に贈られ、これらは帰国後、大村喜前《よしあき》と有馬晴信に贈られたのである（前掲、『デ・サンデ天正遣欧使節記』）。

数年前にこの記述に触れた時は、「へえ、そうなんだ」くらいにしか思わなかったのだが、いまではそのすごみがじわじわ押し寄せている。キリスト教会の至宝中の至宝の一部が、十六世紀の日本に渡っていたのだ。そしてそれほど貴重な聖遺物を使節に分けたことは、どれだけローマ教皇が日本布教を重視したかの表れと言えよう。

大村喜前は禁教令よりだいぶ前に棄教したし、有馬晴信は収賄《しゅうわい》事件に巻きこまれて斬首《ざんしゅ》となった。

真の十字架はいまも日本のどこかに眠っているのではないか、と想像すると、ぞくぞくするのである。

いざ、聖地へ

話を十二世紀の十字軍に戻す。

ヘレナに発見され、エルサレムに残された真の十字架の一部もまた、数奇な運命をたどった。六一四年、ササーン朝ペルシャのホスロー二世がエルサレムを占領した時、それは彼らの都クテシフォンへ持ち去られた。その十三年後、東ローマ帝国のヘラクレイオス帝がペルシャ軍を破って真の十字架を奪還し、一度コンスタンティノープルに戻されたあと、エルサレムに返却された。一〇〇九年頃には、エルサレムのキリスト教徒の間で隠され、保管されていたという。

そして一〇九九年、第一回十字軍がエルサレムを征服した時、黄金で造られた十字架に真の十字架の木片が埋めこまれた状態だったという。この黄金の十字架は、イスラーム勢との戦いのたび戦陣に持ちこまれ、十字軍兵士の士気を大いに高め、守護する役割を果たした。

黄金の十字架……どこかで目にしたことがある気がして、先述した映画『キングダム・オブ・ヘブン』を見直してみた。確かに大きな黄金の十字架が戦陣に登場していた！　この映画は、十字軍をキリスト教徒の視点から見たハリウッド映画にもかかわらず、サラディンを清廉潔白に、そしてフランク人（西ヨーロッパから来たキリスト教徒の総称）のえげつなさをあますところなく描いている点でわりと気に入っている作品なのだが、あれこそが真の十字架だったとは、いやはや驚いた。

一一八七年、ヒッティーンの戦いに勝利したサラディンは、聖地エルサレムとともに、この黄金の十字架を奪ったわけである。

その知らせは、その年の秋に西ヨーロッパへ伝わった。一説によると、老教皇ウルバヌス三世（在位一一八五〜八七）は悲嘆のあまり、急死したという。その後を引き継いだ教皇グレゴリウス八世（在位一一八七年十〜十二月）が、聖地奪還への支援を各国王侯に呼びかけた教皇勅書「アウディタ・トレメンディ」を発布し、こちらもなぜか間もなく急死。こうして第三回十字軍が誕生したのである。

一一八七年十月二十九日にフェラーラで発布された、その教皇勅書の一部を紹介しておこう（前掲、エリザベス・ハラム編『十字軍大全』より）。

「主なる神がエルサレムの地でお下しになった厳しくも恐ろしい裁きを聞き、余と余の兄弟たちは懊悩し、いかんともしがたい底知れぬ恐怖と悲嘆に打ちのめされた。

最近、悪魔に唆《そその》かされた者たちの悪意によって聖地に生じた争いに乗じて、サラディンが軍勢を率いてやってきた。サラディンが相対したのは、人類を救うために磔にされたキリストの受難とその思い出と信仰の紛《まが》うことなき証である聖遺物、御加護頂けるであろうとの希望を託した、われらが主の聖なる『真の十字架』ばかりではなかった。エルサレム王ギー、司教、テンプル騎士団、聖ヨハネ騎士団、諸侯、騎士、そして市民たちもそうであった。両軍は戦場で相見え、大勢のわが兵士が殺戮《さつりく》された後、『真の十字架』が奪われ、司教たちは惨殺され、王は縲絏《るいせつ》の身となり、大半の者が刃《やいば》に斬り倒されるか、捕囚として敵に捕えられたのであった。（中略）われわれは神に代わって行動することを躊躇してはならぬ。感謝をもって、そなたたちができ得るかぎり、この悔悛と善行の機会を受け入れよ。そなたたちの所有になるものを差し出し、次にそなたたちの身を挺して、われらの救済のために『真理』が生まれたかの地の回復に尽力せよ。利益や世俗の栄光に執着することなかれ。御自ら、兄弟のために生命を捨てることをお示しになった神の御意志を考えよ。そして好むと好まざるにかかわらず、そなたが何も知らぬ後継ぎに残さねばならぬ財産を神に捧げよ。

それゆえ、謙虚な悔悟の気持ちでこの旅を引き受け、己れの罪への悔悟と、真実の信仰のもとに息絶える者に対し、犯した悪事を完全に赦免することと、永遠《とわ》の命を約束する。」

この教皇勅書に応えて先陣を切ったのは、齢七十に手が届こうとする、老いてなお勇猛果敢な神聖ローマ皇帝、「赤髭帝」フリードリヒ一世だった。皇帝は若かりし頃、悲惨な第二回十字軍に従軍経験があった。大軍勢を率いて、容易な海路を採らずに陸路でエルサレムに出立した赤髭帝だったが、灼熱の太陽に苛《さいな》まれ、ゲクス（南トルコ）の流れの速い川を渡ろうとしたところで、あえなく溺死。数えきれぬほどの戦に勝ち、難局を乗り越えて、皇帝にまで昇りつめた赤髭帝の非業《ひごう》の死に、ドイツ軍は意気喪失し、軍勢は瓦解した。そしてドイツ軍をまとめるため、オーストリア公レオポルト五世「有徳公」が急遽中東入りした。

第二陣で向かったのが、フランスの「尊厳王」フィリップ二世とイングランドの「獅子心王」リチャード一世だった。この二人は積年の敵対関係にあり、性格は正反対ときて、とにかく仲が悪かった。フィリップが先にアッカに到着、リチャードはその途中でついでにキプロスを攻略したため、遅れてアッカに到着した。

英仏独が揃ったところで、アッカ包囲戦が始まった。そしてついに陥落させるのだが、ここで事件が起きた。戦勝記念のため、砦にエルサレム王国、イングランド、フランス、そしてオーストリアの旗が立てられたが、リチャードがオーストリアだけを外させたのだ。一説には、引き抜いて踏みつけた、ともいわれる。それまでにも、英仏と平等の権利を主張するレオポルトは、ことごとくリチャードに拒否されてきた。それは神聖ローマ帝国の顔に泥を塗る行為に等しい。遺恨を募らせたレオポルトはアッカ攻略が済むとさっさとヨーロッパに帰り、一矢《いっし》報いる機会を狙っていた。

フィリップも早く帰りたがった。リチャードの戦功に嫉妬と恐怖を覚えたフィリップは、先に帰国したほうが得策と判断し、病気を理由に帰国を決意、帰途についた。フランク側の仲間割れはサラディンを利するばかりだった。残されたリチャードは、英軍だけでエルサレムを落とすことは不可能と判断し、サラディンとの間で交渉に入った。

アミン・マアルーフの『アラブが見た十字軍』（牟田口義郎・新川雅子訳、ちくま学芸文庫、二〇〇一年）から、リチャード一世がサラディンに持ちかけた交渉内容を引用する。

「双方ともに死者を出している（と親書のなかで彼はいう）。国は廃墟と化し、起こることごと、すべてわれらの手の遠く及ばぬところにある。それでよいとは思い召されぬであろう。われらにとり、いさかいのもとは三つ、すなわちエルサレム、『真《まこと》の十字架』および領土の三つにすぎぬ。エルサレムに関しては、そはわれらが信仰の場、最後の一兵まで戦うとも、放棄は断じて受けいれられぬ。領土に関しては、望むところはヨルダン川の西の地区がわれらに返還さるべきこと。さて、十字架に関しては、貴公らにとりては木の切れはしにすぎぬものであろうが、われらにとりてその価値は無限。スルタンにおかれては、そをわれらに返し、もって消耗の戦にとどめを打たれんことを。」

それに対するサラディンの返答はこうだった。

「聖地は、われらにとりても貴公らと同じこと。われらにとりてはさらに重要でさえある。われらが預言者はその地へ向けて夜の奇跡の旅を行われたのであり、最後の審判の日、われらはここに集うのである。ゆえにわれらがそを放棄するなどは論外。ムスリムたるもの、断じて認めるべきものではない。領土に関しては、そはいにしえよりわれらが大地にして、貴公らの占領は一時的なものにすぎぬ。貴公らがここに住み着くことができたのは、当時の居住者たるムスリムが弱体なりしため。されど戦ある限り、われらは貴公らの占有を許すわけには参らぬ。さて十字架に関しては、そはわれらが手の内なる主要な切り札。そを手離すはイスラムにとりて重要なる譲歩を対価として得る時のみ。」

「真の十字架」の帰属が、それほど重要な議題だったことに驚く。

結局、万策尽きたリチャードは一一九二年九月、効力五年の平和条約をサラディンと締結することに合意せざるを得なかった。そして聖地エルサレムに足を踏み入れることも聖墳墓教会に巡礼することも、「真の十字架」を見ることもなく、中東を去った。

つまり登場人物が派手なわりに、キリスト教陣営側の得たものは少なく、ただサラディンの有能さと忍耐強さだけが目立った十字軍だったのである。

しかしフランクとの絶え間ない戦闘で、サラディンが払った代償も小さくなかった。急に体に衰えを感じるようになり、宮廷医師にかかることが多くなる。カイロでサラディンを診察した名医は、マイモニデス（一一三五〜一二〇四）だった。スペインのコルドバ出身のユダヤ人哲学者で、ムワッヒド朝によるユダヤ人排斥でイベリア半島から逃れてきた、いまもコルドバの生家跡に銅像が建つ人物である。そしてサラディンは翌一一九三年に帰らぬ人となった。

囚われ人は決して

さて、獅子心王が作者といわれる歌「囚われ人は決して」である。

この美しい曲は、中世のフランス北部で話されたオイル語（ラングドイル。一方、フランス南部はオック語、ラングドック）で書かれている。リチャード一世はイングランド王だが、先王から受け継いだ領地の多くはフランスにあり、オイル語を母語としていた。武勇ばかりが有名だが、高い教養を備えた騎士でもあり、一流のトゥルヴェール〈吟遊詩人〉としても知られ、手紙を詩の形で書くこともあったという。

この歌は、リチャード一世が牢に囚われの身となった時に書かれたものだ。原詞の英訳を用いて、なんとか和訳をしてみようと試みるが、韻の踏み方や、悲しみと怒りが交互に現れる構造が複雑すぎて、私などの手には到底負えない。こうして見ると、庶民に向けて書かれたスペインの「カンティガ」が、実にシンプルな言語空間だったことに気づかされる。リチャードの書いた歌の第一節だけ、ここに紹介する。

「囚われ人は決して　悲しみなくして真の心を語ることなどできぬ
しかし慰めに　歌を書こう
友は多かった　しかし得たものは少ない
余から身代金を奪おうとする者は　恥を知れ
ここへ囚われ　すでに二つの冬が過ぎた」

戦に出ることの多かった獅子心王が、こんな美しい歌をどこで書いたのだろう。そう思って調べてみると、なんと十字軍からの帰りに囚われ、書かれたというではないか。原因は、十字軍での仲間割れにあった。

中東からイングランドへ戻る途中、ウィーンのあたりでリチャードは行方不明になった。捕らえたのは、アッカ包囲戦でリチャードに辱《はずかし》めを受けたオーストリア公レオポルト五世である。両者の確執はそれだけではなかった。王位に就く直前に暗殺されたエルサレム王国モンフェラート侯コンラートは、レオポルトのいとこで、リチャードの陰謀が濃厚だった。

リチャードはデュルンシュタイン城に幽閉された。その後身柄は赤髭帝の息子、神聖ローマ皇帝ハインリヒ六世に引き渡され、高額な身代金がイングランド宮廷に要求されたのである。

聖地奪還という美しげな大義名分の裏で、フランク側では壮絶な権力闘争が行われていたことを、この曲が教えてくれる。そのような経緯を知ると、「友は多かった　しかし得たものは少ない　余から身代金を奪おうとする者は　恥を知れ」という心の叫びが、ひときわ胸に迫ってくるのである。

さて、この歌には、それだけで映画になりそうな、伝説のような美しい逸話が残されている。

中東をあとにしたはずの獅子心王が、一向にイングランドへ戻ってこない。宮廷でリチャードに重用された吟遊詩人のなかに、ブロンデル・デ・ネスレという人物がいた。彼自身が作った歌もいまに残されているが、リチャード作といわれる歌を作曲したのが彼だった可能性もある。

ブロンデルは、主君を探す旅に出る。リチャードの弟ジョンは、兄を救出するどころか、フランスの尊厳王フィリップ二世と組んで王位を奪う気が満々だったから、ブロンデルの行動は隠密だったはずだ。吟遊詩人であることは、隠密な旅をするには適していた。しかしリチャードは見つからなかった。

オーストリアでブロンデルは、ある城に身元が機密にされた人物が囚われている、という情報を入手した。向かってみると、城の高い場所に鉄格子のはめられた窓が一つあった。

リチャードとブロンデルには、二人にだけ通じる暗号があった。ブロンデルが作り、リチャードが聴くことを喜んだ歌である。ブロンデルはその窓に向かい、最初の一句を歌った。すると鉄格子の向こうから、連句が返ってきた。次の句を歌う。また連句が戻ってくる。獅子の心を持ったわが主君は、間違いなくここに囚われておいでだ!

ブロンデルが確信した瞬間だった。

これが史実かどうかはわからないが、リチャードが吟遊詩人として高く評価されていたことを思わせる逸話である。

三万五千キロの銀という破格の身代金と引き換えに、ようやくリチャードは解放された。そしてそのわずか五年後、戦場で矢を受け、四十一歳の若さでこの世を去った。

身代金の分け前を入手したレオポルトは、ウィーンの城壁を建設した。しかし十字軍に参戦したリチャードを捕らえたことで教皇の激怒を買い、破門された。赤、白、赤という現在のオーストリア国旗は、レオポルトが第三回十字軍の際に全身に浴びた血とベルトの跡が由来ともいわれている。

身代金を受け取ったもう一人、神聖ローマ皇帝ハインリヒ六世は、それを軍資金としてシチリアを攻略し、シチリア王位を手に入れた。

フィリップ二世は、リチャードの死後、彼がフランスに所有していた領土を着々と手に入れ、フランス王権をおおいに強化した功績で「尊厳王」と呼ばれることになった。

リチャードの雄姿は、銅像の形でよければ、ロンドンのウェストミンスター宮殿の前で見ることができる。

第18話　聖人と福者

リュートに乗った旅も、そろそろ終盤である。最後に、音楽とは関係ないが、カトリック教会における聖人と福者について書きたい。

話は二〇〇八年の夏にさかのぼる。

その頃私は、どういう風の吹き回しか、天正遣欧使節やキリシタンにとりつかれていた。キリシタンに関する本を手当たり次第に買ったり、その時代を扱った歴史小説を読んだりしていたのだが、この時代にどうコミットしてよいかがわからず、途方に暮れていた。

夏のある日、東京駅近くの八重洲ブックセンターに本を買い出しに出かけた。が、あまりめぼしい本が見つからず、諦めきれずに中央線に乗って四谷まで足を延ばした。四谷といえば、上智大学と聖イグナチオ教会、雙葉《ふたば》学園やキリスト教系書店の集まる、東京におけるカトリックの中心地のような場所だ。その日は四谷でキリスト教系書店を回るつもりだった。

ＪＲ四ツ谷駅の改札を出て横断歩道を渡ったところに「サンパウロ」という書店がある。店に入ろうとしたところで、ショーウィンドーに一枚のポスターが貼られていることに気がついた。二〇〇八年十一月二十四日、中浦ジュリアン（天正遣欧使節の一人）やペトロ岐部《きべ》を含む百八十八殉教者の「列福式《れっぷくしき》」が長崎で行われる、という告知だった。天正遣欧使節の四人の中で、とりわけジュリアンを偏愛する私は、そのポスターに、何か啓示のようなものを勝手に感じた。

私はこの時、「列福」の意味を知らなかった。けれども、一六三三年に殉教したジュリアンをはじめ、江戸幕府の禁教令の犠牲となった百八十八名もの殉教者が、三百七十年以上たった時代に評価されるというのは、なにやらとてつもないことに思えた。

数百年の時間をものともしないカトリック教会の、時間軸に関心を抱いた、と言ってもいい。ならば自分もこの時代にコミットできるかもしれない、と思えたのだった。

聖人との距離感

キリスト教には様々な聖人がいる。宗教改革でルターは、ローマ・カトリック教会のいきすぎた聖人崇敬をも批判したため、プロテスタント諸派では聖人崇敬は遠ざけられている。正教会も聖人を重んじるが、ここではカトリック教会に話をしぼることにする。

キリスト教の聖人といえば、西洋絵画や彫刻を思い浮かべる人は多いだろう。私もそうだった。大学生の頃、西洋音楽史や西洋美術史の教授は授業でこんなことを言ったものだった。西洋の音楽や美術を知りたければキリスト教を学べ、できればギリシア神話までも、と。確かにルネサンス期の西洋絵画には聖人や、旧約聖書と新約聖書中の有名エピソードが主題として頻出する。そうである以上、キリスト教に対する知識が多少なりともなければ、鑑賞する楽しみはさておき、絵の意味を理解することは難しい。それがネックとなって、私は西洋音楽と美術を敬遠するようになった。「キリスト教の知識がなければ西洋を理解できない」というのは、トラウマのように自分を呪縛し続けた。

それはともかく、私を含めた非キリスト教徒にとっての聖人は、「西洋美術によく登場する人たちね」くらいの理解で、とりあえずはよいと思う。

個人的に、見方が変わり始めたのは、初めてスペインを訪れた二〇一四年頃からだった。

私はその時、日本で十七世紀に殉教したスペイン人宣教師の故郷を訪ねることが目的でスペインを訪れた。そして旅の性質上、多くの古い教会に足を運んだ。おもしろかったのは、十二世紀や十四世紀に建造された教会のことを、案内してくれた教区司祭やガイドさんが「ここはあまり古くないです」と紹介する点だった。私などとは時間軸がまるで違うのである。

そして驚いたのは、教会内部を埋め尽くす聖像（聖人の三次元立体像）や、聖書の有名エピソードを彫りこんだレリーフのあまりの多さだった。そして人々は主祭壇で祈りを捧げるだけでなく、お気に入りの聖人像の前でロウソクを灯し、思い思いに祈っていた。

この時の「キリスト教のシャワーを浴びている」という感覚は忘れられない。かつて、ラテン語で書かれた聖書は庶民がじかに読めるものではなかったため、教会で聖書の物語や聖人に触れることで、信仰を体感したのだろう。聖人とは、これほど距離の近い存在だったのだ。

私は中学に入った頃のとまどいに思いを馳せた。わが校は英国国教会が発祥のプロテスタント系ミッション・スクールだった。学校では毎日礼拝の時間があり（しかも日曜日も登校して礼拝を受けた）、日々聖書を読まされたものの、無味乾燥、あるいは抽象的な説教ばかりで、心は信仰から離れていくばかりだった。

何がいいわるいという話ではないのだが、よほど深刻な問題を抱えていたり背後に死や弾圧が迫っていたりする状況や、あるいは強烈なカリスマ性を持つチャプレン（カトリックの場合は司祭）がいたりする状況などでない限り、いきなり聖書を読めというだけでは、初心者が信仰に導かれるのは大変難しい。人生に「もし」は存在しないが、もしあの頃の自分がおびただしい聖像やレリーフで聖人に触れていたらと想像すると、もう少しキリスト教はとっつきやすい存在になっていたかもしれない、とは思う。

列福と列聖

聖人と福者とはどんな存在なのだろうか。

カトリック教会において聖人とは、生涯をかけてキリストへの愛を証し、キリストに倣《なら》って福音的に生きた人、を指す。天国ではイエス・キリストの下の位階に位置し、神と地上の人間の間で「とりなし」を担ってくれる存在である。その模範的な生き方は「聖人伝」に記され、聖人カレンダーに祝日が定められ、世界中の教会で崇敬対象となる。神と人間の福音的仲介者、というイメージに近いだろうか。

そして聖人として承認されることを「列聖」といい、その審査を「列聖審査」と呼ぶ。最終権限を持つのはローマ教皇である。

有名どころでは、原始教会の礎《いしずえ》となったイエスの使徒たちや聖パウロなどが挙げられる。イエスの復活後、使徒たちが布教を始めたローマ帝国では、キリスト教は非合法活動だった。そのため布教や入信は殉教を伴うことが多く、原始教会時代の聖人は殉教者が特に多かった。

一方、殉教していない聖人もいる。彼らは信仰生活の中でキリストへの愛を証した「証聖者」と呼ばれる。一例を挙げれば、前章で登場した、エルサレムで「真の十字架」を発見した聖ヘレナはこの枠に入る。

日本に縁のある証聖者の聖人といえば、イエズス会創設者の聖イグナチオ・デ・ロヨラ、日本にキリスト教を伝えたイエズス会の聖フランシスコ・ザビエルがいる。イエズス会に遅れて日本布教に参入したフランシスコ会の創始者、アッシジの聖フランチェスコと、ドミニコ会の創始者、聖ドミニコ・デ・グスマンも証聖者である。現代に列聖された、誰もが知るビッグネームでいえば、先々代ローマ教皇の聖ヨハネ・パウロ二世や聖マザー・テレサといったところか。

そして聖人の前段階にある人を「福者」といい、その公式な承認を「列福」と呼ぶ。中浦ジュリアンやペトロ岐部、二〇一七年に列福されたことが記憶に新しい高山右近たちは、この福者にあたる。つまり、福者も聖人に継ぐ極めて高い位階にあるということだ。

列聖審査は極めて煩雑《はんざつ》な道のりをたどる。

管轄司教（対象人物が亡くなった地域の司教。一九八二年の改正によって、申請権の譲渡が可能となった）が列聖審査の手続きを申し出る。教皇庁列聖省がその人物を列聖の前段階である列福に値すると認め、調査の開始を宣言すると、その人は「神の僕《しもべ》」と呼ばれる。

次に管轄司教のもとで調査が開始される。調査には、その人物の生涯の記録、その人物自身が書いた文章といった、いわば「物的証拠」、その人物を知る人の証言、現代なら録音記録や映像記録などが用いられる。提出書類の公認言語は、いまでもラテン語、イタリア語、英語、フランス語、スペイン語、ポルトガル語である。提出書類は、被申請者の数にもよるが、場合によっては数千ページほどになることもある。その一ページごとに公証官の署名が必要となる。

そして教皇庁に提出された報告書を、列聖省のレラトーレス〈枢機卿と教皇に報告する役割を持った報告官たち〉が審査する。ここで書類上の調査は一段落したことになり、その人物の英雄的、福音的な生き方、あるいは殉教の事実が確認されると、教皇が決定書に署名し、「尊者《そんしゃ》」であると宣言される。

ここからは、いよいよ申請の準備である。ポストラトール〈申請者代理人〉がローマで申請の準備に入り、再度提出書類をチェックし、さらに教皇庁の歴史部会、神学部会の各専門委員会が審査をする。そして神学部会の許可が出ると報告書はスリムになり、列聖省枢機卿会議に送られる。その許可も下りると、コンスィストリウムという教皇臨席の枢機卿全体会議で審査。そして教皇が「列福の教令」に署名、列福式をもって「福者」と宣言される。

まずここまでが、福者への道のりである。ふう。ローマ教皇庁の組織の巨大さと複雑さを象徴するような、極めて煩雑な手続きである。

さらに福者から聖人となるためには、奇跡が必須となる。この点を私は非常に興味深く思っているのだが、聖人になったから奇跡を起こすのではなく、聖人は聖人になる前から奇跡を起こす、だからこそ聖人だ、という考えがベースにあるのだ。

テクニカルな話をすると、列聖審査で必要とされる奇跡の数は、殉教者か証聖者かによって異なる。殉教者の場合、福者になるための奇跡は不要で、聖人になる時に一つ必要となる。

一方、証聖者の場合はそのハードルが上がり、福者の時に一つ、聖人の時に一つの、計二つが必須となる。つまり普段の生活で聖性を示す証聖者が列聖されるのは、殉教者よりもさらに難しい、ということができる。要はそれだけ、実際に命を捧げた殉教者に高い価値を認める証左といえよう。

そして奇跡の申請後、福者の調査と同様の手順が踏まれ、奇跡が認定されると、最終的に教皇が福者を教会の「聖人」と公に宣言する。

気が遠くなるほどの道のりを経て、福者と聖人は生まれるわけである。

なぜ聖人・福者に関心を抱いたか

キリシタン史には様々なアプローチがあるけれども、私が特に聖人・福者に関心を抱くようになったのは、やはり中浦ジュリアンやペトロ岐部の列福が何よりも大きかった。

さらに他にも理由があった。独学でキリシタン史を勉強し始めてしばらくたった頃、大きなジレンマを抱えていたのだ。

「キリシタンの世紀」は、日本が初めてキリスト教を含む西欧文明と接触し、最終的にはそれを拒絶することになった時代である。明治に入ってもなお効力が続いていた禁教令が、ようやく撤廃されたのが明治六年（一八七三）。それからキリシタン史の研究も急速に活発化するが、「日欧交渉史」と「東西文明の衝突」という要素が内包されるこの分野は、時代の流れ、特に日本と西欧との関係性に翻弄《ほんろう》されやすい領域であることが薄々わかってきた。

さらにこの分野には、信仰問題が厳然として存在する。研究者がキリスト教徒であるか否か、また信徒の中でも、潜伏キリシタンの末裔《まつえい》であるか否かなど、様々な対立事項が底辺に潜んでいる。どのあたりが中立的な線なのかを見極めることが非常に難しい分野であることを、痛感し始めていた。

後世の様々な要因で引き起こされる対立にできるだけ影響されることなく、この時代に触れることはできないものだろうか。

後世の人が書いたものではなく、あの時代に生き、現場で物事を見聞きした人の書いたものにできるだけ触れたいと考えるようになった。そして、この時代を生きた宣教師たちが書いた報告書や書簡を読み始めた。具体的に名前を挙げると、ドミニコ会のハシント・オルファネールやアロンソ・デ・メーナ、フランシスコ・モラーレスや、イエズス会のカルロ・スピノラなどだ。

そしてある時、ふと気づいた。彼らは一八六七年に列福された二〇五福者ではないか。私は福者が書いた手紙を読んでいたのか。そうして、ますます福者へ傾倒して

205 福者のひとり、ハシント・オルファネール（ドミニコ会）

いったのだった。

そこにこめられたメッセージ

日本が生み出した聖人と福者は、聖人四十二名、福者三百九十四名の計四百三十六名である。順に並べると、日本二十六聖人（一八六二年列聖）、二〇五福者（一八六七年列福）、十六聖人（一九八七年列聖）、一八八福者（二〇〇八年列福）、高山右近（二〇一七年列福）となる。さらに、布教した廉《かど》で広島で投獄され、出獄後に被爆し、被爆者の看護に奔走したイエズス会のペドロ・アルーペ神父の列聖審査が二〇一八年に、「浦上三番崩れ」で流刑となった津和野・乙女峠の三十七殉教者の列聖審査が二〇一九年に始まっている。つまり日本に縁のある聖人と福者の数は、今後も増える見こみなのだ。

日本では殉教していないが、長崎で崇敬される聖人のひとりとして、コンヴェルツァル聖フランシスコ修道会のコルベ神父の名もぜひ挙げておきたい。

ポーランド生まれのマキシミリアノ・マリア・コルベ神父は、一九三〇年から三六年まで、長崎で布教活動を行っていた。その後、修道院の院長に選ばれたためポーランドに帰国して司牧活動を続けるが、三九年のドイツ軍のポーランド侵攻により、活動の縮小を余儀なくされた。そして神父が発行していた『無原罪の聖母の騎士』誌がナチスに批判的という理由から、四一年に逮捕され、アウシュヴィッツ強制収容所へ送られてしまう。

同年、収容所で脱走者が出た際、無作為に選ばれた十名が見せしめのために餓死刑に処せられることが決まった。ある囚人が「私には妻子がいる」と泣き叫んだ時、コルベ神父は男性の身代わりとなることを申し出た。そして水と食糧を二週間断たれたあと、薬殺されたのである。

その後コルベ神父は、一九七一年に列福、八二年に列聖され、聖人となった。神父が殉教者であるか、はたまた証聖者であるかという点が、列聖審査では論議を呼んだという。人の身代わりとなったのだから、従来の神学では殉教者とはいえない、という意見が出された。しかし時のローマ教皇、ポーランド出身のヨハネ・パウロ二世の強い希望により、殉教者として列聖された、とのことだ(『ペトロ岐部と187殉教者』ドン・ボスコ社、二〇〇八年)。

長崎に行く機会があったら、大浦天主堂のすぐ近くにある「聖コルベ神父記念館」にぜひ立ち寄っていただきたい。そこでは神父の遺品や手紙に出会うことができる。もちろんそれらは、聖遺物である。

さて、現状で四百三十六名を数える日本が生み出した聖人・福者のうち、高山右近を除いた人々が殉教者である、という点は見逃せない(もっとも、マニラへ追放された直後に衰弱死した高山右近も、殉教に準ずるという見方が優勢だ)。キリシタン時代、信長と懇意で京都のキリシタンから愛されたイタリア人宣教師オルガンティーノ(イエズス会)や、多くの日本人を改宗させたポルトガル人の「コンベルソ」〈キリスト教に改宗したユダヤ人〉の修道士アルメイダ(イエズス会)、弾圧が激しさを増して東北へ移り、いつどこで死亡したかが不明なスペイン人宣教師ディエゴ・デ・サン・フランシスコ(フランシスコ会)など、超人的な働きをした宣教師は他にもたくさんいた。しかし日本のキリシタン時代においては、殉教していなければ列福、列聖されていないのが実情だ。

一方、殉教したとみられるにもかかわらず、証拠不十分、追跡調査不可能、あるいは殉教と見なされなかった等々、様々な理由から列福、列聖されていない人もたくさんいる。

列福、列聖されなかった人たち

例を挙げてみよう。

イエズス会のペドゥロ・モレホンが書いた、『日本殉教録』『続日本殉教録』という記録がある。スペイン人のモレホンは、一五八八年にリスボンを発った天正遣欧使節と同じ船で来日した。そして一六一四年に禁教令が出されて宣教師たちがマカオとマニラへ「大追放」された時、高山右近に付き添ってマニラへ向かい、右近の臨終をみとった、イエズス会古参の宣教師である。その後は日本から次々と届くキリシタン弾圧の情報を記録し続け、一六三九年にマカオで七十七歳の生涯を閉じた。

彼が書いた『日本殉教録』に、彼がまだ日本にいた一六一二年と一六一三年の、有馬（島原半島）で起きた殉教がいくつか登場する。

この時、まだ全国的な禁教令は出されていない。しかし領主だった有馬晴信が贈収賄《ぞうしゅうわい》スキャンダルによって斬首となり、もともと領民全員がキリシタンだったこともあって、晴信の息子、棄教キリシタンの直純が他の地域に先駆けて壮絶な弾圧を始めたのだった。

一六一二年七月、模範的信徒の代表格だった有家のミゲール（五十歳）と弟のマティーアス（三十一歳）が見せしめのために処刑される。方法は斬首だった。

「その後遺体は長崎の教会へ運ばれて、そこで当然受けるべき崇拝を受けた。人々はその衣類・頭髪・流された血を集め、またその恵まれた最後を追うことを希望し未だ生々しい血で額に十字の印を画いた者もいる。」

翌一六一三年一月二十七日には、トメ（四十一歳）とマティーアス（三十一歳）が処刑され、続いてその母親マルタまで殺された。

「六十一歳の聖なる老母マルタは全有馬領の模範であった。息子と孫を犠牲として捧げることを喜び、徐ろに祈りを捧げてから頸にさげている品の全部と衣服の一部を聖遺物として分配した。みなの者に祈ってくれるように頼み、再び祈り始めて首を斬られた。キリシタンは役人を少しも恐れず、深い尊敬の念でただちにその首と血を取った。そののち聖遺体はことごとく長崎へ運ばれイエズス会に収められた。」

一六一三年十月七日には、アドリアノ高橋主水《もんど》一家、レオ林田一家、レオ武富父子ら八名が処刑された。処刑方法は残酷化し、苦しみの時間がより長い火刑である。

「三人が妻子とともに焼かれるという宣告が伝わったので、このすばらしい光景を見にあらゆる村から集まって来たキリシタンの数は甚だ多く、街道にも町にも老若男女が入り切れないほどであった。」

彼らが火で焼かれて絶命したあとは、聖遺物の分配である。

「キリシタンは初めから跪いていたが、殉教者の死んだのを見ると聖なる灰を崇って、役人にかまわず火の中へとび込んで行って、火傷も恐れずに遺体を引き出した。童貞の殉教者マグダレーナの両手を一人の身分の高い人物が取り、体は神津浦のキリシタンがもって行った。」

見せしめ効果を狙い、キリシタン共同体の主だった人物とその家族が標的にされたこと、それぞれが気高い態度で処刑を受け入れたこと、キリシタンたちが殉教者の聖遺物を渇望し、それを崇敬していたことなどが、鮮明に浮かび上がってくる。そして聖遺物崇敬が日本のキリシタンの間にかなりの深度で根づいていたことがよくわかる。

同じ頃、キリシタンから残酷な暴君と見なされた「皇太子」（徳川秀忠）のお膝元である江戸でも、迫害が起きていた。江戸は、フランシスコ会が唯一布教を許された土地である。ドミニコ会のオルファネールが書いた『日本キリシタン教会史』にその記述が登場する。

「すなわち今年の一六一三年八月十六日と十七日に彼らの中の二十二人が、つづいて九月七日に六人が、信仰の廉で斬首され絶命したので、合計二十八人となった。

（中略）中でもすべてのキリシタンを励ましていたパードレ・ソテロの同宿ユアン［ミボク］が特に傑出していた。彼は刑場へ連行される途上、たえず教えを説き美しい信仰の話を語り続けた。」

私はこういうものを読むと、彼らが列福、あるいは列聖されたかを確認してしまう癖がある。今回も聖人・福者リストで確認してみた。有家のミゲールとマティーアス……ない。トメとマティーアスとマルタ……ない。アドリアノ一家とレオ一家、レオ父子……あった。彼らは八名全員、一八八殉教者リストに載せられている。

そして一六一三年に江戸で殉教したフランシスコ会信徒は、ユアンはじめ、一人も列福されていない。

うーむ……。列福、列聖された人たちだけがすべてではないことはわかっている。しかし、された人物は、その名前と生きざまが教会で未来永劫語り継がれていくのに対し、されなかった人物は、どうしても記憶の淵に追いやられる、という非対称が起きてしまう。しかも列福されなかった人物がされなかった理由について、語られる機会はほとんどない。スッキリしない気持ちはどうしても残ってしまう。

人選は誰が、どのように行うのだろうか、という問いは、当然湧き上がる。

このあたりの苦悩については、「ペトロ岐部神父と一八七殉教者」の列福調査に最初から携わり、列聖列福特別委員会の委員長でもあった溝部脩《みぞべおさむ》司教が『ペトロ岐部と187殉教者』のなかで率直に述べているので、引用したい。

「日本にはキリシタン時代、あまりに多くの殉教者が出ました。殉教者の氏名、殉教の日時、場所がはっきりとわかっているものだけでも、五千五百名を下ることはありませんし、その他、はっきりと名前がわからない者を数えれば二万名はいると考えられます。全員を列福するということは不可能で、どうしても絞っていく必要がありました。この意味では、今回選ばれた殉教者がすべてではなく、百八十八名は、選ばれなかった他のすべての殉教者を含んでいることを理解していただきたいです。」

また溝部脩司教は、一八八殉教者とほぼ同じ時代に殉教したものの、一世紀以上も遡る一八六七年に列福された二〇五福者と対比して、こうも言う。

「それらは幕末の、まだ日本がさほど開かれていない時代のことで、キリシタン禁令を解かない幕府に対して、日本への期待をかけたローマ主導のものでした。それに対して、今回の列福運動は、日本のカトリック教会主導のものです。」

今回の一八八殉教者の人選については、こんな特色があるという。

「百八十八名すべてを日本人に絞り、日本の教会全体を網羅し、長崎のみに限らないようにしました。そして、信徒を重点的に取り上げました。四名の司祭以外、百八十四名は信徒です。信徒の時代と言われていますが、いまだに聖職者中心の教会の構造を乗り越えることのできない現代の日本の教会のあり方について大いに考えさせられます。

信徒は、さまざまな階級の人々、そしてお年寄りや子どもを含んだ家庭を意識しています。一家全員の殉教も優先しました。また、女性たちの姿は学ぶべきものがあります。京都の大殉教におけるテクラ橋本や熊本の小笠原みやなど、女性をかなり意識した列福運動です。そして障害者（盲目のダミアンなど）も含まれています。」

つまり、列福・列聖には、その地域、その時代に向けた、カトリック教会からの様々なメッセージや意図がこめられている、ということだ。列福・列聖にポリティクスがあることは、頭の隅に置いておく必要がある。

記録する者の宿命

さきほど列聖審査の手順で見た通り、調査には記録や証人、証言が必要となる。すると、日本の弾圧が激しさを増し、外国人宣教師が絶滅する寸前に殉教した人物は、いくら福音的な生き方をしたとしても、追跡調査不可能で審査に通りづらい、という状況が起きる。いやな言い方だが、日本と海外の行き来がまだ可能で、証人が多く存在し、十分な数の外国人宣教師がいた、そこそこ弾圧初期のほうが承認されやすかった、という側面があることも否定できない。

また列聖審査には、なによりもローマまで出かけて申請する人間が不可欠となる。日本で布教した各修道会は、多くの宣教師や信徒の殉教を見届けて記録を残す、いわば「生き残り役」を、少なくとも一人は確保する必要があった。

そんな役割を担った一人が、ドミニコ会司祭のディエゴ・デ・コリャードである。彼は、五十五名もの潜伏外国人宣教師とキリシタンが一気に処刑された「元和《げんな》八年長崎大殉教」の現場を、世俗スペイン人の扮装をして目撃し、『日本キリシタン教会史　補遺』を著した。そしてこの大殉教を見届けたあと、ただちにローマへ向かった。彼が命を賭して行った現地調査と記録が、二〇五殉教者たちの列福に重要な役割を果たしたことは言うまでもない。彼はのちにフィリピン沖で溺死し、福者の列には加わっていない。

仲間が栄光の殉教を果たしていくのを見なければならない、残された者の苦しみが、彼の文章から伝わってくる。それを引用して本章を終わることにしよう。

「前述の嵐のために、下の薪が濡れ上の薪がまだ湿っていたので、煙は出たが火が燃え上がらぬうちに燃え尽きてしまった。特に薪が少しずつ燃えはじめた時にふたたび雨が少し降ったので、火は消えてしまった。そのために殉教者たちの苦痛は長引き、われわれの心中は痛みで張り裂けんばかりであった。雨がやんでからまもなくして火が燃え上がったので、端すなわち最後の柱の方にいたために火にもっとも近く、もっとも体力のない人びとが煙と熱のために窒息して倒れはじめた。しかし、これとても彼らの身体があたかも大理石のごとく微動だにせず、一時間以上も苦痛に耐えてからのことであった。」

「私と私の傍らにいた二人のドミニコ会士については、［殉教者の］最期を見るまで、正気を失い、神的力によって狂った者のごとく心痛と喜悦と悲嘆に暮れ、どのように説明してよいか判らぬほど対立する霊的感情を抱いていたといえる。幸いにもわれわれは覚られぬように隠れていたが（異教徒あるいは棄教者の中でわれわれを知っている者がおれば、直ちにわれわれを同じ火焔の中に投じたことであろう）、実際に見たままに笑い、泣き、大声を立て、叫び声を上げるといった数々の大袈裟な表情を抑えることはできなかった。われわれが発見されなかったのは不思議なことであった。私の二人の同僚は、われわれの兄弟たちが天国に召されるのを見ると、危険に満ちた現世に取り残されることに我慢できず、役人たちのところへ出て叱責され火焔の中に投ぜられる機会をつかみたいという希望を私に述べた時、彼らを抑制するのは容易ではなかった。しかし彼らは修道会士として私の命令に服従し、日本のキリシタンには彼らのような人物を必要としていると反省して自制した。同じ理由から、私も自制した。でなければ、私も無分別なことをしでかしたりディオスを試みたりせずに、何らかの策を講じて（確かに策はあったと思うが）、殉教の道を全うしたいものと念願したのである。」

第19話　サントスの御作業

前章はカトリック教会における聖人と福者の存在について書いた。ここでは聖人の生きざまを描いた聖人伝について書きたい。

『サントスの御作業《ごさぎよう》の内抜書《うちぬきがき》』（一般的には『サントスの御作業』と略称されることが多い）という本がある。

これは日本で初めて活版印刷されたローマ字書き日本語文の書物である。キリシタンの時代に活版印刷された書物を「キリシタン版」と呼ぶが、これは現存する最古のキリシタン版としても知られている。

この書物は、ヨーロッパ訪問を終えた天正遣欧使節がヨーロッパから持ち帰った活版印刷機で、島原半島の南、加津佐《かづさ》において一五九一年に印刷された。使節の発案者であるイエズス会の東インド巡察師ヴァリニャーノは、日本布教において活版印刷をことのほか重視し、使節に印刷技術習得要員として、コンスタンチノ・ドラード（欧州人風の名前だが、日本人の少年。使節の四人とともにセミナリヨで学んでいた）を同行させたほどだった。

秀吉による伴天連《バテレン》追放令は一五八七年にすでに出されており、イエズス会としてはこれまで通りのおおっぴらな活動をすることはできない。そこで島原半島の南にあった有馬のセミナリヨをいったん閉鎖し、より安全な山あいの加津佐に布教拠点を移した。日本初の活版印刷は、その地で静かに稼働し始めたのだった。

ヨーロッパから帰国する天正遣欧使節と同じ船で一五九〇年に来日した、ポルトガル人イエズス会士マノエル・バレトが書き写した『サントスの御作業』という写本がある（『バレト写本』と呼ばれる）。キリシタン版『サントスの御作業の内抜書』に収録された聖人伝は、約半数が『バレト写本』と共通で、残りの半数には異なる聖人伝が加えられている。このあたりの人選の違いもおもしろそうなテーマであるが、あまりに煩雑になるので、先に進もう。

キリシタン史に関心を抱く者にとって、これが必読書であることは前から知っていた。しかしどうしても食指が動かなかった。だいたい、古文は大の苦手である。膨大な注釈がついたとしても、理解できる自信がない。「サントス」や「御作業」の意味もよくわからない。できれば避けて通りたくて、長い間、知らんぷりを決めこんでいた。

中浦ジュリアンの列福《れっぷく》を店頭に貼られたポスターで知った時のように、ここでもまた、キリスト教系書店が出会いの機会を与えてくれた。銀座のアップル・ストアに行ったついでに教文館書店に立ち寄った時、本棚に並んだ『サントスのご作業』（尾原悟編著「キリシタン研究」第33輯、教文館、一九九六年）を見つけたので、パラパラと頁をめくって立ち読みをした。案の定、カタカナが多く混じった古文に、膨大な量の注釈がついている。「やっぱり無理だ」と思って頁を閉じようとした時、最初のページに印刷された初版本の書影が目に入った。

"Vidas gloriosas de algus Sanctos e Sanctas"

というラテン語がそこには書かれていた。

私はラテン語ができないが、スペイン語から類推して、意味はわかった。

諸聖人たちの輝かしい生涯、であろう。

「サントス」は聖人を指していたのか。そして「御作業」とは生涯だったのか……。つまりこの本は、聖人伝だったのである。

そうと知っていたら、もっと早くに手にとったのに……。自分の怠惰と不見識を恥じるばかりだった。

ロヨラの回心

すでにたびたび触れている、二〇一四年に初めてスペインを訪れた時のことを思い出した。

この時私は、スペイン北部にも足を延ばした。日本布教のパイオニアである聖フランシスコ・ザビエルの故郷、ザビエル（ナバラ地方）、そしてイエズス会創始者である聖イグナチオ・デ・ロヨラの故郷ロヨラ（バスク地方）を一目見たかったからだ。

ロヨラ村は、バスク地方の心臓部ともいえるアスペイティアという町のすぐ隣にあった。ロヨラの生家は博物館になっており、その隣にはイエズス会が建てた壮麗な大聖堂と、イエズス会士のための研修センターなどが建っている。

若き日のロヨラ――回心する前の俗名はイニーゴ――は、カスティーリャ王国とナバラ王国が戦った「パンプローナの戦い」に、カスティーリャ軍の兵士として参戦した。カスティーリャ軍が勝利したものの、イニーゴは足を負傷し、騎士として生きる夢を断たれた。一方、敗北してカスティーリャに併合されたナバラ王国の貴族だったのが、フランシスコ・ザビエルである。夢を断たれたイニーゴと、祖国を失ったフランシスコはのちに、パリの聖バルバラ学院でルームメイトとなり、それがイエズス会の誕生につながっていく。

二人の因縁はそれだけにとどまらない。銃で撃たれたイニーゴを安全な場所まで運んだのが、ザビエルの従兄弟であるエステバン・スアスティだったという。

ロヨラの生家博物館は、イニーゴが信仰に目覚め、回心してイエズス会結成を決心するまでの過程を、ジオラマやステンドグラスといったビジュアル素材を駆使して、丹念に展示していた。とりわけ目を引かれたのは、彼の寝室である。一命をとりとめたイニーゴは、ロヨラ村の生家に戻り、失意の療養生活を送る。騎士の夢を断たれた彼は当初、ドン・キホーテと同じように、騎士小説を読みふけった。しかし次第に飽き足らなくなり、宗教的な本に手を伸ばすようになる。

この寝室の隅には、若き日のイニーゴのほぼ等身大の彫像、「イニーゴ・デ・ロヨラの回心」が置かれている。脇に数冊の本を積み上げ、左手に本を抱えながら座る若き日のイニーゴが、雷に打たれたような表情で天を仰ぎ見ている。自然に広げた右手は、天から降り注ぐ何かを浴びようとしているかのようだ。

そして寝室の梁《はり》には、こう刻まれたプレートが打ち付けられていた。

「その時、イニーゴ・デ・ロヨラは神に身を任された」

部屋の隅には、イニーゴが一五二一年当時に読んだ本と同じ版のレプリカが展示されていた。"Vita Christi"（キリストの生涯）と"Flos Sanctorum"（聖徒の華）。「聖徒の華」、つまり聖人伝である。自らものちに聖人となるイニーゴ・デ・ロヨラは、聖人伝と出会ったことで信仰に目覚めたのだった。聖人伝とは、それほど影響力の強い読み物なのだという実感を持てたのは、この彫像を見た時だった。

だからこそ、『サントスの御作業』が聖人伝だと知った時の衝撃は、はかり知れないものがあったのである。

聖人伝は、ほぼ殉教伝

さて、とはいえ、カトリック世界にどっぷりつかったことのない人間には、それでもまだ「聖人伝」とは距離を感じる。これを「ほぼ殉教伝」と言い換えたら距離が縮まるだろうか。

キリストが復活したあと、パウロとイエスの使徒が中心となって布教を始めた時代、ローマ帝国下では布教そのものが非合法活動だった。異教徒の為政者のもとで布教活動を行えば、迫害が起きることは避けられず、殉教者が生まれる。初期キリスト教時代の聖人にはとりわけ殉教者が多く、そんな彼らの生涯を描いた聖人伝は、ほぼ殉教伝と見なすことが可能だ。

そして、そんな聖人伝が日本のキリシタンにも早くから伝えられていたのである。

天正遣欧使節がヨーロッパから持ち帰った活版印刷機で最初に印刷したものが殉教伝であり、それをキリシタンは貪《むさぼ》るように読んで、そこに内包される精神性を吸収し、大切に語り継いでいた、ということになる。

日本で聖人伝が活版印刷されたのは一五九一年が最初であるものの、写本バージョンはそれよりずっと前から日本に入っていたことがわかっている。

前述した『サントスのご作業』の編著者、尾原悟氏は、巻末にこう書いている。

「『聖人伝』が一五五六年に日本に舶載されていたことは知られている。この年、豊後に到着したヌネス・バレト（Belchior Nuñes Barreto）一行の荷物のなかに『聖人録 Cathalogus Sanctorum』の名を見ることができる。この『聖人伝』がどのようなものかは詳《つまびら》かではないが、『ローマ殉教録』であったかもしれないし、ヴォラギネの『黄金伝説』であったかもしれない」

ザビエルが日本の地を踏み、キリスト教の布教を開始した一五四九年から、わずか七年後には聖人伝が入っていたのだ。

『黄金伝説』は、中世ヨーロッパで編まれた聖人伝の中でも珠玉の名作と言われるもので、平凡社ライブラリーからも出ているので、興味のある方は手にとっていただきたい。

「一五五九年、ガスパル・ヴィレラ（Gaspar Vilela）が京都に宣教活動の拠点を設けようとした時、日本人イルマン（修道士＝筆者注）のロレンソに『サントスのご作業』を語った」

余談だが、このヴィレラはＮＨＫの大河ドラマ「黄金の日日」の冒頭に書簡の形で登場する、「黄金の中に日日を過ごせり」という名言を残した人物だ。

「一五六四年、後年イルマンになって活躍するパウロ養方は、堺でヴィレラの『聖徒の華（Flos Sanctorum）』翻訳に協力した」

『聖徒の華』を回心前のロヨラが愛読していたことは、先ほど述べた通りだ。

「一五六五年、日本人イルマンのダミアンが、同じく堺でフロイスの『幾人かの聖人のご作業（Algunas vidas de Santos）』の翻訳を助けた」

イエズス会の書記担当だったルイス・フロイスも、彼の手による『日本史』にこう記している。

「パウロの助力により、数多くの聖人伝や、その他、ヨーロッパの著作の作品が翻訳された。なぜなら彼の言葉は、優雅、かつ流麗で、洗練されたものであり、それを聞いた日本人からは、つねに非常に好愛されるからである」

これだけを見ても、日本布教にあたってイエズス会がどれほど聖人伝を重視したかが伝わってくる。それにしても、堺で聖人伝が読み継がれていたとは。「黄金の日日」ファンとしては涙が出そうだ。

なぜそれほど聖人伝にこだわったのだろう。尾原氏が続ける。

「キリシタン時代に編まれた『サントスのご作業』は、もともとはキリスト教宣教活動の一翼を担っている人たちの実践の中から生まれてきた。キリシタンひとりひとりにサントスのご作業を通して、カトリックの世界観や教えを伝えようとするものである。そのために宣教師たちは『ドチリナ・キリシタン』に代表される教義書などを何種類か刊行した。しかし、これらの書物はある人にとっては、難解であり、限りなく完全な父なる神や三位一体の神秘等、キリスト教の本質にかかわる点を充分に理解できるのかどうか、もっと容易に説明のできるものがないか。その手段として取り上げられたのが、サントスのご作業であった。聖人とは呼ばれていても、私たちとは遠く懸け離れた近寄りがたい存在ではない。私たちにも身近で、親しみの持てるひとりの人間である。そこで、宣教師は早くからサントスを主題に説教をしたり、また、文字にして書きまとめたりしたのである。つまり、『ドチリナ』などに書かれた教義の理解を助け、具体的に説明し、それをキリシタンたちの信仰生活のなかに根付かせるものとしてサントスのご作業を選んだのである。」

こういう件《くだり》を読むと、やはりスペイン各地で訪れた教会のことを思い出す。

日本に布教にやってきた多くの宣教師の故郷、スペインでも、ラテン語で書かれた聖書は一般信徒が自ら手に取って読める存在ではなかった。そんな信徒にとって教会は、難しい神学的知識がなくとも容易に教義を理解できる、聖画や立体の聖像といったビジュアル素材で空間が埋め尽くされた、そこにいさえすればキリスト教のシャワーを浴びられる場所として存在していた。

しかし殿の心変わりによっていとも簡単に土地を追われる戦国時代の日本では、そこまで聖画や聖像の充実した教会を建てる余裕はなかった。では何を用いて信徒にシャワーを浴びせられるだろう?

そこでイエズス会士が早くから注目したのが、聖人伝、殉教伝だった。そのことが私には、すとんと腑に落ちたのである。


大変前置きが長くなったが、このような紆余曲折があり、ようやく『サントスの御作業』を読む心の準備が整った。

心がけたのは、当時のキリシタンが置かれた状況をできるだけ想像しながら読むことだった。迫害はすでに始まっているかもしれない。近くですでに、信徒の殉教が起きているかもしれない。心酔した神父はすでにおらず、いつまた生きて神父に告解をする機会があるかもわからない。教義書や聖人伝はテキストの断片しか残されていない、あるいはテキストすら存在せず、キリシタン集落の長老が記憶した内容を、夜中に小屋に集まって語り継いでいたかもしれない。そんな状況をできるだけ想像しながら、夜に読み進めることにしたのだった。

諸聖人が提示する空間的広がり

まず驚いたのは、初期キリスト教時代だから当然と言えば当然なのだが、主な時代設定が一世紀から四世紀と、非常に古いことだった。想定読者だった十六世紀の日本のキリシタンより、さらに千年以上遡っている。

キリスト教徒を迫害する「異教徒の暴君」が君臨する時代として多く登場するのは、ローマ皇帝ディオクレティアヌス帝（在位二八四～三〇五）とマクシミアヌス帝（在位二八六～三〇五、三〇六～三一〇）の時代である。

さらに、ローマ帝国時代の話だからこれも当然なのであるが、聖人の出身地あるいは殉教地が、想像以上に多様なことだった。以下に例を挙げよう。

聖女エウゼニヤ――アレシヤンヂリヤ（アレキサンドリア／エジプト）
聖女ウルスラと一万一千人のビルゼン（処女＝筆者注）――ビリタニヤ（ブリテン）からロウマへ巡礼、ケルンで殉教
聖女アポロニヤ――アレシヤンヂリヤ（アレキサンドリア／エジプト）
聖女アナスタジヤ――ロウマ

聖女マリヤ　エヂチカヤ（エジプトのマリヤ）――アレシヤンヂリヤ（アレキサンドリア／エジプト）
聖マウリシヨ――テベヨス（ナイル川のほとり）
四十人のマルチレス（殉教者＝筆者注）――アルメニヤのセバスト
聖ボニハシヨ――小アジアのタルソ（アナトリア地方／トルコ）
聖イグナチヨ――アンチヨキヤ（アンティオキア／シリア）出身、ロウマで殉教
聖女ヘボロニヤ――アシリヤのシバポリス（イラク北部）
聖マンシヨ――ロウマからイエルザレムを経てエヲラ（エヴォラ／ポルトガル）へ
聖女キリシチイナ――チロ（テユロス／レバノン南部）
聖セバスチヤン――ミラン（ミラノ）
聖エステワン――イエルザレム
聖ビセンテ――ワレンサ（バレンシア／スペイン）
聖女オラリヤ――メリダ（スペイン）
聖女アナスタジヤ――ロウマ
聖ケレメンテ――アンシラ（小アジアのガラテヤ地方／トルコ）
聖シメヨン――ペルシヤ

ざっと主な地名を挙げてみるだけでも、その範囲の広さがわかる。大半がいまの非ヨーロッパ地域である。これは素直に驚いた。

異教時代のローマ帝国で、いかに広範囲にわたってキリスト教信仰が広まっていたかを強調する意図があるのだろうが、それにしても、初期キリスト教が、私たちがいま漠然とイメージするヨーロッパや西洋から、いかにずれていたかを知らされて興味深い。いや、むしろ、キリスト教と西洋を同一視しがちな固定観念のほうこそずれている、と言うべきなのだろうが。

当時これを読んだ日本のキリシタンたちは、ポルトガルやイスパニア出身の南蛮人に出会ってまだ日も浅く、しかも世界の位置関係をまだよく知らなかったはずだ（実際に世界を半周した天正遣欧使節を除いて）。『サントスの御作業』が提示する空間的広がりを、どのように受け止めたのだろう。ここで繰り広げられる殉教が、パードレたちの故郷である南蛮で起きたような錯覚を覚えはしなかっただろうか。

さらにもう一つ、時代を下ると、キリスト教と「仲の悪い」（と敢えていう）宗教といえばイスラームを連想しがちだが、これらの聖人伝の時代にイスラームはまだ誕生していない。まして、日本のキリシタンにとって「異教」と映った仏教でもない。『サントスの御作業』に登場する「異教」は、多神教で偶像崇拝の「ローマの神々」であることにも留意が必要だ。「仏」はローマの神、「伽藍」は神殿と読み替える必要がある。

物語の定型

諸聖人の殉教が起きた場所が多様なこととは対照的に、一つ一つの殉教、あるいは回心の物語に、定型と呼びたくなるような類似性があるのも『サントスの御作業』の特色である。

異教徒の暴君（皇帝とは限らず、その地を治める代官のような職位が多い）がいて、「信仰を棄てるならば命は助けよう」と甘言する。しかし誇り高き殉教予定者はそれを拒否し、信仰を貫く。

「如何に女人、何時に難儀を与へんとは望まず。然るに汝よりその望みを起させんとすることを止めよ」

「思し召すままに計らひ給へ、その故は我を責め給ふにおいては、その代りに何時までも果てなきゴロウリヤを得べし」（聖女カテリイナ）

「何とて命をば惜しまぬぞ？　汝は未だ齢を含める花の如し。未だ散るべき時節にもあらず」

「仰せの如く年もまだ十三なり。さりながらこれもはや浮世のためには長生と思ふなり。それによつて急ぎこの世を去つて、天帝にてましまス御主ゼズキリシトに逢着し奉らん」（聖女オラリヤ）

そして棄教させるために、筆舌に尽くしがたい拷問が行われる。

拷問手段は、日本のキリシタンに加えられたものとさほど変わらない。むしろ、より苛烈ですらある。挙げてみよう。

石礫《いしつぶて》でメッタ打ちにする、打擲《ちょうちゃく》する、骨を砕く、熊手で内臓が見えるほどまで肉を掻《か》く、逆さ吊るし、X字磔《はりつけ》、火あぶり、熱湯をかける、煮えたぎった油や松脂《まつやに》をかける、溶かした鉛をかける、車輪に縛りつけて体を引き裂く、金網の上に乗せて焼く、爪や歯など抜けるものはすべて抜く、体に金串を貫通させる、乳房や舌など体の一部を切り取る、矢で射る、氷の中に入れる、大きな石をつけて海に沈める、水責め、かまどに入れる、袋に詰めて谷底へ投げる、獅子に襲わせる、毒虫・毒蛇に襲わせる……。

こうして挙げるだけで気分が悪くなってくるが、これぞ聖人伝の真骨頂といえよう。この残酷さこそ、のちに訪れる殉教の栄光と対称をなす、必須の舞台設定である。これがのちに、教会の造形担当者たち（のちには芸術家）が造る、絵画や聖像の背景やアトリビュートとなっていく。

強固な信仰心に支えられた殉教予定者はなかなか死なず、かえって強さを発揮していく。

「ただいまの打擲の痛みをば何とも覚えぬなり」（聖女アポロニヤ）
「我その苦しみを少しも恐れず」（聖マンシヨ）
「わが肉ははやよく焼けたり、塩を付けよ」（聖女オラリヤ）
「今我を裸になさるることさらに恥辱にあらず」（聖女アナスタジヤ）
「はや一方はよくあぶれたり。今一方を直して飽くまで食せよ」（聖ラウレンシヨ）
「たとひ我ら人数如何程死し、血の涙を流すといふとも少しも顧みるべからず。我らもその跡を行ふべきこと専らなり」（聖マウリシヨ）
「我はデウスの小麦なり。然れば獣の歯にかかりて、御扶け手の飯台に置かるべきよきパンになり奉らんこと本意なり」（聖イグナチヨ）

「我その苦しみを少しも恐れず、真のデウスご一体を尊み奉るべし」（聖マンショ）
「汝は何たる仏を拝むものぞ」（聖女マリナ）

殉教予定者は、苛烈な拷問の過程で、天から遣わされた天使、時にはキリスト本人によって励まされる。

「籠の内にてゼズ　キリシト見え来たり給ひて、我はこれ御身の夫深く大切に思はるるゼズキリシトなり。わが手より食物を服せられよと御手づから食を与へ給ひ、我天より降りたる日上天を遂げらるべしと宣ひて、見え給はぬなり」（聖女エウゼニヤ）
「ビルゼンの甘露の御夫にてましますゼズ　キリシト数多のアンジヨ（天使＝筆者注）を召し連ねられ、大きなる御威光を以てサンタに見え給ひて、御力を添へさせられ」（聖女カテリイナ）

四十人のマルチレスの場合は、凍った池に入れられた四十人のもとに、数多の天使が三十九の天冠を持って降りてきた。

熊手で肉を掻かれ、猛火の中で引き回しになった聖女キリシチイナのもとにもアンジヨが降りてきて励ました。籠内の聖ビセンテにも数多のアンジヨが到来。

船に乗せられてローマを去ることを余儀なくされた聖ケレメンテと聖アガタンゼロの元には、デウスがアンジヨを遣わし、食糧を届けた。

さらなる定型

殉教予定者が苛烈な拷問を受けるなか、天は黙ってはいない。迫害担当者や迫害を傍観する異教徒たちに、天罰を思わせるような不思議な現象が起きることもパターン化している。

聖女キリシチイナの場合は、なかなか激しい。彼女を火で焼こうとした時には、火と油が群衆の方へ飛び散り、千人あまりのゼンチヨ〈異教徒〉が即死。煮えたぎった油と松脂の入った釜に入れても死なない彼女を裸にして、アポロの偶像を祀った神殿へ連れていくと、本尊が崩れて微塵《みじん》に砕け散る。仰天した下手人は、たちまち死亡してインヘルノ〈地獄〉へ直行。毒虫と毒蛇を入れた籠に彼女を入れて殺そうとした呪術師は、たちまち毒にかかって死亡。さらに舌を引き抜かれた彼女が舌を下手人に投げつけると、それが下手人の眼《まなこ》に当たり、たちまち盲目となる。彼女を監禁した異教徒の父親にも罰が下って頓死した。

聖女へボロニヤが殉教した際は、聖遺骸をよそへ移そうとしたところ、大地が激しく震動し、その場所の人々が絶滅するかという勢いだった。

聖女マルチイナの場合も、へボロニヤと似ている。まずは悪王の前に召し出されて聖女がオラシヨ〈祈り〉を唱えると、たちまち大地震が起きて僧院や寺院が崩れ落ち、ゼンチヨの悪僧どもを圧《お》し殺す。拷問のあとに再び悪王の前に引き出されると、あたりが鳴動して火が上がり、イドロス〈偶像〉は焼き尽くされ、神殿が崩れて悪僧どもが圧死。悪王が獅子を放つと、獅子は聖女になついて足を舐め、悪王の親戚を食ってしまう。業を煮やした悪王が聖女を火の中に投げこむと、夕立が降って大風が吹き、聖女ではなくあたりの者を焼き殺してしまう。

余談だが、獅子や猛獣が登場する場合にも一定のパターンがある。

聖女マリヤ　エヂチカヤ（エジプトのマリヤ）の場合は、回心してヨルダンの荒れ野で死んだあと、聖遺骸に獅子がなついた。

聖イグナチヨ（イニーゴ・デ・ロヨラのお気に入りの聖人）は、獅子二頭に絞め殺されるが、獅子は肉を食べようとはせず、聖遺骸の心臓の真ん中から「ゼズス　キリシッス」という金の文字が浮かび上がった。

聖ビセンテは殉教したあと、鳥に食べさせるために聖遺骸が野に放置されるが、狼が来て獣を追い払う。最終的には打ち首とされた聖女アナスタジヤの聖遺骸は、やはり野にさらされるが獣は食べなかった。聖ケレメンテと聖アガタンゼロも獅子を仕向けられるが、なついてしまった。

エル・グレコ《聖母マリアと子と聖マルティナと聖アグネス》(1597-99年)。左下の聖マルチイナの足元には、すっかり聖女になついた獅子が描かれている

殉教者のレリキヤス〈聖遺物。聖遺骸を含む〉の確保に信徒が奔走し、それを安置して教会を建設する、というのも、全体を通して散見される。

こうして読み進める間に、タイムループに迷いこんだような、奇妙な酩酊《めいてい》状態に陥った。

初めて読むにもかかわらず、既視感がある。何かが逆転しているような不思議な感触が残った。

これは一体どういうことなのだろうか。

第20話　日本の殉教伝

二〇一九年十一月、ローマ教皇フランシスコが来日した。三泊四日という強行スケジュールのなか、長崎、広島、東京と駆け回った。

教皇が長崎を訪れる前日の十一月二十三日、私は長崎に入った。NHK長崎放送局の教皇来日特番に生出演するためだ。番組は、教皇が「核兵器に対するメッセージ」を発表する、浦上の爆心地公園から中継されることになっていた。

翌二十四日、爆心地公園では午前七時からセキュリティチェックが始まった。重い雲が空いっぱいにたちこめ、三十分もしないうちに雨が降り始めた。武器と見なされる長い傘は会場には持ちこめないため、参列者や取材陣はあたふたとレインコートを着始めた。空がピカッと光り、雷が鳴ると、女子高校生たちから悲鳴が上がる。九時から始まる中継の直前、再び稲妻が光り、ひときわ大きな雷鳴が轟《とどろ》いた。

昭和の時代にヒットした「長崎は今日も雨だった」という曲のように、確かに長崎は雨の多い印象が強い。しかし秋も深まった十一月の末に稲妻とは、穏やかではない。私たちは中継を進めながら、もう一つの画面で教皇が乗った飛行機が長崎に到着する様子を眺めていた。嘘みたいな話だが、教皇が長崎に近づくにつれ、雨足は強くなり、雷が鳴るのである。現地で風雨に吹きさらされていたからこそ、その感覚は強烈だった。

教皇が爆心地公園に到着すると、女子高校生たちから「パパ様！」という歓声が湧き上がった。教皇は参列者に向かって手を振り、にこやかに応対するものの、記念碑の前に立つなり、一転して険しい表情になった。そして原爆によって命を奪われた人々への祈りを捧げ、続いて「核兵器に対するメッセージ」を読み上げた。その間、雷は去っていたものの、代わりに風雨が激しさを増し、私たちの足元に容赦なく吹きこんできた。

十分ほどにわたったメッセージが終わると教皇は公園から立ち去り、二十六聖人記念館のある西坂の「殉教の丘」へ移動した。誇張でも何でもなく、雨風がぴたりとやんだ。二十六聖人記念館はその名の通り、一五九七年にここで処刑された日本二十六聖人を記念する場所であるが、すでにおなじみのスピノラやオルファネール、メーナといった二〇五福者の多く、さらには十六聖人、中浦ジュリアンも殉教した場所である。くしくも十一年前のこの日、中浦ジュリアンを含む一八八福者の列福式が長崎で行われた。イエズス会出身の教皇フランシスコは、もちろんそのことをご存じだっただろう。

十一時に無事中継が終わったあと、中継チームと離れ、私はひとり、ミサが行われる県営野球場へ向かった。長蛇の列と厳しいセキュリティチェックを経て、ようやくアリーナ席にたどり着いた時、午前中に一面を覆っていた雲が嘘のように消え、青空が広がり、強烈な直射日光にさらされた。重ね着していた二枚のレインコートを脱ぎ、レッグウォーマーを脱ぎ、背中に貼っていたホカロンを外してもなお、額から汗が流れ落ちてくる。

「パパモービル」に乗った教皇がスタジアムに現れるや否や、地鳴りのような歓声が起きた。そして教皇に頭を撫でてもらうため、子ども連れの信徒が通路へ走り出した。巨大なスクリーンに映し出された教皇は、爆心地公園の時とは別人のような柔和な表情をして会衆に手を振り、差し出された赤ちゃんや幼児の頭を撫でていた。

私はキリスト教徒ではない。非信徒でも申しこめるこのミサにやってきたものの、場違いな場所にいるという居心地の悪さは拭えなかった。今回の教皇来日が、宗教的理由だけではなく、政治的理由を伴った教皇庁の世界戦略の一環であることもわかっている。

それでも、教皇のおでましを心から喜ぶ周囲の信徒たちを眺めていたら、そんな気分は吹き飛び、知らず知らずのうちに頬を涙が伝った。四世紀前に斃《たお》れていったキリシタンに思いを馳せずにはいられなかった。

かつて「東洋のローマ」と呼ばれるほど教会が建ち並び、キリシタンの町となった長崎は、禁教令が出るとキリシタン狩りともいえるような監視体制が敷かれ、一転して暗黒の町となった。潜伏宣教師や宿主、協力者、熱心な信徒は次々と命を失い、それでも信仰を隠して守り通した信徒たちは、再び神父がやってくるのを二百五十年も待っていた。そしてよりによって、かくれキリシタンの末裔《まつえい》が多く暮らした浦上に原爆は落とされたのである。

二十六聖人の処刑が行われた長崎の西坂で元和８年(1622)、宣教師や信者ら55人が火刑、斬首に処された「元和の大殉教」

そこへ教皇が来ることの意味。どれだけ慰められる信徒がこの町には多いだろう。それを想像したら、とても冷静ではいられなかった。

東京に戻ったあとも、長崎での天候の激変が頭から離れなかった。

最近、聖人伝や殉教伝を読みあさっているせいか、劇的な天気の変化が起こると、「天のご意志か？」と、ついつい思ってしまう。スピノラやオルファネールが西坂で火あぶりになった「元和《げんな》の大殉教」（一六二二年）の際も、前夜は嵐に見舞われ、神父たちが処刑場に到着するや否や嵐がやんだという。殉教伝には、確かにそんなドラマチックな記述が多い。

原爆の犠牲者を悼んで哀しみの祈りを捧げ、核兵器廃絶への提言をする際には、稲妻と豪雨。そして歓喜の声で迎えられたミサの際には強烈な太陽。そのコントラストを現場で体験した私は、「教皇フランシスコは、つくづく持っておられる方だ」と感じ入った。

前章に引き続き、聖人伝の話をしたい。前章はキリシタン版『サントスの御作業』を軸に、設定や状況、物語に、定型とも呼べるような類似性が見られることを考察した。ここでは日本の殉教伝に注目する。

日本のキリシタンの殉教伝として有名なものには、実際日本で宣教し、マニラに追放された高山右近の最期を看取ったP・モレホン(イエズス会)の『日本殉教録』(佐久間正訳)と『続日本殉教録』(野間一正・佐久間正訳)、日本で宣教し、自らも殉教者の列に加わったI・オルファネール(ドミニコ会)の『日本キリシタン教会史』(井手勝美訳)、殉教したオルファネールの遺志を継いで「元和の大殉教」を記録したD・d・コリャード(ドミニコ会)の『日本キリシタン教会史　補遺』(井手勝美訳)、そして時代は下るが、十九世紀半ばにフランスから外交官として清に赴任した経験のある歴史家、L・パジェスの『日本切支丹宗門史』(吉田小五郎訳)がある。

私は日頃からこれらの殉教伝を愛読している。流れもストーリーもほぼ頭に入っているが、読むたびにあらたな発見があるので、やめられない。これらの読書体験を通じて私は回心したりはしていないが、殉教伝に底知れない引力があることは実感する。

今回は『サントスの御作業』を通読したあとに再読したためか、大変奇妙な感覚にとらわれた。それが前章の最後に書いた、「タイムループに迷いこんだような、奇妙な酩酊《めいてい》状態」である。結論を先に言えば、あまりに『サントスの御作業』と似ていて、読み進めるうちに日本のキリシタンの話なのか、はたまたローマ帝国下の初期教会時代の話なのか、見分けがつかなくなってしまったのだ。

初期教会の存在は作者のモレホン自身も十分に意識していたようで、『日本殉教録』（一六一六年）の冒頭にこう記している。

「次に述べるように神の栄誉となり初期教会時代に類似した著名な出来事が起こったのである。」

『続日本殉教録』（一六二一年）の出版に認可を与えたイエズス会のジョルジュ・カブラルも、一六二一年二月二日付でこのように記す。

「この報告には、われらの信仰および道徳に反するものは何もなく、むしろ初期教会にみられる殉教に類似したすぐれた殉教談が多数述べられている。それゆえ本書が印刷されることは信者に大きな慰めと教化を与えるのに役立つと信ずる。」

モレホンは、『続日本殉教録』の「読者へのまえがき」でこうも書く。

「我らのヨーロッパにおける長子の多くが教会に対して忘恩・叛逆を示している時に、これほど多数の未信者や野蕃な人々の中において生まれて来たのであるから、老後にできた可愛いベンジャミン［ヤコブの十二人の子供の最年少者］の如く教会にとって大きな喜びである。」

宗教改革によってヨーロッパで大きく失地したカトリック教会には、「野蕃」（！）な地で多くの収穫を得たことを悦ぶ素地があった。だからこそ、日本の状況と初期教会時代を重ね合わせる心性が広く共有されたのであろう。

今回は、日本の殉教伝と、初期教会時代の受難を描いた『サントスの御作業』を、特に殉教者の発言に注目しながら比較検討してみたい。なお、以下の文中で「聖女」「聖」と記した場合は、『サントスの御作業』に登場する聖人を指し、日本の殉教伝の登場人物はできる限りその名を記し、その逸話を書いた作者の名を後に記すこととする。

・殉教予定者が偶像崇拝を唾棄《だき》したり、迫害者や異教徒に向かって啖呵《たんか》を切ったりする

「主の御前にては金銀珠玉も土塊なり」（聖女アナスタジヤ）

「私はこの機会を求めて長崎から来て、今それを手中に入れたのに、それを失わせようとするのか？」（ペドゥロ・カヴァシマ：モレホン）

「命を捨てんことは露塵ほどとも更に思はず」（聖女アナスタジヤ）

「汝は何たる仏を拝むものぞ」（聖女マリナ）

「考へても見なされ。キリシタンの教の外に、人の救はれる途はありませぬ。他の宗教は、皆暗黒か盲目に過ぎません」（八代のヨハンナ：パジェス）

「イドロス（偶像＝筆者注）は笑いに堪へざる」（聖女カテリイナ）

「同仏僧の説く不浄な冒瀆に満ちた説教を我慢して聞く者は一人としていなかった。仏僧が数珠玉（ほぼ我々のロザリオのようなものであるが、ただし十字架がない）を幾つか与えようとしたところ、仏僧目がけて投げつける女性がいた」（有馬のキリシタンたち：オルファネール）

「我は生き給ふ御主デウスへサキリヒシヨ（犠牲＝筆者注）を捧げ奉るものなり。アポロ（偶像神＝同）には如何でか手向けをなすべき？　狂乱したることをな宣ひそ」（聖女マルチイナ）

「目をお覚まし下さい。人が救われるためにはキリシタンの教え以外にありませぬ。この教えのために私は喜んで生命を捧げるのです」（アンドレス村山徳安：オルファネール）

「今更この諫めを以てわが心中の変るべきや？」（聖女オラリヤ）
「長い間のキリシタンである老人に向かってそのような邪悪で汚れたことを勧めるという恥知らずの行為をしなさるな」（アダン・アラカワ：モレホン）
「今我を裸になさるることさらに恥辱にあらず」（聖女アナスタジヤ）
「私は神を棄てない。日本の将軍の権力は聖信仰の力によって敗北し、私は勝利を得た。真実を知らせる為にこれを記録させる」（ミゲール・イシダ：モレホン）
「貴殿らは私の友人であるから、他の人に対する威嚇を私に実行して酷しく私を苦しめよ。それが私に為し得る最大の親切である」（ファン・ナラヤ：モレホン）
「みなさん、私は世界の多くの土地を歩き、シャム・カンボジャ・交趾支那その他の地へ行って、みなさんの主要な偶像たる釈迦の国、その寺院や像を見、彼らの宗派の教えについて根本から知ることができました。あなた方は仏僧が生活の資を得るために述べている偽瞞を聞いているにすぎません。しかし真実は、それらの話は何の根拠も価値もありません」（口之津のミゲール・ヤシチロー：モレホン）

・拷問を受けても痛みを感じない
「ただいまの打擲の痛みをば何とも覚えぬなり」（聖女アポロニヤ）
「我その苦しみを少しも恐れず、真のデウスご一体を尊み奉るべし」（聖マンシヨ）
「たとひ我ら人数如何程死し、血の涙を流すといふとも少しも顧みるべからず。我らもその跡

を行ふべきこと専らなり」（聖マウリシヨ）
「指を切られた時、痛みを覚えなかつた。上皮に一寸障つた位にしか感じなかつた、又烙印を押された時も、肉の焼けるじいつといふ音を聞き、幾らか熱いとは思つたが、本當に苦しくはなかつた」（口之津のキリシタン：パジェス）
「はや一方はよくあぶれたり。今一方を直して飽くまで食せよ」（聖ラウレンシヨ）
「わが肉ははやよく焼けたり、塩を付けよ」（聖女オラリヤ）
「私は少しも痛くない。脚に棒が触れているようには感じないから、痛みを感じるようにもっと締めつけなさい」（ミゲール・アカホシ：モレホン）
「金・銀の美しい衣装を着たイエズス、天使、諸聖人を見た」「これによって大きな喜びを得たので、殆ど苦しみを感じなくなった」（ペドゥロ・ハシモト・イチザエモン：モレホン）
「最初の十五日の後に非常に美しい子供が二人現れて、持って来た小さな器で口当たりのよい飲み物を飲ませてくれた。それを味わうと空腹がことごとく消え去った」（ミゲール・イシダ：モレホン）

・「キリスト教は魔術である」と言ってのける迫害者
「それほどの苦患を受けても我に従はぬことは、これ紛れなき魔術なり」「キリシタンは魔法を行はず却つてこれを戒むる法度なり。仏神を拝まるるおのこそ魔術を行はれる」（帝王と聖イグナチヨの会話）

「かかることを教える宗教は悪魔のものである、日本ではこれを受け容れることはできない」（有馬の信徒を弾圧した長谷川左兵衛：モレホン）

「かの伴天連の徒党、みな件の政令に反し、神道を嫌疑し、正法を誹謗し、義を残なひ、善を損なふ。刑人あるを見れば、すなはち欣《よろこ》び、すなはち奔《はし》り、みずから拝し自ら礼す。これを以て宗の本懐となす。邪法に非ずして何ぞや。実に神敵仏敵なり。急ぎ禁ぜずんば後世必ず国家の患《うれ》ひあらん」（徳川家康の命を受けて金地院崇伝が書いた「排吉支丹文」）

・殉教の時を待っていた

「我は多年望みたる日ただ到来す」（聖ラウレンシヨ）

「本當に待ち遠しい。タツタ一時間が隨分おそい」（八代のアグネス：パジェス）

「（キリシタンの＝筆者注）氏名表に名を載せられることを希望するかどうか聞くために呼びに来られた時、あまり喜んだのであわてて転倒して、負傷した」（トメ・ウスイ：モレホン）

「（貧しくて家のないという理由で）これほど望んでいた幸せを奪わないでくれ、と熱心に頼んだ」（ペドゥロ高麗：モレホン）

・私のために祈ってください

「わがためにオラシヨ（祈り＝筆者注）を頼む」（聖女カテリイナ）

「如何にサントス、わがためにオラシヨ頼み奉ると声高に宣ひ、さらぬ体にて居給ふなり」

（聖ボニハシヨ）
「彼の姿を見ると、人々はいずれも大声を挙げた。『ヤコベ様、ヤコベ様、御取り合せを頼みまらすに』、すなわち、ヤコベ様、ヤコベ様、あなたが天国へ行きましたら我らのためにお取りなしをすることを想い出して下さい、との意である。少年は愛らしく一同に答えた。『まだ、先ずおらしよお頼みまらする』と。すなわち、まだその時期ではございませぬ。むしろ私をディオスに委ねるよう御一同にお願い致します、との意である。換言すれば、まだ私を仲保者と見なす時ではありませぬ。今はわたしをディオスに委ねて下さい、と。少年はこれを嬉々とした顔で一同に答えた」（有馬の少年ヤコベ：オルファネール）
「我もおのおのご傍輩となり奉るやうにデウスへオラシヨし給へ」（聖ボニハシヨ）
「私のためにディオスに祈って下さい」「私は誰のためにもまだ取り成しができるほどディオスに尽くした者ではない」（有家のアドリアン：オルファネール）
「パブロよ、殉教者の資格をいただくことは我らの功徳の及ばぬところなるがゆえに、今は殉教者になることを考えぬように。ディオスのみ心に仕えることだけを努めなさい。主のみ旨に叶うことであれば、その方の罪の償いとして主のために生命を捧げる覚悟をするように」（ナバレーテ神父：オルファネール）

・感謝、喜び、幸せを述べる
「如何に御主ゼズ　キリシト御身の禁中のご門より我も入り奉るやうに功力に及ばせらるるに

よつて、深く御礼を申し上げ奉る」（聖ラウレンシヨ）
「キリストは馬にも輿にも乗らずに十字架の受難に歩いて行かれたと言われているのですから、私にも歩いて行かせてください。その苦しみの後に確実な休息の来ることを私は期待しているのです」（有馬の少年ヤコベ：モレホン）
「六、七歳の時に日本のことを聞いて、キリストに生命を捧げるために日本へ行こうという強い衝動を心に感じた。それだからイエズス会に入ったのであり、自分の聖なる希望が叶えられたことを非常に大きな幸わせと考えている」（ファン・バウティスタ・マチャード神父：モレホン）
「これは私が長い間希望していたお恵みです。私は体が弱く病身ですから普通の病気で死ぬものと思っていました。だから今これほど良い知らせ、幸せな運命を知って深く喜んでいます」（有家のミゲール・ソーダイ：モレホン）
「私たちは感謝しています。その理由は、私も私と同じ身分の他の人々も、平民でありながら殉教の栄冠を得るからです。地上の国王の名誉はきわめて低いものです」（ドミンゴ・エナミ：モレホン）
「私はずっと以前からキリシタンであり、今ほどキリシタンであることを誇りに思うことはありませぬ。（中略）さすれば、いかなる苦しみを受けましょうとも教えを棄てる積りはありませぬゆえ、断念下さいませ」（志岐のアダム荒川：オルファネール）

・キリスト教はかえって繁栄する

「キリシタンを亡ぼさんとするほど、却って繁栄の基となるのは不思議ならずや?」(聖ケレメンテと聖アガタンゼロの殉教)

「手足を切られ体を寸断されようと鉄鍋と緩慢な火で焼かれようと、キリストの信仰と教えを棄てることはない。またこれによって日本にキリシタンがいなくなるとは考えられるな。反対に殺せば殺すほど増加してゆくものと思われよ」(ファン・ナラヤ:モレホン)

「ああ、果報なるマルチル(殉教者=筆者注)なるかな! 終に猛火にも焼けず、負けず、ただ輝き給ふなり」(聖ラウレンシヨの殉教)

「キリシタン達は、この殉教によつて新しい力を得、異教徒さへ之を讃歎してゐた。到る所に、改宗者や背教者の立返る者が多く、領主も亦、再び信仰に立返るやうにならうと考へられるやうになつた」(マチャード神父とアスンシオン神父の殉教:パジェス)

「彼等の死は、不思議なくらゐキリシタンを感奮させた、キリシタン達は、教はつた通り、教師たちが教の眞なる事を血をもつて證明せんとしてゐることをよく知り、このやうな殉教の仕方で大勢のものが潔く死んで行つた。この證據だけでも、尊敬すべき修道者たちが無謀であつたといふ疑ひを晴らすに十分である。調査の證人の一人は、爾来日本中のキリシタンは、信仰の證を立てるためには、血を流すのを躊躇しないやうになつたと言つた」(ナバレーテ神父とアヤラ神父の殉教:パジェス)

「兄弟たちよ、ディオスのみ許に戻りなさい。他は、すべて空しいものであることを知りなさい。我らの受けるこの死は、我らの血で署名された生ける書簡として、この国へ聖役者を求めるためにスペインやローマへ送られるものと得心下さい。あなた方が我々一人を殺す毎に、百人ずつ新たに来るものと信じなさい」（ナバレーテ神父：オルファネール）
「将軍やその顧問がこのような方法でキリシタンを絶滅させられる、と考えていることは驚くべきです。反対にこれによって数は増加して来たし、今も増えているでしょう。貴殿も結局はキリシタンになるでしょう」（有馬のトメ・ニエモン：モレホン）

殉教伝のマトリョーシュカ化

いかがであろうか。ローマ帝国下の受難者と日本のキリシタンの発言は、かくも似ているのだ。開けても開けても同じ人形が出てくるロシアの人形、マトリョーシュカになぞり、「殉教伝のマトリョーシュカ化」と呼びたい衝動にかられる。

それに拍車をかけるのが、キリシタンたちの洗礼名だ。彼らの名前は、洗礼を授けた神父によって与えられた。多くは、いにしえの聖人にちなんだ名前である。すると物語に入りこんでいくうちに、国や民族といった属性が剝奪され、時代や国が曖昧となり、核にあるキリスト教徒の存在のみが立ち上がる、という絶大な効果をもたらす。全世界で普遍的に使われる洗礼名が生み出す力である。

初期教会とキリシタン時代の日本の類似性については、少し割り引いて考える必要もあるだろう。殉教伝作者のモレホン、オルファネール、コリャードは、カトリックの神学的知識を十分に備えた神父だった。当然ながら聖人伝の知識は豊富で、日本の殉教物語を記すにあたり、聖人伝のパターンにおとしこんだことは考えられる。しかも彼らの書いたものはそのまま、日本のキリシタンたちの列聖審査に活用された。そもそも教皇庁に聖人、あるいは福者と認めてもらうために書いたのだから、往年の聖人伝と似てくる素地は、当然あったと想像できる。

唯一、パジェスは神父ではないが、『日本切支丹宗門史』の膨大な注釈から、出典の多くが教皇庁に提出された列聖審査書類に基づいていることがわかる。つまり日本の殉教伝のいずれをとっても、列聖が深く関わっていることは念頭に置く必要がある。

それを差し引くにせよ、キリシタンたちの言動がローマ帝国時代と似ていることは気になる。私は当初、この現象を、「殉教伝の読みすぎが原因か?」と考えた。

キリシタンたちが宗教的書物を読みたがったことは、随所に登場する。

「昨日『ぎやどぺかどる』Guia de Pecadores を読んでいるとディオスへの回心を明日まで延ばしてはならぬという言葉があったからです（これは聖霊のみ言葉 Non tardes converti ad Dominum, ne differas de die in diem のこと）。それゆえ（あなたの言われるように）このように急いでいるのです。何も言わないで下さい。ディオスが我らをお助け下さるでしょう」（豊後のミゲル：オルファネール）

『ぎやどぺかどる』は、十六世紀カトリック最大の神学者と呼ばれたドミニコ会士のルイス・デ・グラナダが書いた、罪人を悪より率い出して導く、いわば「罪人の手引き」である。日本では一五九九年に長崎のイエズス会のコレジヨで訳出され、悪を退け善きものの道理を説き、信仰を深めてより堅固なものにするための指導書として、修道会を問わず、日本のキリシタンの間で広く読み継がれていた。

「この善きキリシタンたちはパードレ・フライ・ルイス・デ・グラナダの『ぎやどぺかどる』を家に所持していつも読むのが常で、妻のマクセンシアまでが本書を読むことができたのである。このように翻訳された本書が日本で収めた偉大な成果は筆に尽くしがたいものがある。本書はキリシタンが尊重し読み耽るだけでなく、異教徒までが多数喜んで読み、一部の者は自宅に何冊かを所持している」(豊後のマクセンシア：オルファネール)

「キリシタンが多数であったので、パードレらは家の中に入れず附近の野原で野宿した。夕暮れ近くになると、『めでたし元后(ラ・サルヴェ)』la Salveや連禱を公然と誦え、信者に聖水を注いで祝福を与え、日本語で書かれた書籍、すなわち殉教者伝、あるいは極めて見事に訳出されて日本人に深い感動を与えているパードレ・フライ・ルイス・デ・グラナダの『ぎやどぺかどる』Guia de Pecadoresを朗読させた」(ナバレーテ神父とアヤラ神父の殉教：オルファネール)

「彼女(ジュリヤおたあ。朝鮮から連れ去られ、キリシタン大名、小西行長の養女となり、のちに家康に仕えた=筆者注)は、駿河の神父に書を送り、サンクトスの御作業や、殉教者傳や、聖なる童貞達の傳記を欲しいと言つてやつた」(ジュリヤおたあ：パジェス)

「この二カ月の間、アダンはきわめて聖い生活をし、一尋四方かそれより少し広い部屋の中で、訪ねて来たキリシタンと霊的な話をしたり祈ったりコンテンプス・ムンヂ（こんてむつすむんぢ：一五九六年、天草発行のキリシタン版『キリストにならいて』。原義は「世を軽蔑する」＝筆者注）を読んだりして時を過ごした」（アダン・アラカワ：モレホン）

「アグネスは、慈悲役の一人に日本文で書かれた殉教者傳を幾頁か讀んで欲しいと請うた。彼女は、それによつて大層慰めを受け、熱心に、自分も彼等の仲間に入れて欲しいと懇請した」（八代のアグネス：パジェス）

また、こんな発言もある。

「獣の餌食となさらうと、燒殺しなさらうと、又胴中を木の鋸でおひきなさらうと、皆様方の御勝手次第、但し拙者はキリシタンである、又永久にキリシタンであるとのみ御答へ申す」（熊本のパウロ・サンギザカ：パジェス）

「すでに死ぬ以上は、私たちは犠牲が厳粛であり、死の原因が昔の聖人と同じであるから、彼らと同じく体を寸断されることを望みます」（ペドゥロ・アスンシオン神父：モレホン）

日本でキリシタンを拷問するにあたり、獣に食い殺させる、という方法は採られなかった。それが採用されたのは、ローマ帝国下に生きた聖イグナチヨや聖女マルチイナ、聖ケレメンテに聖アガタンゼロで、その獣は獅子だった。つまり、もし熊本のパウロ・サンギザカが本当に「獣の餌食」

と発言したのなら、脳裏に描いたイメージはローマ帝国時代の処刑方法、ということになる。スペイン出身のフランシスコ会修道士アスンシオンの念頭にあったのも「昔の聖人」である。

キリシタンも、彼らに教えを授ける神父たちも「昔の聖人」と自分を重ね合わせている点が実に興味深い。

殉教のたしなみ

キリシタンが、「殉教のたしなみ」とでも呼びたくなるような、心構えを熟知していたことを窺わせる記述も、いくつか登場する。『サントスの御作業』になく、日本の殉教伝にある決定的な違いは、殊勝な子どもの存在である。

「それは知つてゐます、お父さんもお母さんも死ぬ覺悟をしてゐます、死ぬことは本當に待つてゐたのです」「私の體に丁度あふ小さいの（磔にするための十字架＝筆者注）があるといゝな」（六歳のビンセンシオ：パジェス）

「六七歳の子供達が、唯殉教のことばかり言つてゐた。その両親は、子供をさういふ風に教育し、常に、やがて磔刑か、槍で突かれるか、斬首される番が廻つて來るとか、其首は棚の上に釘づけにされるだらうとか、其他際限なく苦しい目に遇はされるだらうとかいふことを聞かせてゐた」（パジェス）

「おい、お前泣くと殉教者にはなれんぞ」（パジェス）

「死ぬ時には嬉しさうにしてゐるのだよ、首を顯はにし神妙にのべて、お役人様の刀で切られるのだよ、最後にさすが父の子だけあるといふ所を見せてやれよ」（有馬のマルタ：パジェス）

「五、六歳になるこの婦人の弟、すなわちトメの息子が、今日は両親と一緒に殉教者になるんだと言ひながら、嬉々として他の子供たちに玩具を分け与へているのをみて、異教徒たちは驚嘆した」（トメの息子：パジェス）

「この感心な子供は、死に、行くのを悦んで起き上つた。……ペトロは、腕に抱かれて刑場に連れて行かれた。血を見てもびくともしなかつた。彼は跪いて首をのべた。……奉行は、三人の最初の殉教者の遺骸を細かに切りきざませたが、幼いペトロの遺骸は、其まゝ手を付けるなと命じた。キリシタンは、之ら貴重な遺骸をそつくり埋葬することが出來た」（幼いペトロ：パジェス）

「十五歳に満たない子供たちが自分たちの間で聖ヨセフという信心会を作って集まり、書き物によって『爪や歯を引き抜かれ、水責めにされ火で焼かれても、一度信じたキリストの教えを絶対に棄てない』と約束した」（有馬の少年たち：モレホン）

聖遺物に対する熱狂

もう一つ、日本の殉教伝独自の傾向といえるのは、聖遺物に対する異様なまでの執着である。『サントスの御作業』にも聖遺物の記述はあまた登場する。たとえば以下に挙げる、いずれも聖ケレメンテと聖アガタンゼロが船に乗せられた際の記述などだ。

「おのおの声を上げ、五体を地に投げ、発露啼泣して、或いはサントの御衣裳に取り付き、これや限りにてましますべき？　誰かを頼み申すべき？」

「キリシタン参りてご打擲に散乱したるサントスのご皮肉を取り集めて、スピリツアルの至宝と用ひたる」

一方、日本の殉教伝に描かれる聖遺物に対する執着は、熱狂と呼びたくなるほど、異様な迫力に満ちている。それを目撃した神父の「感動」が、行間からほとばしるようだ。

「近づいた人々は修道服を遺物とみなしたので、たちまちのうちに修道服はずたずたになり跡形もなくなるほどであった。したがってパードレ・フライ・アロンソは肩衣（エスカプラリオ）が頭布（カピーリャ）から下まですべて剝ぎ取られ、長袍（サヤ）も半分しか残らなかったので新しい修道服に着替えねばならなかった」（ナバレーテ神父とアヤラ神父の殉教：オルファネール）

「キリシタン達は、神父達の手や衣服に觸れんと、群をなして突進し、その足許に伏した。また遺物にしやうとして、師等の服の一片を切りとつた」（ナバレーテ神父とアヤラ神父の殉教：パジェス）

「アドリアノから遺物を何一つ得ていなかった人々は、もはやそれが不可能だと解ったので、アドリアノ以外の人に対しても同様なことが生じないよう殉教者の所に蝟集し、遺物として上着を引き裂いた。こういうことになったので、殉教者の一人は着物、すなわち布で覆わなければならなかった。彼らがこういう状態になったのは、少しでも遺物を入手できる者は極めて幸運だと思っていたので、すべての人がそれぞれ自分の布切れを手にしようとした性急さと敬虔な争いは確かに感動的であった。そして少年ヤコベの小さな着物をごく丁寧に脱がせたが、彼は無言のまま極めて満足し喜び、柔和な仔羊のようにしていた」（有馬のアドリアノと少年ヤコベの殉教：オルファネール）

「大勢の人々が牢を圍んでゐた。皆歴々の犠牲者が死んで行くのを見たがつてゐた。（中略）キリシタン達は、もう遺物を尊重して難行者の衣服を引きちぎつて行くのであつた」（有馬の殉教：パジェス）

「諸聖人の天主堂（長崎のトードス・オス・サントス教会。現在は春徳寺が建つ＝筆者注）は、常に無限の人を惹きつけてゐた。何となれば、十年乃至十二年前から、この天主堂は、殉教者の聖骨を納める場所となり、日本全國から殉教者の遺骨が送られた」（パジェス）

「これらの聖人の墓（タヴォラ神父とアスンシオン神父が殉教した大村・帯取＝筆者注）に参詣するキリシタンの群が日々増大していった」（モレホン）

「キリシタンは初めから跪いていたが、殉教者の死んだのを見ると聖なる灰を崇って、役人にかまわず火の中へととび込んで行って、火傷も恐れずに遺体を引き出した。童貞の殉教者マグダレーナの両手を一人の身分の高い人物が取り、体は神津浦のキリシタンがもって行った。他の七人の遺体は数個の箱に入れられて長崎へ送られ、イエズス会の管区長に渡され、教会の扉を閉めたまま密かに日本の司教ドン・ルイス・セルケイラ列席のもとにきわめて厳粛にその教会に安置された。少し後に聖女マグダレーナの遺体ももって来られて、他の人々のと一緒におかれた。キリシタンの信心は非常に深くて、柱も燃えさしも跡形なく聖遺物としてもち去られた」（有馬の殉教：モレホン）

これらの殉教伝以外にも、神父たちが殉教者の聖遺骸を至宝とみなした書簡があるので、いくつか紹介しておこう。

「私たちは死んだ一人（小浜のジョアン平尾半右衛門＝筆者注）の首をもっています。それが私たちの所へもって来られたときに、乾いた米の藁に包まれていました。私たちはその藁を焼きましたが、一人の女が信心からその二、三本をとっておきました。噂によるとその藁が穂を出したということです。（中略）神父（イエズス会のカルロ・スピノラ＝同）はその聖なる首の一部を僅かでも欲しいと言っています」（一六二五年三月二十八日、長崎より、ドミニコ会フィリピン聖ロザリオ管区バルタサール・フォルトゥ宛て　オルファネール書簡）

「猊下がもっともおよろこびになる贈物は、一六一八年二月二十八日の灰の日に、豊前国の首都小倉市で、父親ジョアンと母親アナとともに殉教したトメという名の一歳半の子供の肉体であろう。

これら三人の至福者の肉体は、その他の肉体とともに、私がこの件を委ねた信頼のおける人々が、当地の私の許に持って来た。私はこの聖なる子供の肉体を、石灰とともに箱につめさせた。その中で六カ月以上にわたって腐敗しなかったどころか、完全な姿をとどめた。私が猊下にお贈りする通りである。彼を殉教者にした一撃が加えられた頭のところを小さな右手で示した姿のままで」（一六一九年九月十五日、長崎より、イエズス会総長宛て　マテウス・デ・コーロス書簡）

聖遺物を手にしたキリシタンが、それをどのような存在と見なしていたかが想像できる記述もある。

「有馬領のみならず他の多くの地方において、神の業であるこれらの聖者の遺物をもって、水を飲むだけで体内に不思議な力が入り病人に健康が与えられる、と人びとは断言している。かくてこの人たちは、輝かしい死の日に、聖遺物や殉教地を訪ね、晴着を纏ってお互い招待し合い、晴やかな表情をして仲間で祝っている。（中略）教皇聖下が、その人達を殉教者と宣言し、公けの祝いができる許可を与え、礼遇されるよう待望しているのである」（有馬のキリシタン：モレホン）

日本のキリシタンは、神父たちがもうすぐ絶滅することを知っていた。だからこそ、信仰を維持するためのよすがとして、よりいっそう聖遺物を求める心性が形成されたのではないだろうか。

初期教会への傾倒

日本で進行する迫害は、なぜかくも初期教会に似てしまったのか？　以下は私の推論である。

聖フランシスコ・ザビエルが布教を開始した一五四九年から、約一世紀にわたった「キリシタンの世紀」は、ほぼ折り返し地点にあたる一五九七年の日本二十六聖人の殉教から、迫害を念頭に置かなければならない時代に入った（一五八七年に秀吉によって伴天連追放令が出されたものの、信徒に対する迫害はさほどではなかった）。つまり後半の半世紀は、迫害に対する心の準備を信徒にさせなければならなかったのだ。

前章で述べた通り、神父たちは日本の信徒がキリスト教の本質を容易に理解するための教材として聖人伝に着目し、ザビエル来日のわずか七年後には聖人伝を日本に持ちこんでいた。その代表が、初期教会時代の殉教者を描いた『サントスの御作業』だった。

神父たちが信徒に殉教の覚悟をさせるために殉教伝を活用した、とまでは思わない。あくまでも当初は、「キリストにならいて」生きた聖人の生きざまを通し、キリシタンとして生きるために教義を伝えようとしたのであろう。

十六〜十七世紀に生を受けた南蛮出身のパードレたちにとって、殉教多発状況は未経験の世界だった。極めて皮肉な話だが、異教徒の暴君によって迫害され、信仰事由《じゆう》で生命を捧げることが重要視される殉教は、キリスト教がメジャーな宗教であるヨーロッパではめったに起きない事象となってしまった。「新発見」されたアメリカ大陸やインドなど、彼らがすでに植民地化して布教が進んでしまった地域でも然りである。仮にプロテスタントが支配的である地域に出向き、信仰告白をすれば、殺されることはありえた。しかしその場合、列聖審査で殉教と認められない可能性がある。イエス・キリストを至高のロールモデルとみなす以上、殉教のハードルはとても高いのだ。パードレたちは少なくとも母国にいた時、殉教をほとんど見たことがなかったはずだ。

殉教がほとんど起こらない土地と時代に初期教会の殉教伝を読んだら、回心したり海外布教を志したりすることはあっても（イエズス会創設者の聖イグナチオ・デ・ロヨラはこのケースにあたる）、それほど現実世界とシンクロはしないだろう。

ところが日本は、事情が違った。

ここでもあそこでも迫害が起き、信徒が殺されていく。自らの手で洗礼を授けた信徒が殉教していくのを目の当たりにしたパードレたちの、精神的高揚はいかばかりだっただろう。

私は非難するつもりも揶揄《やゆ》したいわけでもない。ヨーロッパではけっして遭遇できない殉教が多発し、同様にけっして手に入らない「生の」聖遺骸や血という至宝が日本では手に入る。信徒の殉教を克明に記録して列聖申請を行い、至宝をローマに送らなければならない、とパードレたちが考えるのは当然だ。そして自ら、初期教会の再来という物語の中に取りこまれていく。

次に信徒の側に立って想像してみよう。

パードレに教えられた『サントスの御作業』と似た状況が、実際に目の前で起きる。処刑理由や拷問方法、棄教させるための誘惑、そして迫害者が言うセリフまでそっくりだ。

「パードレさまのおっしゃられた通りではないか」

キリシタンたちには、まるで聖人伝が予言書のように感じられたに違いない。そして次に起きること（つまりは処刑）もわかっているから、昔の聖人のセリフと似てしまう。非常に言葉は悪いが、聖人伝がいつしか殉教ガイドブックのような存在になってしまったと言えないだろうか。こうして初期教会の再来という物語は、神父の側でも信徒の側でも強固になっていった気がしてならないのだ。

日本で斃れていった数々のキリシタンの存在を思い浮かべると、教皇フランシスコの来崎（来日というより、長崎に来たこと）に、私は格別の思いを抱かざるを得なかった。

あとがき――不思議な宝箱

二〇一七年に始まり、三年にわたった音楽の旅が、ようやく終わろうとしている。なんともいえず、奇妙な旅だった。

そもそも、こんな旅になる予定ではなかった。

最初のうちは、まっすぐな気持ちで、リュートをうまく弾けるようになりたいと切望していた。シェイクスピアと同世代のダウランドが書いたやさしめの曲や、天正遣欧使節の少年たちが欧州で耳にしたと思われる曲を、いくつか弾けるようになりたい。そして曲を練習するにあたって経験した苦労や、その曲にまつわるエピソードをつづりたい。そんな心づもりで港から船出したのだ。

ところが船出して間もなく、濃霧に巻きこまれ、進路がわからなくなった。連載という長旅に出て、しばらくしてから迷走し始めるのは私の十八番であるが、今回は港を出てじきに、この海図を信じて進んでよいのかどうか、迷いが生じた。

数年という短い時間だが、リュートと関わるようになってからというもの、私の中にはある思いがくすぶっていた。西ヨーロッパ、宮廷、ルネサンス、楽器の女王、たおやかな音色、静まりかえった荘厳な教会……。リュートという楽器が、あまりに窮屈な場所に閉じこめられているような気がしたのである。

リュートをもっと自由な時空間へ解放してあげたい。

少なくとも紙の上で、自由にしてあげることはできないか。

進路を修正してもとの航路に戻るか。それとも羅針盤を信じて、その針の指す方向へ向かってみるか。

イチかバチかで、後者を採ってみた。その結果、リュートに乗って始めた旅だったにもかかわらず、途中でリュートの姿はどこかへ消えてしまうし、肝心の演奏技術はまったく向上しなかった。しかしそのかわり、思いもかけない時代や空間へ立ち寄ることができた。私自身にとっては、このうえもなく楽しい旅となった。

リュートは、最高の旅の道連れだった。

連載の最終回を書いたのは二〇一九年暮れのことだった。二〇二〇年はまたあらたな旅をする年にしよう、と思った矢先、新型コロナウィルスが日本にも上陸した。旅行どころか、気ままに外出して人に会うことすらままならなくなった。この本も、在宅ワークとメール、宅配便を駆使して作られた。

本書には、黒死病（ペスト）がヨーロッパに蔓延して多くの人の命を奪った際に誕生した、「死の舞踏」の概念がところどころに登場する。人がとても死にやすかった時代、何に心のよりどころを求めたのか。その手触りをおぼろげながら体験する日が、これほど早くやって来ようとは、予想もしていなかった。

「深い居眠りから目覚める時はきた
死に向かって急ごう　罪を断ち切ろう
人生は短く　終わりはすぐそこまで近づいている
死は一瞬のうちにやってくる
誰も逃れることはできない」

遠い昔、彼らのものだった歌が、いまは自分に関わる歌に感じられる。執筆していた時よりもずっと、彼らの存在を近くに感じている。

連載時から本の製作にいたるまで、タッグを組んだのは、遡ること二十年前、『ホンコンフラワー』という写真集を共に作った、平凡社の山本明子さんである。コンスタンティノープルやラバトまで足を伸ばしてしまい、「一体どこへ行っちゃうの?」とずいぶん心配をかけたが、なんとか戻ってくることができたのは山本さんの辛抱強さのおかげです。

装幀デザインを担当してくださったのは、ミルキィ・イソベさん。本を作るという行為はいつでも苦難の連続であるけれども、最後のゴールラインにミルキィさんが待っている、と思うと乗り越えられます。

世界にひとつしかないリュートを作ってくださった、リュート製作者の山下暁彦さんにも、この場を借りて感謝を。このたおやかな流線形をした華奢な楽器は、「まろりん」とつまびくたびに、見知らぬ場所の昔話を語りだしてくれる、不思議な宝箱です。

そして中世スペインへの扉を開いてくれた杉本ゆりさんにも感謝申し上げます。よりによって、リュートの体験レッスンへ行った日に杉本さんが主催されるコンサートのチラシを手に入れたことは、何かのお導きだったとしか考えられません。

これからも、星の光を頼りに歩いてみようと思う。

星野博美

二〇二〇年七月二十四日
東京でオリンピックが開幕するはずだった日、雨もようの東京にて

主要参考文献

ルイス・フロイス『完訳フロイス日本史 1~12』川崎桃太訳・松田毅一訳、中公文庫、二〇〇〇年
同『ヨーロッパ文化と日本文化』岡田章雄訳注、岩波文庫、一九九一年
デ・サンデ編『デ・サンデ天正遣欧使節記　新異国叢書5』泉井久之助ほか訳、雄松堂出版、一九七九年
アレッサンドロ・マルツォ・マーニョ『そのとき、本が生まれた』清水由貴子訳、柏書房、二〇一三年
高橋保行『ギリシャ正教』講談社学術文庫、一九八〇年
瀧口美香『ビザンティン　四福音書写本挿絵の研究』創元社、二〇一二年
ジョナサン・ハリス『ビザンツ帝国――生存戦略の一千年』井上浩一訳、白水社、二〇一八年
井上浩一『生き残った帝国ビザンティン』講談社学術文庫、二〇〇八年
ティモシー・ウェア『正教会入門――東方キリスト教の歴史・信仰・礼拝』松島雄一監訳、新教出版社、二〇一七年
ピーター・ランボーン・ウィルソン『海賊ユートピア：背教者と難民の17世紀マグリブ海洋世界』菰田真介訳、以文社、二〇一三年
D・W・ローマックス『レコンキスタ――中世スペインの国土回復運動』林邦夫訳、刀水書房、一九九六年
レオン・ポリアコフ『反ユダヤ主義の歴史　第一巻　キリストから宮廷ユダヤ人まで』菅野賢治訳、筑摩書房、二〇〇五年

エリザベス・ハラム編『十字軍大全――年代記で読むキリスト教とイスラームの対立』川成洋・太田直也・太田美智子訳、東洋書林、二〇〇六年
ヤコブス・デ・ウォラギネ『黄金伝説2』前田敬作・山口裕訳、平凡社ライブラリー、二〇〇六年
秋山聰『聖遺物崇敬の心性史――西洋中世の聖性と造形』講談社学術文庫、二〇一八年
アミン・マアルーフ『アラブが見た十字軍』牟田口義郎・新川雅子訳、ちくま学芸文庫、二〇〇一年
『ペトロ岐部と187殉教者』ドン・ボスコ社、二〇〇八年
ペドゥロ・モレホン『日本殉教録　キリシタン文化研究シリーズ10』佐久間正訳、キリシタン文化研究会、一九七四年
同『続日本殉教録　キリシタン文化研究シリーズ11』野間一正・佐久間正訳、キリシタン文化研究会、一九七三年
尾原悟編著『サントスのご作業』「キリシタン研究」第33輯、教文館、一九九六年
レオン・パジェス『日本切支丹宗門史　上・中・下』
クリセル神父校閲、吉田小五郎訳、岩波文庫、一九三八～四〇年
立石博高ほか編『スペインの歴史』昭和堂、一九九八年立石博高・内村俊太編著『スペインの歴史を知るための50章』明石書店、二〇一六年
皆川達夫『オラシヨ紀行　対談と随想』日本基督教団出版局、一九八一年
トマス・オイテンブルク『十六～十七世紀の日本におけるフランシスコ会士たち』石井健吾訳、中央出版社、一九八〇年

五野井隆史『徳川初期キリシタン史研究』吉川弘文館、一九八三年
東京大学史料編纂所編『大日本史料　第十一編別巻之1　天正遣欧使節関係資料1』東京大学史料編纂所、一九五九年
同『大日本史料　第十一編別巻之2　天正遣欧使節関係資料2』同、一九六一年
ディエゴ・パチェコ『鈴田の囚人――カルロス・スピノラの書簡』佐久間正訳、長崎文献社、一九六七年
浅見雅一『キリシタン時代の偶像崇拝』東京大学出版会、二〇〇九年
佐藤吉昭『キリスト教における殉教研究』創文社、二〇〇四年
ヴァリニャーノ『日本巡察記』松田毅一ほか訳、東洋文庫、一九七三年
ホセ・デルガード・ガルーシアO.P.編注『福者フランシスコ・モラーレスO.P.書簡・報告　キリシタン文化研究シリーズ7』佐久間正訳、キリシタン文化研究会、一九七二年
同『福者ホセ・デ・サン・ハシント・サルバネスO.P.書簡・報告　キリシタン文化研究シリーズ13』同、一九七六年
同『福者アロンソ・デ・メーナO.P.書簡・報告　キリシタン文化研究シリーズ23』同、一九八二年
同『福者ハシント・オルファネールO.P.書簡・報告　キリシタン文化研究シリーズ25』同、一九八三年
同『福者トーマス・デル・エスピリトゥ・サント・デ・スマラガO.P.書簡・報告　キリシタン文化研究シリーズ26』同、一九八四年
ホセ・デルガド・ガルシア註『オルファネール　日本教会史　1602-1620年』井出勝美訳、雄松堂書店、一九八〇年

同『コリャド　日本キリシタン教会史補遺　１６２１・１６２２年』井出勝美訳、雄松堂書店、一九八〇年
星野博美『みんな彗星を見ていた――私的キリシタン探訪記』文藝春秋（現在、文春文庫）、二〇一五年

本書は『こころ』Vol.36 ～ 53（2017 年 4 月～ 2020 年 2 月）
に掲載したものに加筆修正を施しました。

星野博美（ほしの ひろみ）

ノンフィクション作家、写真家。1966年、東京生まれ。2001年、香港返還前後の2年間を追った『転がる香港に苔は生えない』で第32回大宅壮一ノンフィクション賞受賞。自身のルーツである外房の漁師の足跡を追った『コンニャク屋漂流記』で第63回読売文学賞「随筆・紀行賞」受賞（2012年）。『みんな彗星を見ていた——私的キリシタン探訪記』（2015年）では、15～16世紀の「キリシタンの時代」に生きた、ヨーロッパ出身の宣教師と日本のキリシタンの語られなかった真実を追った。
他の著作は『謝々！ チャイニーズ』『銭湯の女神』『のりたまと煙突』『愚か者、中国をゆく』『島へ免許を取りに行く』『戸越銀座でつかまえて』『今日はヒョウ柄を着る日』など、写真集は『華南体感』『ホンコンフラワー』など。

旅《たび》ごころはリュートに乗《の》って——歌《うた》がみちびく中世巡礼《ちゅうせいじゅんれい》
2020年9月25日　初版第1刷発行

著者　星野博美
発行者　下中美都
発行所　株式会社平凡社
〒101-0051　東京都千代田区神田神保町3-29
電話　03-3230-6583（編集）
03-3230-6573（営業）
振替　00180-0-29639
印刷・製本　中央精版印刷株式会社

ISBN978-4-582-83845-9
NDC分類番号236.04
四六判（19.4cm）　総ページ344
平凡社ホームページ　https//www.heibonsha.co.jp/